La promesa de Gertruda

La promesa de Gertruda

Un niño, una promesa y una fuga heroica
durante la Segunda Guerra Mundial

Ram Oren

Con el asesoramiento de Michael Stolowitzky

Traducción de Alejandro Gibert

Título original: *Gertruda's Oath. A Child, a Promise, and a Heroic Escape During World War II*
Originalmente publicada en hebreo, en Israel, como *Ha Shevu'ah* por Keshet Publishing, Tel Aviv, en 2007

Primera edición en esta colección: febrero de 2014

Traducción publicada con permiso de Doubleday Religion, an imprint of the Crown Publishing Group, a division of Random House, Inc.

Plataforma Editorial
c/ Muntaner, 269, entlo. 1ª – 08021 Barcelona
Tel.: (+34) 93 494 79 99 – Fax: (+34) 93 419 23 14
www.plataformaeditorial.com
info@plataformaeditorial.com

Depósito legal: B-1.249-2014
ISBN: 978-84-15880-80-6
IBIC: BGA
Printed in Spain – Impreso en España

Realización de cubierta y fotocomposición:
Grafime

El papel que se ha utilizado para imprimir este libro proviene
de explotaciones forestales controladas, donde se respetan
los valores ecológicos, sociales y el desarrollo sostenible del bosque.

Impresión:
Liberdúplex
Sant Llorenç d'Hortons (Barcelona)

El papel utilizado para la impresión de este libro
ha sido fabricado a partir de madera procedente
de bosques y plantaciones gestionadas con los
más altos estándares ambientales.
Papel certificado por el Forest Stewardship Council ®

Índice

Agradecimientos

Quiero expresar aquí mi gratitud a Michael Palgon, Kevin Tobin y todo el equipo de Doubleday que participó en la publicación de este libro, y hacerla extensiva a Darya Porat, mi editora en Doubleday, por su fe y su determinación a la hora de poner el libro a disposición del público angloparlante, supervisar la traducción y corregir el manuscrito con diligencia y buen tino. Mi más profundo agradecimiento también a David Kuhn, nuestro magnífico representante, y a Billy Kingsland, de Kuhn Projects, que nos guio con pericia a lo largo del proyecto. Asimismo debo dar las gracias a Geoffrey Weill.

Y al profesor Elie Wiesel, por sus amables palabras.

Estaré también eternamente en deuda con el difunto Chaim Stolowitzky, el doctor Mordecai Paldiel, el juez Arie Segalson, la difunta Elisheva (Helga) Rink-Bernson y el capitán del *Exodus*, Ike Aaronovitch.

Y en último lugar, aunque no en importancia, mi más profundo agradecimiento a mi querido Michael Stolowitzky, sin el que este libro jamás habría visto la luz.

Nota del autor

La promesa de Gertruda es una historia verídica. Todos los acontecimientos descritos en la novela se basan en mis entrevistas con los parientes de los protagonistas y los supervivientes del Holocausto, documentos actuales y mi propia investigación de los sucesos en ella narrados. Aun así, dado que el libro se fundamenta en los recuerdos de sus protagonistas y muchos de ellos ya han fallecido, incluida la propia Gertruda, en aras de la fluidez narrativa me he visto obligado a incluir elementos de ficción para recomponer los diálogos y añadir detalles a ciertos acontecimientos. La historia de Michael y Gertruda, como la de todos los que padecieron el Holocausto, es una historia dolorosa, y he tratado de relatarla aquí con el máximo realismo posible.

Introducción

Poco a poco escampó la humareda de la guerra y lució en el cielo el sol primaveral, posándose sobre los escombros donde se ocultaban decenas de miles de cadáveres, inundando las calles asoladas, sembrando de reflejos las caudalosas aguas del Vístula, que seguía su curso borboteante, llevándose consigo la memoria del terror y la muerte.

En lo alto de la colina, sobre las ruinas de Varsovia, se alzaba aún intacta la vieja y majestuosa mansión de la familia Stolowitzky, que había sobrevivido milagrosamente a la guerra, con sus cuatro plantas de sillería con los cantos esculpidos, sus estatuas de antiguos guerreros en las cornisas, sus impresionantes vitrales y sus techos de madera pintados.

De sus antiguos inquilinos sólo un niño y su niñera seguían con vida, y los dos iban camino de un país lejano. En su nuevo hogar, con sus cuatro paredes desconchadas, su bañera oxidada y sus muebles baratos, la antigua mansión con su lujo y esplendor les habría parecido un sueño, el producto de una imaginación febril.

El chico y su niñera, que lo adoptó, se instalaron en un diminuto piso de alquiler en una de las callejuelas de Jaffa.

Desde la ventana sólo se veían las fachadas deprimentes de los pisos circundantes, los niños que jugaban en un descampado y las mujeres que volvían del mercado con sus pesadas bolsas de la compra. A todas horas el ruido de los coches y el hedor de las basuras inundaban el piso. En invierno el olor del moho impregnaba sus habitaciones y en verano sus muros retenían un aire sofocante, infernal.

En la mansión de la colina todo había sido muy distinto, por supuesto. El gigantesco edificio, con sus espaciosas salas y sus jardines, estaba caldeado en invierno y aireado en verano. La fresca brisa del río entraba por las ventanas y los criados andaban de un lado a otro de puntillas para no hacer ruido. Los armarios rebosaban de ropa cara. Se servían manjares copiosos en suntuosos platos de porcelana. La vieja cubertería era de oro bien bruñido y el vino se escanciaba en copas del más fino cristal.

Michael Stolowitzky y su madre adoptiva, Gertruda, habían sobrevivido a la guerra y luchaban ahora por sobrevivir en su tierra de adopción. Él iba a la escuela. Ella, que ya no era ninguna jovencita, iba cada mañana a los barrios del norte de la ciudad, donde trabajaba como mujer de la limpieza, y regresaba cada noche a casa con las articulaciones doloridas y los ojos cansados. El chico la recibía con un beso, le sacaba los zapatos, le cocinaba una cena frugal y le hacía la cama. Michael sabía que Gertruda se deslomaba a trabajar para pagarle los estudios y costearle todos sus gastos, y un día el chico juró pagarle con creces por todo lo que había hecho por él: por salvarlo de la muerte, consagrarle su vida entera y asegurarse de que no le faltara de nada.

A Michael Stolowitzky la pobreza y las privaciones no le eran desconocidas. Las había padecido en abundancia en su largo viaje de supervivencia durante la Segunda Guerra Mundial. Ahora veía la luz al final del túnel, la luz que anunciaba el fin de sus penurias, de su lucha de subsistencia diaria, y se convencía de que un día no muy lejano todo cambiaría y la cosas volverían a ser como antes, cuando vivían rodeados de riquezas y comodidades, ajenos a la miseria y el sufrimiento.

Este halagüeño futuro estaba a su alcance, era claro y concreto. A cuatro horas de vuelo de Israel yacía un tesoro congelado, millones de dólares y lingotes de oro depositados en bancos suizos por Jacob Stolowitzky, su difunto padre, un judío al que en vida apodaban «el Rockefeller de Polonia». Michael era su único heredero.

La herencia, aquella pequeña indemnización por los padecimientos y las pérdidas que había sufrido durante la guerra, absorbía los pensamientos de Michael y no tardó en convertirse en el punto focal de todas sus fantasías. Al terminar los estudios fue llamado a filas y esperó con impaciencia el fin de su servicio militar para poner manos a la obra y recuperar el dinero. Lo asignaron a una unidad de combate y en una escaramuza al norte de Kinneret recibió en la pierna el disparo de un francotirador sirio.

Gimiendo de dolor, fue trasladado al quirófano del hospital de Poriya. Cuando se le pasó el efecto de la anestesia y abrió los ojos, encontró a su lado a su madre adoptiva, llorando. Le alargó una mano lánguida y ella la apretó contra su pecho.

–No llores –le dijo–. Todo irá bien, te lo prometo.

Cuando le dieron de baja del ejército regresó a su pequeño piso y al día siguiente se puso a buscar trabajo. No hizo ascos a ninguna oferta: trabajó de mensajero, cruzando la ciudad de Tel Aviv a lomos de su escúter, de camarero en un bar de noche y de guardia nocturno en una fábrica textil. Tenía que ahorrar algo de dinero a toda costa.

Al cabo de dos años, en junio de 1958, Michael juntó todos sus ahorros y los pocos documentos familiares que había conseguido salvar y compró un billete de avión a Zúrich.

–¿Cuánto tiempo te quedarás? –le preguntó Gertruda, preocupada.

–Dos o tres días, no creo que necesite más tiempo.

–¿Y si no te dan el dinero?

Michael sonrió, confiado.

–¿Cómo no van a dármelo? Ya verás, volveré con la herencia y cambiaremos de vida –le prometió.

Gertruda lo acompañó al aeropuerto y lo despidió con un beso.

–Cuídate –le dijo–. Y guarda bien el dinero, no dejes que te lo roben.

–No te preocupes.

Se subió al avión excitado e impaciente. En Zúrich alquiló un cuarto en una pensión y no pegó ojo en toda la noche. El único dato que tenía era el nombre de uno de los bancos en los que su padre había depositado su fortuna y fue allí donde se dirigió al día siguiente, imaginándose ya las montañas de dinero que los empleados del banco le entregarían y la cara que pondría su madre adoptiva al recibirlo en Israel, convertido en un hombre rico y libre de preocupaciones. Cuando regresara sabía exactamente lo que le diría:

–Somos ricos, Gertruda. Ya podemos mudarnos a nuestra propia casa y comprar todo lo que quieras. Y lo más importante es que a partir de ahora no tendrás que trabajar.

Ella lo rodearía entre sus brazos y le diría, como siempre:

–Yo no necesito dinero, amor mío. Yo sólo quiero tenerte a mi lado.

1. Dos bodas

1.

Con su uniforme cuajado de las condecoraciones militares heredadas de sus ancestros, el marqués Stefan Roswadovsky se mordió los labios de pura rabia y apuró la enésima copa de *brandy*. El marqués, un hombre barrigón y rubicundo de setenta y dos años, había consumido su vida en una retahíla ininterrumpida de placeres, y bajo su ancha mandíbula había ido formándose una papada rosácea y fofa como un ravioli relleno, que crecía y se espesaba mientras su cuerpo iba juntando carnes.

Del patio llegó el crujido de las ruedas del carruaje que entraba por la verja y en la garganta del marqués fue materializándose un regusto nauseabundo, el regusto del desastre inminente. Habría dado cualquier cosa por evitarlo.

Se cernían sobre Varsovia unos nubarrones plomizos, tan lúgubres como el humor del marqués, y una llovizna silenciosa caía sobre los jardines de la mansión de la avenida Ujazdowska número 9 cuando el carruaje se detuvo y el cochero brincó del pescante para abrir la puerta. Del carruaje descendió un hombre de unos cuarenta años, alto y delgado, con un elegante abrigo de lana. Su rostro era firme y sus andares livianos y seguros. El cochero abrió un paraguas sobre la cabeza del señor y lo acompañó hasta la puerta. Desde el ángulo de su ventana, el marqués contemplaba la escena, desesperado. Sabía que en pocos minutos la puerta se abriría y el honor que había enaltecido su casa, legado de padre a hijo durante muchas generaciones, el honor de su familia y el suyo propio sería pisoteado y profanado por un plebeyo.

Un criado de rostro impasible ataviado con una levita negra recibió al huésped y lo ayudó a quitarse el abrigo.

–Si es tan amable de esperar, anunciaré al señor su llegada –dijo servilmente.

El criado entró silenciosamente en el despacho de Roswadovsky e hizo una profunda reverencia.

–Marqués –dijo–, el señor Stolowitzky ha llegado.

–Tampoco se va a morir el judío este por esperar un poco –rezongó, tras un momento de vacilación, pensando que necesitaba más tiempo para preparar la reunión.

El marqués exhaló un suspiro y se hundió aún más en su sillón. Desde las paredes forradas de terciopelo lo observaban sus ancestros, oficiales militares condecorados blandiendo sus espadas sobre corceles de grupas relucientes. A su lado, en marcos dorados, colgaban los retratos de sus bellas y rellenitas esposas con espléndidos vestidos, luciendo joyas de oro y diamantes. Cubrían los suelos alfombras persas, tejidas por experimentados artesanos que trabajaban sin descanso en los sótanos de Isfahán y Shiraz, y en las cuatro esquinas del gran despacho resplandecían muebles dignos de un palacio real.

El avejentado marqués bullía inquieto en su sillón, se mesaba el bigote engomado y luchaba contra la repugnancia que le invadía al pensar en la reunión con el hombre que esperaba en la sala contigua. Nunca se le había pasado por la cabeza que un hombre como él, vástago de una noble familia polaca, amo y señor del destino de cientos de arrendatarios, dueño de tierras y obras de arte, pudiera encontrarse jamás en una posición tan embarazosa e insultante, que un judío como aquel pudiera turbar su serenidad e imbuirle melancólicas reflexiones sobre el vuelco del antiguo ordenamiento del mundo.

En la familia Roswadovsky, el honor y la casta eran valores supremos y constituían el eje mismo de la vida. El marqués estaba seguro de lo que hubiera hecho cualquiera de sus ancestros si un judío hubiera osado pisar su casa. Ninguno habría vacilado en echar a la calle o dar su merecido a cualquier hombre que se atreviera a plantarles cara y aprovecharse de su comprometida situación.

Ningún miembro de la dinastía Roswadovsky se había mezclado jamás con judíos como el que lo esperaba en el vestíbulo. En Baranowicz, la región oriental de Polonia donde la familia tenía numerosas propiedades, los judíos se sobrecogían de miedo y respeto al ver pasar su carruaje. Hasta el último de ellos se arrodillaba a su paso y ninguno osaba alzar hacia él su mirada. ¿Adónde habían ido a parar aquellos lejanos días? ¿Cómo había perdido su pasada autoridad? ¿Cómo era posible que el suelo de su palaciega casa de Varsovia, una de las muchas mansiones que la familia tenía repartidas por toda Polonia, fuera ahora a ser mancillado por los zapatos de un judío de ciudad, que no acudía además a suplicarle su gracia sino al rescate del propio marqués, que lo había mandado llamar con suma urgencia para que lo sacara del atolladero?

Moshe Stolowitzky era un tipo de judío con el que el marqués Roswadovsky no estaba familiarizado. Era un hombre extraordinariamente rico, poderoso e influyente. Pocos polacos podían presumir de su enorme riqueza, gran parte de la cual la había heredado de su padre, un empresario expeditivo que había amasado el grueso de su fortuna antes de la Primera Guerra Mundial fabricando y vendiendo coches cama para líneas ferroviarias, puliendo muelas para molinos de harina, regentando una taberna en Baranowicz, donde vivía, y realizando allí provechosas inversiones inmobiliarias. Cuando Baranowicz cayó en poder de los rusos durante la Gran Guerra, Moshe Stolowitzky huyó a Varsovia, junto a muchos de sus vecinos, consiguiendo poner a salvo el grueso de su fortuna. El marqués Roswadovsky no había tenido tanta suerte. Escapó de la ciudad en mitad de la noche, dejando atrás un buen pellizco de su patrimonio, y se refugió en su magnífica mansión de Varsovia. Pero no tardó en quedarse sin dinero y comenzar a acumular deudas que debía liquidar cuanto antes. La única solución para satisfacer a sus acreedores era difícil y dolorosa: vender sus tierras y sus inmuebles. Los compradores potenciales comenzaron a llegar a su casa. Algunos querían aprovecharse de sus dificultades y le proponían precios de compra irrisorios. Otros le ofrecían más, pero no lo suficiente. Hasta que llegó Moshe Stolowitzky y le hizo una oferta irrechazable.

El criado regresó al cabo de unos minutos.

–El señor Stolowitzky tiene prisa –dijo–. Dice que no puede esperar.

–¡Menudo rostro tiene ese judío! –gruñó el marqués, en voz alta.

El criado callaba, esperando instrucciones.

–De acuerdo, hazlo pasar –dijo al fin el marqués, tragándose su repugnancia.

Al cabo de un minuto Moshe Stolowitzky apareció en el umbral y miró fijamente al marqués. Venía a hacer negocios desde una posición de fuerza; no tenía tiempo para la cháchara o los buenos modales.

A regañadientes, el marqués se dispuso a tratar con su invitado, que condujo la negociación con dureza inflexible. En una hora Roswadovsky le vendió varios inmuebles y terrenos en Baranowicz y le traspasó su casa de Varsovia. Como de costumbre, cuando la necesidad de dinero era acuciante, el aspecto económico pesaba más que el honor, la posición y cualquier otro factor. Contrariado, el marqués polaco se tragó la ofensa del judío y firmó la escritura de compraventa.

Le era muy difícil deshacerse de sus propiedades y, en especial, de su magnífica casa de Varsovia, una gran mansión amueblada con ostentación y rebosante de raras obras de arte. Aquella casa era su dicha y su orgullo, y en ella Roswadovsky disponía de una legión de criados, una despensa llena de manjares y una bodega de vinos selectos. En cenas suntuosas había agasajado allí a la élite polaca y a los empresarios más acaudalados de la ciudad, y era doloroso tener que vender todo aquello para eludir la deshonra de la bancarrota.

La joven amante del marqués, una morena despampanante que era hija de uno de sus arrendatarios y vivía en la casa de Varsovia, haciendo aún más apetecibles las visitas del marqués, lloró lágrimas amargas cuando tuvo que volverse a su casa. El marqués vio impotente cómo hacía las maletas.

–¿Qué será de mí? –le dijo ella, entre sollozos–. ¿Qué será de nosotros?

El marqués le acarició el pelo y una lágrima le asomó en el ojo. No encontraba respuesta.

Moshe Stolowitzky salió de casa del marqués con la sensación de haber cerrado un trato excelente. Sus aptitudes para los negocios eran célebres. Astuto y dotado de una gran audacia empresarial, las puertas de los despachos de altos cargos gubernamentales se le abrían de par en par y no tardó en convertirse en el contratista ferroviario más acreditado del país. Sus trabajadores, que se contaban por centenares, tendían vías férreas por toda Polonia y más allá de sus fronteras, a lo largo de la red ferroviaria rusa. Las manifestaciones de antisemitismo no lo molestaban, pues ningún antisemita osaba acercarse a él. Siempre era bien recibido en casa de los jefes de Estado, que también acudían gustosamente a las recepciones que ofrecía en su mansión.

El marqués le pidió una semana para mudarse de su casa de Varsovia. Cuando el último de los camiones de mudanzas se hubo marchado, Moshe Stolowitzky se trasladó a la mansión con Hava, su mujer, y Jacob, su hijo pequeño.

2.

Moshe Stolowitzky no era sólo un hombre rico; era también un judío orgulloso de su cultura. Leía con regularidad el periódico *yiddish* local, *Dos Yidishe Tageblat*; iba con su mujer al teatro judío Wikt, fundado por el actor Zigmund Turkow; invertía en películas en *yiddish* como *Yiddl mitn fiddl*, que fue un éxito entre el público judío de todo el mundo; contribuía a financiar *yeshivás* y escuelas judías y patrocinaba a escritores y poetas judíos. Cada viernes, los pobres de la ciudad recibían de su parte cestos de comida para el sabbat, y en su mansión, como era costumbre entre los grandes filántropos judíos, había una caja con efectivo para dárselo a los necesitados que llamaban a su puerta a diario.

Jacob, su único hijo, estaba destinado a seguir sus pasos. Su padre contrató a maestros que le enseñaran hebreo y ciencias, le compró una suscripción a la revista infantil en hebreo *Olam Katan* (*Pequeño Mundo*) y se alegraba cada vez que veía al niño leer allí las historias de los jasides (judíos piadosos) y los lugares santos de la Tierra de Israel.

Una noche tormentosa de invierno Moshe Stolowitzky ocupó su asiento de primera fila en el auditorio de Novoschi, donde se habían congregado cerca de tres mil judíos para escuchar la charla de Ze'ev Jabotinsky. El líder sionista, un hombre chaparro, con gafas circulares y expresión grave, los instó a volver a Israel antes de que los expulsaran de Europa. Aunque era un admirador de Jabotinsky y leía sus escritos con fervor, Moshe Stolowitzky pensó que aquella vez exageraba al hablar de los peligros que aguardaban al pueblo judío en Europa. Como la mayoría de sus amigos, Stolowitzky y su familia consideraban que su patria era Polonia y se sentían agradecidos por el patrimonio que allí habían amasado. Vivían holgadamente,

Mansión de la familia Stolowitzky. Varsovia.

gozaban de todas las comodidades y, por supuesto, no se les había ocurrido nunca que el futuro pudiera depararles tiempos difíciles como los que auguraban las sombrías predicciones de Jabotinsky.

La realidad no tardaría en demostrarle a Moshe Stolowitzky que su pequeño paraíso polaco era sólo un espejismo. Un viernes por la noche, el millonario judío se sentó en su cómoda butaca de terciopelo ante el arca de la alianza de la sinagoga de Tlomackie, la más grande y antigua de Varsovia, y pasó un buen rato disfrutando de los cantos de Moshe Koussewitzky, el célebre solista del coro. Al terminar el servicio salió de la sinagoga junto a un grupo de fieles. Tenía aparcado muy cerca el carruaje que lo llevaría a casa, donde lo esperaba su familia y la comida tradicional del sabbat. Stolowitzky no llegó tan lejos. Un grupo de jóvenes antisemitas rodearon al grupo de fieles, les lanzaron piedras y los insultaron. Los judíos se detuvieron, aturdidos. La mayoría de ellos habían presenciado ya otros actos antisemitas, pero nunca tan violentos. No fue hasta que trataron de arrebatarles las bolsas con los mantos de las oraciones cuando las víctimas salieron de su estupor y arremetieron contra los jóvenes agresores, con los que se enzarzaron en una batalla campal que no cesó hasta que llegó la policía para restaurar el orden.

Moshe Stolowitzky regresó a casa amoratado, con las ropas hechas jirones. El suceso en sí no le preocupaba mucho. Prefería creer que los incidentes antisemitas aislados no eran el presagio de una tendencia más generalizada y peligrosa. Lo que le preocupaba era que su mujer se tomara las cosas a la tremenda, así que le dijo que se había caído al salir de la sinagoga y se había lastimado. Ella llamó a un médico, que le vendó las heridas y le recomendó guardar cama durante un par de días.

A la semana siguiente, en la sinagoga, al término de las plegarias el rabino subió al púlpito. En el asalto le habían roto un brazo y lo llevaba en cabestrillo.

–Tengo que comunicaros que me marcho de Polonia y me mudo con mi familia a Jerusalén –proclamó con voz bien clara y emotiva–. Este país es un peligro para cualquier judío. Haced las maletas y marchaos antes de que sea demasiado tarde.

Moshe Stolowitzky le deseó buena suerte al rabino, volvió a su casa y le contó a su mujer que el rabino había sido presa del miedo y se marchaba de Polonia.

–Puede que no le falte razón –dijo ella, pensativa.

–¡Tonterías! –dijo él, alzando la voz–. No hay que dejarse llevar por el pánico.

3.

El 28 de junio de 1924 amaneció un día caluroso y soleado, y centenares de varsovianos salieron a pasear por los jardines de la ribera del río. Aquella tarde Jacob Stolowitzky presentó a sus padres su novia, Lydia. Jacob tenía veintidós años. Su prometida había cumplido los veinte y era una chica guapa, delgada, hija de un oficial judío del ejército residente en Cracovia, y estudiaba Ciencias Políticas en la capital. Se habían conocido en la fiesta de unos amigos comunes y se habían enamorado a primera vista.

Hava y Moshe Stolowitzky recibieron a la novia de su hijo en la sala de baile de su mansión y hablaron con Lydia de su familia y sus estudios. La chica les gustó mucho. No les importaba que sus padres no fueran tan ricos como ellos: era judía y su hijo la quería, eso era lo esencial. En la cena que celebraron en honor de Lydia y sus padres, los invitados brindaron por la joven pareja y se acordó una fecha para la boda.

La ceremonia se celebró tres meses más tarde y fue una experiencia inolvidable para lo más granado de la sociedad polaca. Miembros del Gobierno, altos cargos, magnates, artistas e intelectuales se reunieron en la mansión para dar sus bendiciones a la feliz familia. Docenas de criados desfilaron toda la noche entre los huéspedes, ofreciéndoles manjares y champán en abundancia, y una orquesta tocó hasta que se retiró el último de los invitados.

Los recién casados se fueron de luna de miel a Suiza y al volver a Varsovia se encontraron con una sorpresa mayúscula: Moshe Stolowitzky les propuso quedarse a vivir en su espléndida mansión y reservar para su uso una gran ala del edificio.

Lydia y Jacob se instalaron cómodamente en su nuevo y

espacioso hogar. Lydia hizo traer muebles de Italia y pasó revista al servicio que le habían asignado en su ala de la mansión: una ama de llaves, un cocinero, dos mujeres de la limpieza y un chófer. Jacob se unió a la directiva de la empresa de su padre, que florecía con más esplendor que nunca, y comenzó a viajar por toda Europa, a firmar contratos con diversos estados y a amasar una gran fortuna.

El joven matrimonio estaba impaciente por tener un hijo. Lydia soñaba que su vástago sería médico. Jacob quería que fuera un hombre de negocios, como él, para que pudiera heredar algún día el imperio familiar. No acababan de ponerse de acuerdo sobre su profesión, pero a los dos les sobraban motivos para confiar en que el futuro de su hijo, como el suyo, sería un camino de rosas.

Se equivocaban.

4.

Karl Rink esperaba de la vida mucho más de lo que le había dado. Era un joven soltero de veinticuatro años, ojos azules y pelo corto, y trabajaba de auxiliar de contabilidad para la empresa farmacéutica berlinesa A. G. Farben. Su sueldo le alcanzaba a duras penas para pagar el alquiler y hacer la compra. Tenía un despacho pequeño y sombrío y su trabajo le aburría. En sus ratos libres soñaba con hacer carrera en alguna profesión más lucrativa e interesante en la que pudiera tener verdadero éxito. De vez en cuando se ponía a buscar trabajo, pero los únicos empleos que encontraba eran de contabilidad y no lo satisfacían. No tardó en descubrir que cuando surgía una vacante había siempre mucha gente con mucho más talento que él tratando de ocuparla. Muy a su pesar, las oportunidades que tenía de encontrar otro trabajo se reducían por momentos.

El único refugio que tenía para librarse de su tediosa rutina era el deporte. El ciclismo en ruta era el único terreno en el que Rink demostraba auténtico talento. Era miembro del club deportivo de la empresa, se entrenaba todos los fines de semana en senderos de montaña, lloviera o nevara, y ganaba trofeos que iba colocando en una estantería de su piso. Sobre todos ellos, enmarcado, guardaba el artículo de un periódico local que reseñaba su victoria en una competición ciclista del distrito.

El 12 de septiembre de 1924 se apresuró a terminar su trabajo antes de hora y regresó a su piso de una pieza, situado en un deprimente barrio obrero del oeste de Berlín. Se puso un traje negro y una corbata, pasó a recoger a sus padres por su casa de las afueras y fueron en trolebús al Ayuntamiento, donde los esperaba Mira junto a sus padres y un puñado de amigos.

Mira, una chica regordeta de tez blanca de veintiún años, acababa de empezar a trabajar de administrativa en el Departamento de Transmisiones Patrimoniales del Ministerio de Justicia. Llevaba un vestido blanco y cogía del brazo a Karl ante el secretario municipal que los declaró marido y mujer.

Mira Rink y su hija Helga. Berlín, 1926.

Karl era cristiano y Mira judía, pero eso no era obstáculo para su amor. El padre de Karl era camionero y su madre ama de casa. Rara vez iban a misa y querían a Mira como a su propia hija. Los padres de Mira tenían una tienda de comestibles y eran judíos practicantes. Aunque los matrimonios mixtos eran frecuentes en Berlín, los padres de Mira se opusieron categóricamente a su boda con un cristiano. Karl tuvo que pasar mucho tiempo tratando de convencerlos y Mira realizó a su vez ímprobos esfuerzos para que sus padres le permitieran casarse con su novio. Al final, los futuros suegros de Karl se vieron forzados a ceder.

La joven pareja recibió varios regalos de boda, en su mayoría piezas de vajilla y platos de porcelana. Los colegas de Karl reunieron un poco de dinero y su jefe le dio una semana de sueldo a modo de regalo. Los padres de los novios dieron una fiesta modesta y les compraron una cama de matrimonio nueva.

Felices y enamorados, Mira y Karl se fueron dos semanas de luna de miel a un pueblecito de la Selva Negra. Allí pasearon en bicicleta por senderos sinuosos bajo los árboles, comieron morcillas y bailaron al son de la rústica orquesta de la cervecería local hasta altas horas de la madrugada. Al volver a Berlín se instalaron en el piso de Karl y a finales de año tuvieron una niña, Helga. La llevaron a casa desde el hospital, la pusieron en la cuna y la contemplaron con amor.

Después de todo lo que habían tenido que bregar, llevaban por fin una vida tranquila. Se querían y querían a su hija y los fines de semana de calor la llevaban a pasear por los parques en su cochecito. En el Ministerio de Justicia ascendieron a Mira y Karl estaba convencido de encontrar el trabajo de sus sueños. Los dos miraban hacia el futuro con confianza e imaginaban que les aguardaba un porvenir próspero y lleno de satisfacciones profesionales, una vida de dicha absoluta.

Se equivocaban.

2. Ha nacido un príncipe

1.

En la primavera de 1931, cuando las nieves y lluvias del invierno cedían y el sol comenzaba ya a lucir entre las nubes, Karl Rink fue convocado a una reunión en las oficinas del partido nazi. El club deportivo de su empresa, como muchos otros, operaba bajo los auspicios de las SS, la división más poderosa y despiadada del partido. A Karl, sin embargo, le interesaba poco la política. Él lo que quería era practicar el ciclismo, ganar carreras, establecer nuevos récords y encontrar por fin un trabajo a su gusto. El partido nazi le interesaba únicamente en ese contexto: financiaba los gastos del club, fomentaba el deporte y entregaba premios. Karl nunca había estado en las oficinas del partido y sentía cierta curiosidad por saber de qué iba aquella reunión.

Lo recibió un hombre bajito y fornido con un uniforme de las SS, que le estrechó la mano calurosamente, se presentó como el responsable de los equipos deportivos y con una sonrisa amistosa lo obsequió con un trofeo plateado por sus buenos resultados en la competición ciclista anual.

–Siga superándose –le dijo–. Al partido le gustan los hombres como usted.

A Karl Rink le gustaron las atenciones que le habían dispensado en las oficinas de las SS. El domingo siguiente llevó a Mira y a Helga, su hija pequeña, a un café a la orilla del lago. Hacía buen día, los cafés estaban repletos de gente endomingada lamiendo helados, tomando cafés y comiendo tartas, y embarcaciones de recreo surcaban el lago. Corrían tiempos difíciles y la situación económica empeoraba, pero aquel día caluroso en el lago de un barrio bien de Berlín todos parecían fingir que las cosas no podían ir mejor, que las empresas no se hundían por doquier y la tasa de paro no subía a diario. Karl se congratulaba de su buena estrella por conservar una fuente de ingresos, por haber encontrado a alguien que apreciara sus logros deportivos, por tener a su lado a una esposa y una hija a las que amaba por encima de todas las cosas.

Pero sus vanas ilusiones no tardaron en desvanecerse. Una mañana, Karl fue convocado al despacho del supervisor. Acudió enseguida, pensando que le propondrían un traslado a un puesto de mayor responsabilidad, pero su alegría era prematura.

–Has de saber, Karl –le dijo su jefe– que la depresión económica ha afectado gravemente a la empresa. Los pedidos han caído en picado, las pérdidas crecen de día en día y tal como están las cosas no nos queda más remedio que recortar nuestro personal. Lamento comunicarte que tu nombre está en la lista de despidos.

Viéndose en la calle tras diez años de duro trabajo, Karl se quedó sin habla. Se metió en el bolsillo el sobre con el irrisorio finiquito, recogió su abrigo, salió del edificio y se fue a su casa.

Al entrar por la puerta, Helga, que tenía entonces seis años, se arrojó a sus brazos y lanzó un grito de alegría. No estaba acostumbrada a que su padre volviera tan temprano. Mira también se sorprendió.

–¿Qué pasa, Karl? –preguntó angustiada–. ¿Estás enfermo?

–No –dijo Karl con aire sombrío–. Me han despedido.

Mira palideció. Aunque el desempleo aumentaba por momentos y la crisis económica se agudizaba, no estaba dispuesta a creer que ellos, como tantos otros, podían perder su sustento. Cada día se cruzaba por el vecindario con hombres que habían perdido su trabajo. Caminaban arrastrando los pies, eludiendo las miradas del resto de transeúntes. Parecían envidiar a todos aquellos que tenían la suerte de poder mantener aún a su familia. Ahora la suya había pasado a integrar las filas de los oprimidos. A partir de entonces tendrían que vivir del modesto salario de ella y ambos sabían que no sería suficiente.

–¿Qué vas a hacer ahora? –preguntó asustada.

–Buscar trabajo –dijo Karl confiado, pero en el fondo de su alma sabía que no era tarea fácil.

Se quedaron despiertos hasta bien entrada la noche, hablando en susurros de lo que les aguardaba, discurriendo a qué conocidos podían acudir para que les echaran una mano. Karl prometió ir a verlos al día siguiente.

Por la mañana Karl salió a buscar trabajo, cualquier trabajo que le reportara un salario estable. Esperaba encontrar pronto a alguien que le ofreciera alguno. Llamó a las puertas de varios conocidos que lo recibieron con educación, pero no realizó muchos progresos. Durante horas peregrinó de empresa en empresa, ofreciéndose para cualquier puesto, pero volvió a casa de noche con las manos vacías.

Pasaba días enteros fuera de casa para hurtarse a la mirada callada y lastimosa de su mujer. Los patrones declinaban sus ofrecimientos con impaciencia, una y otra vez. El número de opciones de las que creía disponer se redujo con rapidez. Como no se atrevía a volver a su casa antes del anochecer, solía meterse en un cine del barrio para ver la misma película una y otra vez, hundido en su butaca, solo, abatido, mirando la pantalla sin ver una sola imagen.

Un día, al salir de una nueva entrevista malograda, pasó junto a un auditorio en el que celebraba un mitin el partido nazi. Entró, encontró a unos cuantos miembros de su club deportivo y escuchó los discursos encendidos de unos cuantos correligionarios que prometían levantar el país si el partido llegaba al poder. Los oradores apelaban a los parados para aunar esfuerzos e instaurar un nuevo orden que devolviera su pasada gloria a Alemania. Karl los escuchó con atención. En su corazón acababa de prender la llama de una nueva esperanza, y cuando pidieron a los asistentes que se afiliaran al partido él estampó su firma gustosamente. En los días que siguieron no faltó a un solo mitin, fue reclutado para ayudar al partido y aprendió a admirar a Adolf Hitler, su líder, un hombre que sabía enardecer a sus oyentes e insuflarles la confianza en el futuro que todos necesitaban. Con toda su alma quería participar en la instauración de un nuevo régimen que garantizaría el resurgir económico de la nación y el bienestar de su familia.

2.

Los judíos de Alemania asistían con preocupación creciente al auge del partido nazi, que como un pulpo gigante iba desplegando sus tentáculos asfixiantes en todas direcciones. Hitler gobernaba el partido con mano de hierro y se proponía llegar al poder por cualquier medio: destrozando a sus oponentes políticos, sembrando el miedo e incitando a las masas contra los judíos del país, afirmando que eran los principales culpables de la debacle económica, la corrupción y el desempleo.

A Karl Rink su afiliación al partido nazi le costó cara. Supuso el distanciamiento progresivo de sus amigos judíos y sobre todo de sus suegros y su familia política. Muchos de los amigos del matrimonio partieron peras con ellos y los padres de Mira se negaron a recibir a Karl en su casa.

En más de una ocasión Mira trató de convencer a su marido para que se diese de baja del partido. Lo discutieron largas horas.

–Tus amigos son gente sin escrúpulos –le dijo Mira–. Asesinan a sangre fría a cualquiera que les planta cara y harían lo que fuera por librarse de los judíos.

–Exageras –repuso él, quitándole hierro–. Los ataques contra los judíos son sólo un medio para ganar el apoyo de la gente antes de las elecciones.

Karl, que creía ingenuamente en las buenas intenciones de Hitler, le dijo que como miembro del partido estaba obligado a fomentar la ideología nazi.

–Ya verás lo bien que nos irá cuando Hitler llegue al poder –le prometió, radiante.

Su mujer lo miró con tristeza.

–Te equivocas –le dijo–. Con Hitler los judíos no tienen nada que ganar. Todo lo contrario.

–¡Qué sabrás tú de política! –zanjó Karl.

No tardaron en dejar de discutir. Mira veía que no tenía sentido tratar de convencerlo de que tenía razón y callaba, pero se le encogía el corazón.

Ajeno a la cruda realidad, Karl se implicó cada vez más en las actividades del partido y no tardó en recibir una oferta para unirse a las SS, que habían pasado a ser el cuerpo de élite de los servicios de seguridad alemanes. Lo recibieron con los brazos abiertos y pasó la revisión médica de un doctor que redactó un informe muy positivo sobre su estado de salud. Un psicólogo le preguntó sobre sus padres, su infancia, su educación, sus amigos, su familia, su profesión y sus aficiones. En casi todos los aspectos, Karl resultó ser un candidato perfecto para las SS. Era un ario puro, le sobraba convicción y estaba en buena forma. Sólo había un problema: su mujer era judía. Sin embargo, los comandantes de las SS querían incorporarlo y pensaron que tarde o temprano aquel problema acabaría por resolverse. Le asignaron un buen sueldo y lo mandaron a un curso de instrucción de tres semanas a un pequeño campo recluido, no muy lejos de Berlín. Entre otras cosas, el curso incluía el estudio y memorización del *Mein Kampf*, el credo hitleriano, ejercicios físicos agotadores, adiestramiento en el uso de armas y durísimas pruebas de resistencia. Los alumnos aprendían métodos para interrogar y torturar a detenidos. Tenían que retorcerles el cuello a perros y gatos, ocultarse en hoyos sobre los que circulaban diversos vehículos, luchar contra sus compañeros hasta doblegarlos, ayunar durante tres días seguidos, soportar azotes estoicamente y recluirse en soledad en un minúsculo zulo subterráneo. Karl pasó el periodo de instrucción sin despeinarse.

Al final del curso, juró lealtad al *Führer* y le prometió «fidelidad y obediencia» hasta el día de su muerte. Le tatuaron bajo el brazo el símbolo de las SS, dos relámpagos simétricos, y le entregaron un uniforme negro, botas nuevas, un brazalete con una esvástica y una daga de uso personal que se colocó al cinto.

Cuando volvió a casa con su nuevo uniforme, Helga rompió a llorar y Mira lo contempló horrorizada.

–Asustas –le dijo.

Karl Rink. Berlín, febrero de 1938.

–No es más que un uniforme –trató de tranquilizarla–. Lo llevan muchos alemanes últimamente.

Ella exhaló un suspiro.

–Me da la sensación de que esto va a acabar mal, Karl.

–No tienes por qué preocuparte.

–¿Ya saben que tu mujer es judía?

–Nunca se lo he ocultado.

–¿Y cómo se lo han tomado?

–La verdad, no parece que les moleste en absoluto.

Ella miró a su marido y palideció.

–Puede que aún no, pero algún día les molestará –le dijo–. Créeme.

–Tonterías –replicó él–. Tendrán que hacerse a la idea.

–En el curso te habrán enseñado sus teorías sobre la raza.

–Sí.

–Eso significa que tarde o temprano te exigirán que me abandones o renuncies a las SS. ¿Qué vas a decirles entonces?

–Los convenceré de que contigo no tienen por qué preocuparse –dijo con firmeza–. Que estás de mi parte.

Mira suspiró.

–Eres ingenuo, Karl –le dijo–. Tan ingenuo.

3.

En cuanto Hitler llegó al poder, en enero de 1933, su vaticinada maldad se hizo evidente. Se apresuró a dejar bien claro a los judíos alemanes que a partir de aquel día no encontraría más obstáculos para minar su posición social, cultural y económica. Y eso hizo. Los funcionarios gubernamentales de origen judío no tardaron en ser despedidos, junto a los profesores universitarios y los directores de instituciones públicas judíos. Fueron todos reemplazados por arios puros alemanes.

A Mira Rink la despidieron del Ministerio de Justicia sin muchas explicaciones.

–La ley nos impide seguir teniéndola en nómina –le dijo el director de su departamento–. Tendrá que marcharse hoy mismo.

Ni siquiera le dieron el finiquito.

Avergonzada, Mira volvió a casa y preparó el almuerzo de Helga, que estaba a punto de volver de la escuela. Cuando la niña de ocho años llegó a casa, se sorprendió de encontrar a su madre allí a esas horas.

–No me encuentro muy bien –le dijo su madre a modo de excusa.

Mira vio que su hija estaba más nerviosa y tensa que de costumbre y le preguntó qué le pasaba.

–El profe nos ha dicho que no puede seguir enseñando –dijo Helga–. Mañana vendrá uno nuevo.

Mira conocía al profesor judío. Vivía cerca de su casa, tenía una mujer enferma y tres hijos. Aun así, tranquilizó a su hija y le hizo compañía mientras almorzaba. Luego la ayudó a hacer los deberes de aritmética. Por la noche, cuando Karl llegó del trabajo, Mira le contó que la habían despedido, como al profesor judío de su hija.

–Te lo dije –agregó amargamente–. Esos nazis amigos tuyos no descansarán hasta acabar con todos los judíos de Alemania.

Karl le acarició el pelo cariñosamente y, una vez más, hizo caso omiso de la señal de alarma.

–Entiendo que estés preocupada –dijo–, pero es sólo una demostración de fuerza. Hitler no va a basar su política en el problema judío. La verdadera batalla es la recuperación económica, eso lo tiene bien claro. Además, ya ves lo bien que nos va ahora que tengo trabajo. ¿Cómo nos las apañaríamos sin mi sueldo?

En los días que siguieron Karl se las apañó para volver a casa temprano, a veces con un ramo de flores. Llevó a Mira al teatro y al cine y le compró nuevos libros para leer. Quería que su mujer se calmara y se habituara a la situación cuanto antes, que mirara al futuro con el mismo optimismo con el que lo veía él.

Pero su mujer tenía los ojos bien abiertos a la realidad. Los atentados antisemitas, la restricción de los movimientos de los judíos y la eliminación de sus fuentes de ingresos se sucedían a un ritmo preocupante. Los judíos habían comenzado a perder también sus puestos de trabajo privados, los periódicos estaban repletos de calumnias contra ellos, se boicoteaban los productos judíos y la tienda de sus padres, como muchas otras, perdió a buena parte de su clientela. El 14 de noviembre de 1935 se aprobaron las leyes de Núremberg, que despojaban a los judíos de su nacionalidad alemana y anulaban los matrimonios con judíos.

–De cara a la ley –le dijo Mira con amargura a su marido–, tú ya no eres mi marido ni yo soy tu mujer.

Como de costumbre, él ahuyentó el mal presagio con un gesto de la mano.

–Tú siempre serás mi mujer –dijo con voz solemne–. Nadie puede separarnos.

4.

Lydia y Jacob Stolowitzky no tardaron en descubrir, muy a su pesar, que el dinero no podía arreglarlo todo y que los ricos necesitan a veces mucho más que sus posesiones para ser felices. Después de unos años de comodidad y amor, su alegría vital se esfumó y comenzaron a pasearse por su mansión tristes y retraídos. Dejaron de organizar fiestas y conciertos y muy de vez en cuando seguían invitando a amigos a casa. Muchas noches Lydia se las pasaba llorando contra la almohada. Pese a sus esfuerzos, no lograba quedarse embarazada. Sus médicos no escatimaron fuerzas para encontrar una solución, pero al final le dijeron que no podían hacer nada más. Albergaban serias dudas de que pudiera llegar a tener un hijo.

Lydia no se resignaba. Al ver que los mejores médicos de Varsovia no podían solventar el problema, fue a ver a especialistas famosos de Zúrich y Viena y probó los tratamientos más avanzados. Algunos eran dolorosos y en ocasiones tenía que pasar temporadas en clínicas privadas extranjeras, lejos de casa, pero eso no la arredraba. Su marido la apoyaba todo lo que podía. «No repares en gastos –le decía–. Pagaremos lo que haga falta con tal de tener un hijo.»

Por elevados que fueran sus honorarios, los médicos no lograban ayudarlos. Aun así, Lydia no perdía la esperanza. Comenzó a frecuentar a rabinos y taumaturgos de toda laya y se gastó una fortuna en caridad, adivinos y amuletos contra el mal de ojo que colgaba por toda la casa. Al ver que aquello tampoco servía, se sintió al borde del colapso. Su médico de cabecera le suplicó que tomara algún calmante y su marido se la llevó a un crucero por el Danubio y la mandó de compras a los mejores modistos de París. De poco sirvió: su mujer no lograba recobrar los ánimos. Se paseaba de un lado a otro como una muñeca de trapo, deprimida, sin apenas pronunciar palabra. Pensaba a menudo en el suicidio. En el fondo de su alma se había hecho a la idea de que nunca sería madre. Sus amigos más próximos le recomendaron que adoptara uno y a Jacob le parecía buena idea, pero Lydia no podía ni pensarlo. Quería un hijo suyo o nada.

Para sorpresa de sus médicos y de la propia Lydia, un día, después de doce largos años de tratamientos de fertilidad, Lydia Stolowitzky anunció que estaba embarazada. Aquel día volvió a caminar erguida, su rostro resplandeció de nuevo y recuperó la alegría. Contrató a una enfermera para que la acompañara durante el embarazo e hizo que los médicos la examinaran a diario.

La hija de Lydia y Jacob Stolowitzky nació en la mansión del río en un día nevoso y frío, y murió al cabo de unos días. Empeñada en traer otro hijo al mundo, la pareja volvió a consultar con sus médicos y a mediados de febrero de 1936 nació su segundo hijo. El parto fue más sencillo de lo que Lydia había esperado y se sintió más feliz que nunca.

Los padres llamaron al niño Michael, como el ángel enviado del cielo, símbolo de la gracia y la juventud y protector contra el mal de ojo.

Jacob fue a la sinagoga para agradecer el nuevo milagro al creador y donó una suma considerable a obras de caridad. Lydia pasaba horas sentada junto a la cuna de su hijo, llorando y riendo sucesivamente, mirándolo como si no pudiera creer lo que veían sus ojos. Amuebló un cuarto para él lleno de juguetes y contrató a una niñera para que lo cuidara día y noche. «Es mi pequeño príncipe –le dijo–. No le saques los ojos de encima.»

3. Chantaje

1.

Como un niño con un juguete nuevo, Emil, un joven de veintinueve años, acariciaba el volante del Cadillac blanco con sus poderosas manos. Vestía un uniforme negro de chófer y una gorra blanca con visera. Emil, un polaco católico alto y moreno, era el chófer personal de la familia Stolowitzky, y la lealtad a su patrón era recompensada con lo que él más apreciaba: un buen salario, un cuarto con calefacción y tres comidas al día.

Al recorrer la maltrecha carretera entre Varsovia y el pueblo los amortiguadores blandos del Cadillac mitigaban el traqueteo de los socavones del pavimento desgastado, y de tanto en tanto Emil echaba miradas furtivas a sus patrones por el retrovisor. Jacob Stolowitzky, un hombre chaparro y nervioso de treinta y seis años, con traje de cazador y botas de cuero, fumaba un grueso cigarro; su mujer, Lydia, de treinta y cuatro años, bella como una princesa en su vestido blanco, le suplicaba que dejara de fumar; su hijo de dos años, Michael, un niño callado de mofletes rosados, en un traje inmaculado de sastre, mordisqueaba una chocolatina. En el asiento delantero, a su lado, iba Martha, la niñera.

Martha tenía treinta años y era una mujer baja y enjuta, de rostro grave. Cuidaba bien de Michael, le enseñaba muchas cosas y lo educaba en la obediencia, los buenos modales y la cortesía. Sus padres estaban satisfechos con la educación de su hijo. Lo criaban con amor y no querían que le faltara de nada. No pasaba una hora sin que Lydia fuera a ver cómo estaba, a abrazarlo y a cubrirlo de besos. Sabía que no tenía muchas posibilidades de tener otro hijo. Los médicos

Lydia y Michael Stolowitzky. Varsovia, mayo de 1938.

coincidían en que era casi seguro que no volvería a quedarse embarazada. Tanto ella como su marido estaban persuadidos de que Michael sería su único heredero.

Felices y serenos, anticipando con deleite los días de vacaciones que los aguardaban en su finca de verano, los Stolowitzky esperaban pacientemente a que terminara el trayecto en los mullidos asientos de cuero de su coche americano.

La carretera cruzaba ciudades aletargadas y pueblos pobres, cuyos campesinos admiraban asombrados el paso de aquel magnífico coche, el único de su clase en toda Polonia. Jacob Stolowitzky los veía pasar con indiferencia, su mujer se untaba las manos con crema hidratante francesa y a Michael se le iban los ojos por la ventanilla para ver a toda aquella gente harapienta que contemplaba su coche como si fuera de otro planeta. Michael no veía gente como aquella en la avenida Ujazdowska de Varsovia, donde tenían su mansión de cuatro pisos. Aquellas personas no formaban parte de su universo y él no formaba parte del suyo.

Al igual que su padre, Jacob Stolowitzky era un hombre de negocios avezado, calculador e inteligente. Había incrementado el imperio de la familia adquiriendo minas de carbón y de hierro, tierras e inmuebles, había firmado acuerdos de asociación con empresas de todo el mundo, daba trabajo a cientos de trabajadores y depositaba la mayor parte de sus ingresos en divisas y oro de cuentas bancarias secretas suizas, dedicando antes una parte a obras de caridad.

Jacob Stolowitzky. Julio de 1929.

Los emisarios de la Tierra de Israel que pasaban por Polonia eran siempre recibidos y agasajados en casa del magnate judío, de la que salían siempre con generosas contribuciones, pero nunca pudieron arrancarle la promesa de establecerse con su familia en Tierra Santa. «¿Qué voy a hacer yo allí? –respondía cuando trataban de convencerle–. Aquí estamos a gusto.»

En efecto, Polonia se había portado bien con los Stolowitzky, que eran inmensamente ricos y llevaban una vida envidiable. Tenían tantos criados como querían, compraban su ropa y sus joyas en las grandes capitales europeas y navegaban por el Adriático cada primavera en un lujoso yate en el que una vez llegaron a acoger al duque de Windsor y su amante, la señorita Simpson. En su mansión celebraban suntuosas cenas que congregaban a la élite polaca, recibían a invitados famosos del extranjero, contrataban a artistas famosos para que tocaran en la gran sala de baile del segundo piso y pasaban las vacaciones en su casa de campo, a dos horas de Varsovia.

La casa era una finca de grandes dimensiones en una región idílica del país. Buena parte de los terrenos estaban cubiertos de un espeso bosque y de huertos de frutas y verduras, y junto al linde del terreno había un hermoso lago de aguas cristalinas. Algunas de las casitas de madera erigidas en los calveros estaban reservadas a la familia y sus invitados, las otras eran para los empleados que se dedicaban al mantenimiento de la finca durante todo el año.

Cuando llegaron a la finca, dos guardias armados se apresuraron a abrir la gran verja de hierro y se inclinaron ante el paso del Cadillac, que paró frente a la casa principal. Como siempre, Emil se echó a Michael a los hombros y entró con él en la casa al galope. Después de dejarlo en el gran vestíbulo, se acercó al jardín y cogió unas flores para ofrecérselas a Lydia.

–Nunca se te olvida –dijo ella, y le sonrió con indulgencia mientras su marido le daba al chófer unas palmadas afectuosas en el hombro.

–Cómo se me va a olvidar –replicó Emil en tono adulador–. Para mí es usted como una madre.

El viejo administrador recibió a la familia con reverencias y se apresuró a sacar el equipaje del coche y llevarlo a sus habitaciones, que estaban amuebladas con lujosa sencillez. Habían hecho las camas con sábanas blancas y suaves edredones, y por las ventanas abiertas, que daban al bosque, llegaba el olor penetrante de los pinos y una sinfonía de gorjeos de pájaros. Hacía mejor tiempo que de costumbre. Ni una nube maculaba el cielo azul y en el jardín de enfrente, cuidado con esmero, comenzaban a abrirse las flores.

El día de su llegada se llevaron a cabo toda suerte de preparativos. Los parientes próximos, amigos y socios comerciales invitados a compartir sus vacaciones fueron recogidos en carruaje en la estación o llegaron en coches privados con chófer. La risa y la conversación amistosa acompañaron al abundante almuerzo, servido en platos de oro en una mesa de comedor que cuatro siglos atrás había pertenecido a la familia real. Los niños correteaban por el césped, los bebés y sus niñeras tomaban el sol.

La cena fue tan fastuosa como la comida. Al acabar, Lydia reunió a sus invitados en el salón de baile, donde les presentó a una famosa orquesta de cámara traída especialmente de Varsovia. Después del concierto, los hombres fumaron cigarros y las mujeres bebieron coñac caliente. Los criados pusieron dulces sobre las almohadas y se prepararon para abrillantar los zapatos que los huéspedes dejaron a la entrada de sus habitaciones.

Al día siguiente, de mañana, la familia y sus invitados salieron a caballo para cazar y pescar, acompañados por el guarda forestal de la finca. Cazaron faisanes y pescaron rodaballos y los mandaron llevar a la cocina, donde los prepararían para la cena. A media tarde los criados extendieron manteles blancos a orillas del lago y los llenaron de manjares y botellas de vino. Lydia le leyó a su hijo una historia y Martha, la niñera, se fue a pasear a caballo.

Al caer la tarde, cuando todos se disponían a volver a la casa, Lydia advirtió que Martha había desaparecido. La niñera era extremadamente puntual y nunca se retrasaba o ausentaba sin motivo. Jacob esperó un rato, y como no volvía reunió a unos cuantos jinetes y salió a buscarla. La encontraron bastante lejos, entre los árboles del bosque, en el suelo, gimiendo de dolor. A su lado estaba tendido su caballo, con la pata rota. «Tropezó en una roca», dijo ella entre dientes. Los criados improvisaron una camilla con mantas y escopetas de caza y la llevaron a casa.

La familia Stolowitzky estaba desolada. Martha no era sólo la niñera; se había convertido muy pronto en un miembro querido y apreciado de la familia. Michael se echó a llorar y Lydia llamó a Emil para que llevara a la herida al hospital de Varsovia. Ella misma los acompañó. El examen médico inicial reveló que tenía una rotura grave en la rodilla izquierda y hemorragias en los brazos. Los médicos estaban preocupados. «Por desgracia –le dijo uno de ellos–, le llevará mucho tiempo recuperarse.»

Lydia no regresó a la casa de campo. El diagnóstico de Martha la dejó tan abatida que se quedó varias horas junto a su cama, tratando de aliviar sus dolores y levantarle el ánimo. Nunca se había visto tan próxima al sufrimiento humano, al duelo, al desastre. El dolor de Martha lo sentía en sus carnes y rezaba por su restablecimiento.

2.

Se suponía que aquel día tenía que ser un día feliz, un hito festivo en la vida de Gertruda Babilinska. Tanto ella como su familia lo habían estado esperando y Gertruda estaba loca de alegría de que por fin hubiera llegado.

En su casita de Starogard, cerca de Danzig, a tres horas de Varsovia en tren, los ilusionados padres se vistieron para la boda y se encaminaron hacia la iglesia, donde iba a casarse Gertruda, su única hija.

Gertruda era una muchacha encantadora de diecinueve años, alta y rubia. Trabajaba como maestra en la escuela del pueblo. Sus alumnos y sus colegas la querían y admiraban, y al final de cada año escolar los padres de sus alumnos le hacían patente su agradecimiento con costosos regalos. Gertruda quería seguir impartiendo clase después de casarse, al menos hasta que tuviera su primer hijo.

Muchos hombres valiosos le habían hecho la corte, pero no tenía ninguna prisa por llegar al altar. Estudiaba detenidamente a cada uno de ellos y ponía fin a la relación en cuanto comprendía que el pretendiente no había conquistado su corazón. Gertruda no creía en los matrimonios de conveniencia. Ella creía en el amor. A Zygmunt Komorowski lo había conocido en casa de unos amigos comunes. Era un hombre elegante y bien plantado, diez años mayor que ella, trabajaba en un despacho de importación y exportación de Varsovia y Gertruda le gustó en cuanto puso los ojos en ella. La vasta educación de Gertruda, su dominio del alemán y su natural gentileza despertaron su admiración, y la cubrió de cumplidos que la hicieron sonrojar.

Zygmunt era un hombre de mundo, un urbanita experimentado, y conquistó a Gertruda con sus maneras galantes y sus historias de la gran ciudad y los negocios internacionales en que vivía inmerso. Una noche, tras varios meses de noviazgo, mientras cenaban en el mejor restaurante de Starogard, Zygmunt le propuso matrimonio. Gertruda, que creía haber encontrado por fin el amor de su vida, aceptó encantada. Él prometió llevarla a Varsovia, comprar un buen piso, mantenerla sin reparar en gastos y darle todo el amor del mundo.

La pareja decidió casarse en la iglesia de Starogard y dar una recepción en casa de los padres de la novia. Su madre y sus parientes trabajaron día y noche preparando la comida para la fiesta y luego salieron juntos, la familia y los amigos unidos, para ir a la iglesia de la plaza mayor. Gertruda, excitada y tensa, llevaba un vestido de novia comprado en Danzig.

La familia y los amigos más próximos se congregaron en la iglesia y los alumnos de la novia se juntaron a la entrada y se pusieron a aplaudir al verla llegar. Colorada, apretando contra su regazo un ramillete de violetas, Gertruda dio las gracias a todos con voz trémula.

En la iglesia todo estaba dispuesto para la ceremonia. Un anciano esperaba sentado frente al órgano. El cura se alisaba la casulla y los padres de Gertruda les estrechaban la mano calurosamente a los últimos invitados. Todo el mundo esperaba al novio, que estaba a punto de llegar junto a sus padres y hermanas, pero se retrasaba. Pasó un buen rato hasta que apareció a las puertas de la iglesia un mensajero con una breve nota para Gertruda. En ella, el hombre de sus sueños le decía que, por motivos que no precisaba, no podía casarse con ella. La carta terminaba con una disculpa por el dolor que con aquella decisión le había causado y con buenos deseos de salud y felicidad. Gertruda rompió a llorar, volvió corriendo a casa y se encerró en su cuarto.

Pasó tres días enteros en la cama, con su vestido de novia, sin comer ni ver a nadie, llorando sin cesar. Cuando salió por fin de su habitación, los ojos rojos y el rostro pálido como una sábana, les dijo a sus padres con calma que después de aquella desgracia había decidido marcharse del pueblo. Sus padres, atónitos aún por lo sucedido, no trataron siquiera de convencerla para que cambiara de opinión y le preguntaron únicamente qué pensaba hacer.

–Me iré a Varsovia –dijo–. Encontraré trabajo. Trataré de superarlo. Allí nadie me conoce.

–Prométenos que volverás –le dijo su madre.

Para Gertruda era una promesa difícil.

–¿Cómo voy a saber qué será de mí? –repuso–. Igual encuentro allí otro novio.

Se acercó a la escuela a anunciarles que dejaba el puesto. El director se mostró hondamente apenado e intentó convencerla para que se quedara. Le dijo que sus alumnos la esperaban con impaciencia, que todas las heridas acababan por sanar y que la gran ciudad adonde se dirigía no solía recibir con los brazos abiertos a forasteros de pueblos remotos. Gertruda no prestó oídos a sus advertencias y le pidió una carta de recomendación. El director le redactó una carta afectuosa y se despidió de ella emocionado. Gertruda volvió a casa, metió sus escasas pertenencias en una maleta, abrazó a sus padres, juntó sus escasos ahorros y cogió el primer tren hacia Varsovia.

Con la ayuda de un conocido, encontró trabajo como niñera de las dos hijas de una familia adinerada. Trabajó en aquella casa varios años hasta que la familia se mudó de la ciudad. Regresó entonces a su pueblo natal, pero no lograba acostumbrarse a su antiguo entorno. Después de intentarlo en vano durante unos años, volvió a hacer las maletas y se fue a Varsovia a buscar otro trabajo.

La capital la recibió con un aguacero. Gertruda recorrió las calles, congelada, tratando de guarecerse bajo su paraguas, pero el viento arremolinaba la lluvia y le arrancó el paraguas de las manos. Calada hasta los huesos, corrió de vuelta a la estación y se sentó en la sala de espera climatizada hasta que se le secó la ropa. Cuando la lluvia cesó salió de la estación y comenzó a buscar por los callejones vecinos hasta que vio un cartel en la puerta de una casa con los muros descascarillados en el que se anunciaba un piso de alquiler. La escalera apestaba a fritanga y la casera era desagradable, pero el alquiler era razonable y decidió quedarse. Guardó su ropa en el tronado armario de su cuarto y miró por la ventana el anochecer de Varsovia. Las primeras luces fueron iluminando las ventanas y de pronto la asaltó el temor y pensó que si se quedaba allí indefinidamente sólo encontraría nuevas decepciones. Aun así, no tenía alternativa, pues no se veía regresando al pueblo. Había que esforzarse al máximo por hacerse un sitio en la ciudad.

Por mucho que economizara, sus ahorros no iban a durarle más que unas semanas y tenía que encontrar trabajo cuanto antes. Sabía además que no soportaba el ocio en exceso y no resistiría muchos días sin gente a su alrededor. Y bien tenía que ganarse la vida.

Volvía a llover. Gertruda se estiró en la cama, se durmió y tuvo una pesadilla. Al despertar, de mañana, se fue a una pequeña cafetería y se tomó una taza de café mientras repasaba los anuncios clasificados del periódico. Encontró ofertas de trabajo para dependientas, cocineras y administrativas. Se los saltó y siguió leyendo anuncios hasta que uno de ellos llamó su atención. Tuvo que leerlo varias veces:

FAMILIA INSIGNE DE VARSOVIA BUSCA URGENTEMENTE NIÑERA A TIEMPO COMPLETO PARA CUIDAR DE UN NIÑO DE DOS AÑOS. NINGÚN QUEHACER DOMÉSTICO. SE GARANTIZA ALOJAMIENTO Y BUENA PAGA. RAZÓN FAMILIA STOLOWITZKY, AVENIDA UJAZDOWSKA 9.

Era exactamente el trabajo que buscaba. A Gertruda le encantaban los niños, podía atender sus necesidades y sabía escucharlos. Decidió que si las condiciones eran buenas, aceptaría el puesto.

Salió de la cafetería y se encaminó a la dirección que especificaba el anuncio. A su alrededor la ciudad comenzaba a bullir, como cada mañana. El cielo estaba encapotado, las tiendas iban abriendo sus puertas y la gente se agolpaba en los trolebuses, camino del trabajo.

Su corazón comenzó a latir de excitación cuando llegó a la avenida Ujazdowska y se vio rodeada de las espléndidas mansiones de los grandes empresarios y líderes políticos de la ciudad, cuyos coches relucientes iban desfilando desde las verjas de hierro colado. En Starogard no había casas así.

Llamó al timbre dorado del número 9 y pasó un minuto antes de que apareciera en la entrada una vieja criada.

–Vengo por lo del anuncio –dijo Gertruda.

La mujer la examinó de pies a cabeza, con el rostro impasible.

–Adelante –dijo.

Vacilante, Gertruda pasó al vestíbulo. A su alrededor, las estatuas, los cuadros, la gran escalinata que daba al segundo piso, los ramos de flores que adornaban los enormes jarrones, todo exudaba una riqueza que no había visto en su vida. Jamás había oído hablar de los Stolowitzky.

La criada le cogió el abrigo y la condujo a una pequeña estancia cuyas ventanas daban al jardín.

–Avisaré a la señora de que ya ha llegado –le dijo.

Gertruda se sentó en la punta del sofá de terciopelo, con cuidado de no manchar la costosa tapicería. Temía que la señora de la casa fuera una mujer áspera y arrogante, como los ricos malvados sobre los que había leído en las novelas. Esperaba que no mirara con desprecio sus ropas sencillas ni le exigiera tareas imposibles. Con disimulo, se alisó el vestido y trató en vano de esconder las manos, que le parecieron de pronto demasiado bastas. «Bueno –dijo para sus adentros–, la verdad es que este no es mi mundo; seguramente querrán a alguna niñera experimentada en el cuidado de niños ricos y mimados y yo sólo he dado clases a los niños de pueblo.» Cuanto más se alargaba la espera, más convencida estaba de que no tenía ninguna posibilidad.

La puerta se abrió por fin y entró una mujer hermosa, vestida con elegancia, que la miró con afecto. Gertruda se puso en pie, cohibida.

–Siéntese –dijo la mujer con dulzura–. ¿Le apetece un té?

–No, gracias.

La mujer le tendió una mano delicada.

–Me llamo Lydia. ¿Y usted?

–Gertruda.

–Gracias por venir –dijo la señora de la casa–. Se ha dado mucha prisa. Hemos puesto el anuncio esta misma mañana y es usted la primera candidata. ¿De dónde viene?

Gertruda respondió sucintamente.

–¿Tiene experiencia?

–Sí –dijo Gertruda y le dio a la mujer la carta de recomendación del padre de la familia varsoviana para la que había trabajado.

Lydia Stolowitzky le echó un vistazo.

–Habla muy bien de usted –comentó.

Gertruda se sonrojó.

–¿Está casada? –le preguntó la mujer.

–No.

–Hábleme de su familia.

Gertruda le habló de sus padres y la mujer la miró un buen rato en silencio.

–Deduzco que no es judía –dijo al cabo.

–Soy católica.

–Nosotros somos judíos –dijo Lydia Stolowitzky.

Gertruda la miró entre atónita y asustada. ¿Judíos? Ni se le había pasado por la cabeza trabajar en casa de unos judíos. En su pueblo no había judíos. Una vez una familia de comerciantes judíos había tratado de establecerse allí, pero varios vecinos les hicieron la vida imposible y se vieron obligados a marcharse. Había oído historias terribles sobre los judíos que durante la Pascua asesinaban a niños cristianos para usar su sangre en ritos sagrados. Había oído toda clase de rumores escalofriantes, medias verdades y calumnias crueles sobre los judíos, y estaba convencida de que no podía quedarse en aquella casa.

–Yo… –dijo apesadumbrada–, no sé si en ese caso me conviene el puesto.

–¿Por qué? –se sorprendió Lydia Stolowitzky.

–Porque ustedes son judíos y yo católica –repuso con franqueza.

La mujer sonrió.

–Nuestra última niñera también era católica, y no teníamos ninguna queja.

Gertruda se puso en pie.

–Lo siento –dijo.

–También yo –respondió Lydia.

–Espero que encuentren la niñera apropiada –dijo Gertruda–. Perdón por robarle su tiempo.

Se encaminó hacia la puerta.

–Antes de irse –dijo Lydia–, quiero que sepa que usted me gusta. Si a pesar de todo decidiera aceptar el puesto, vuelva. Estaré encantada de recibirla.

Gertruda salió a la calle y le azotó la cara el viento frío del río, cargado de diminutas gotas de lluvia. No sabía si había hecho bien al rechazar la oferta, pero tenía serias dudas de que hubiera alguna mejor.

3.

Pasó un día entero deambulando por las calles, perdida. Más que cualquier otra cosa necesitaba ahora a alguien que la comprendiera y le diera consejo, pero en aquella gran ciudad extraña no tenía nadie a quien acudir. Sólo una persona podía echarle una mano y se encontraba muy lejos de allí. Muy a su pesar, Gertruda se subió al tren en la estación de Varsovia y volvió a su pueblo. El paisaje urbano fue cediendo paso a los campos verdes y a los campesinos que trabajaban sus tierras. El olor de la tierra recién arada, entreverado con el humo acre de la locomotora, le llenó las fosas nasales cuando abrió la ventana del vagón de pasajeros. Los olores y las vistas la devolvieron a su hogar, al lugar que la vio nacer, crecer, formarse y ganarse la vida. Empezaba a sentirse deprimida cuando el tren frenó y se detuvo en la pequeña estación de Starogard. Hasta aquel momento no se había dado cuenta de lo mucho que añoraba a sus padres, aunque no hacía ni dos días que se había marchado.

Desde la estación fue directa a la pequeña iglesia de la plaza mayor y caminó por la nave desierta. En el candelero ardían los cirios. El Cristo crucificado, con la corona de espinas dorada, parecía seguirla con la mirada. Gertruda se arrodilló, bajó la cabeza y oró en silencio.

A su lado oyó unos pasos quedos y una voz que la llamó por su nombre. Al alzar la cabeza vio al cura a su lado, sonriente.

–Gertruda, hija mía –le dijo en voz baja–. Bienvenida. Pensé que te habías ido para no volver.

–Vuelvo para pedirle consejo.

El viejo cura la conocía desde niña. También conocía a sus devotos padres, que iban siempre a misa.

–¿En qué puedo ayudarte? –le dijo.

Gertruda le contó su entrevista de trabajo en la casa de los Stolowitzky, en Varsovia.

–Lo malo es que son judíos –dijo en voz baja.

El cura aguardó a que acabara la historia, pero ella no tenía nada que añadir. Esperaba que el cura entendiera el problema.

–¿Y has venido hasta aquí para preguntarme si está bien trabajar para unos judíos? –preguntó.

Ella asintió.

–¿Te causaron una buena impresión?

–Sí.

–¿Y qué te molesta de ellos exactamente?

–Nada en especial, pero no conozco sus costumbres. No sé si me dejarán ir a misa o colgar las imágenes de los santos en mi habitación. No estoy segura de que vaya a estar cómoda en su casa.

El cura le puso la mano en el hombro.

–Igual que hay buenos y malos cristianos, también hay buenos y malos judíos –dijo–. Lo esencial es que son buena gente, gente que te querrá y a los que aprenderás a querer. Algo me dice que serás feliz en esa casa.

–Espero que sean de verdad buena gente –dijo Gertruda.

–Y yo, hija mía, y yo. Ve en paz y que Dios te ampare.

Gertruda salió de la iglesia, fue a casa de sus padres y les contó su conversación con el cura. Los dos le suplicaron que se quedara y su padre trató de convencerla de que al menos no se mezclara con judíos, pero ella no cedió.

Al día siguiente, durante el trayecto de vuelta, las últimas palabras que le había dicho Lydia Stolowitzky se mezclaban en su interior con el monótono traqueteo de las ruedas: «Vuelva. Estaré encantada de recibirla de nuevo». Cruzaba los dedos para que entretanto nadie hubiera ocupado el puesto.

Lydia Stolowitzky la saludó con una sonrisa.

–Estaba esperándola –le dijo–. Tenía la sensación de que volvería. Venga, quiero que conozca a Michael.

Las dos subieron al segundo piso, donde se encontraba el hermoso cuarto infantil. Sentado sobre la alfombra, un niño de mejillas sonrosadas jugaba con un tren eléctrico. Al verla le clavó sus ojos azules.

–Dile hola a Gertruda –dijo su madre–. Es tu nueva niñera.

El niño la miró con curiosidad.

–¿Quieres jugar con mi tren? –le preguntó con una voz clara y cadenciosa.

A Gertruda le dio un vuelco el corazón. Era un niño tan hermoso, tan elegante y tan educado que sintió el impulso de apretarlo contra su pecho y besarle en las tiernas mejillas.

–Me encantaría –respondió y se sentó a su lado.

Al cabo de unos minutos, cuando se dio la vuelta, vio que Lydia se había marchado.

Los miedos de Gertruda se esfumaron en pocos días. La vida en casa de los Stolowitzky era más sencilla y agradable de lo que se imaginaba. Lydia Stolowitzky no deseaba en absoluto que la niñera renunciara a su fe; le dejó colgar las imágenes de Jesús y María en la pared de su cuarto y colocar un crucifijo en su mesita de noche. Lydia no era judía practicante. Su marido, Jacob, aunque hacía cuantiosas donaciones a la sinagoga, tampoco asistía muy a menudo a los oficios. Era un hombre muy ocupado y tampoco pasaba mucho tiempo en casa. Lydia dedicaba su tiempo a las obras de beneficencia, la lectura, los amigos y el piano. Gertruda decidió tomarse el domingo libre para poder ir a misa.

Michael no tardó en quererla como a un miembro de la familia. Su acogedora habitación estaba al lado de la del niño y estaba siempre dispuesta a hacerle compañía. Cuando se hizo algo mayor le enseñó a leer y a escribir y comenzó a visitar museos con él, llevándolo de la mano. Le encantaba cuidar de él. Les mandaba fotos de los dos a sus padres y les contaba que jamás había sido tan feliz.

Por la noche, antes de acostar al niño, le cantaba las nanas que su madre le había cantado a ella cuando era pequeña, y si alguna vez Michael enfermaba ella se quedaba junto a su cama día y noche hasta que se reponía. Michael era la niña de sus ojos y ella le compraba regalos con su propio dinero. Con el tiempo, pasó a ser mucho más que un niño al que cuidaba por dinero: era el niño que siempre había querido tener y que le había sido negado. «Eres mi hijito querido –le susurraba al oído cuando se quedaba dormido–. Mi querido niño, el único.»

* * *

Gertruda caminaba por la gran mansión sin hacer ruido, tratando de no molestar. Se hizo amiga de las criadas y cuando había invitados echaba una mano en la cocina. Tenía un salario decente, del que conseguía ahorrar la mayor parte.

Michael era un niño muy dotado. A los dos años comenzó a tocar el piano con un profesor particular que venía a casa dos veces por semana y le encantaba leer cuentos infantiles ilustrados. Gertruda adoraba sus facciones, sus refinados modales, el sonido cristalino de su voz cuando cantaban juntos tonadas populares. Michael pasaba más tiempo con ella que con su madre, disfrutaba de los cuentos que le contaba cuando se iba a la cama y la echaba mucho de menos cuando se marchaba a ver a sus padres.

Los domingos, cuando iba a misa, la acompañaba hasta la puerta de la iglesia y la esperaba en el jardín. Le entraban ganas de pasar y ver qué sucedía allí dentro, pero ella no lo dejaba pasar. «Tú eres judío –le decía–. No formas parte de la iglesia.»

Una vez por semana lo acompañaba a ver a Martha, su antigua niñera, que ya se había recuperado. Las dos se hicieron amigas y Gertruda se ofreció a cederle su puesto si quería. Martha hubiera aceptado gustosamente, pero Michael no quería. «Quiero mucho a Martha –le dijo a Gertruda–, pero a ti te quiero más.» Lydia insistió en que Gertruda siguiera siendo su niñera, y aquella misma semana Jacob Stolowitzky le pagó a Martha una gran suma de dinero para su jubilación.

Michael no se movía de su lado: quería que comiera con él en la mesa del comedor y no en la cocina, como el resto del servicio, y cuando Gertruda le dijo que se acercaba su cumpleaños, le suplicó a su madre que le comprara un buen regalo. Lydia fue a una tienda de lujo, le compró un vestido elegante, organizó una pequeña fiesta y le dio el regalo. Gertruda lloró de alegría.

Su universo entero estaba contenido entre las paredes de la mansión de los Stolowitzky. Era como si hubiera sido siempre su verdadero hogar. Lydia la trataba como a una hermana y los criados la respetaban como a alguien de estatus superior. Todos ellos la reverenciaban y obedecían y ella trataba de no aprovecharse. No tenía muchos vínculos que la ataran al exterior y cuando el director de su antigua escuela le rogó que retomara la docencia y le dijo que sus niños la echaban de menos, le respondió educadamente que era feliz donde estaba, rodeada de gente que apreciaba su trabajo y la quería. Se escribía cartas con algunos de sus viejos amigos, aprendía inglés por correspondencia, tejía suéteres para Michael y hacía caso omiso de las torpes tentativas de cortejo de Emil, el chófer. Después de su gran desengaño, los hombres habían dejado de interesarle.

4.

Hava Stolowitzky, la madre de Jacob, murió el 22 de septiembre de 1938 tras una larga y dolorosa enfermedad. Menos de tres meses después, Moshe, su viudo, tuvo un infarto durante una reunión de negocios y fue trasladado al hospital, donde pasó una semana inconsciente. Cuando despertó, tenía la mitad del cuerpo paralizada y no se entendía nada de lo que decía. Su hijo Jacob contrató a los mejores médicos y veló junto a su cama día y noche, y fue el hombre más feliz del mundo cuando su padre abrió los ojos por fin y miró a su hijo.

–De esta no sé si saldré –le dijo Moshe Stolowitzky con gran esfuerzo–, y hay algo que me preocupa, hijo. Las relaciones con Alemania se complican. Hitler está organizando un gran ejército, demasiado grande, y está lo suficientemente loco como para declarar la guerra e invadir Europa. Si se impone el caos de la guerra, muchas empresas se irán a pique. Yo voy a vender todas mis propiedades y transferir el dinero a una cuenta en Suiza. Es un dinero que se puede sacar en tiempos de crisis, y si se invierte con tino puede multiplicarse. Si me muero, te aconsejo que lo hagas tú en mi lugar.

Moshe Stolowitzky murió al cabo de unos días. Miles de personas acudieron a su funeral, en el gran cementerio judío del norte de Varsovia. Lo enterraron junto a su mujer, cerca de la tumba del escritor Y. L. Peretz. En la lápida de mármol de la tumba del matrimonio Stolowitzky, rodeada por una estilizada verja de hierro, colocaron una placa con una mano dando limosna, en memoria de su proverbial generosidad.

Con la muerte de Hava y Moshe Stolowitzky, la mansión y el resto de sus propiedades pasaron a manos de su hijo Jacob. Su mujer, Lydia, necesitó unos meses para redecorar la mansión y adaptarla a sus gustos, y Jacob tuvo que trabajar duro para tener bajo control todos los negocios que le había legado su padre y garantizar a sus clientes que los contratos firmados por su padre se cumplirían por entero.

Michael creció como un príncipe de cuento de hadas. Sus ropas las confeccionaba un conocido sastre, el cocinero se aseguraba de que el niño comía sólo alimentos de primera calidad y Gertruda no le perdía de vista desde que se levantaba de la cama hasta que se volvía a acostar.

Lydia estaba muy orgullosa del nuevo aspecto de la mansión y quería impresionar también a sus amigos y conocidos. La fiesta de inauguración de la nueva decoración fue un baile para altos dignatarios polacos y millonarios de toda Europa. Acompañado de los mejores músicos de Varsovia, el famoso bajo Fiódor Chaliapin obsequió a los invitados con arias de diversas óperas en el gran salón de baile. El vino manaba como el agua y el ambiente no podía ser más festivo.

Jacob Stolowitzky siguió las instrucciones de su padre y vendió la mayor parte de sus propiedades a buen precio. Con ayuda de un amigo suyo, el abogado suizo Joachim Turner, depositó los millones de las ventas en un puñado de bancos suizos. Estaba convencido de que era lo mejor. Los consejos de su padre y su propia intuición no iban errados.

5.

Desde los tiempos en que luchaba por quedarse embarazada, Lydia Stolowitzky era muy supersticiosa y temía que algún día se le acabara la suerte. Aunque no tenía ningún motivo para esperar un desastre inminente, tenía miedo de que algo malo pudiera ocurrirle a su único hijo, de que la felicidad se desvaneciera, de que los negocios de la familia se fueran al traste. Su marido soportaba pacientemente sus largos monólogos y sus malos augurios, tratando en vano de disipar su angustia.

Si Lydia quería una prueba fehaciente de que sus miedos tenían fundamento, la consiguió un sábado por la tarde. Aquel día lucía el sol y los Stolowitzky disfrutaban de la tradicional comida del sabbat. Una criada retiró los primeros platos y otra trajo los segundos. En la mesa reinaba el buen humor. Jacob habló de un nuevo contrato que estaba a punto de cerrar con el Gobierno soviético para tender vías férreas desde Moscú hasta Tashkent, en Uzbekistán. Lydia propuso organizar una fiesta para celebrarlo e invitar a un célebre violinista. Michael recitó fluida y orgullosamente un poema humorístico de su nuevo libro infantil y todos aplaudieron.

Cuando acababan la sopa y la criada colocaba un par de faisanes rellenos sobre la mesa, alguien llamó a la puerta. Todos se miraron sorprendidos, pues las comidas familiares del sabbat eran una ceremonia de intimidad rigurosa y los criados tenían prohibido molestarlos.

Al abrir la puerta apareció en el umbral Emil, el chófer, que hizo una reverencia y se disculpó por haberlos interrumpido.

–Vuelve luego –gruñó Jacob.

–¡Pero es urgente! –insistió el chófer.

–¿Y se puede saber qué es tan urgente?

–Una mujer me ha dado una carta para usted. Dice que es un asunto de vida o muerte.

Jacob Stolowitzky dejó el tenedor en el plato y abrió el sobre. Las cartas de negocios urgentes eran habituales y los mensajeros iban y venían por su casa incluso en el sabbat, pero nunca habían osado interrumpir su comida.

Sus ojos se pasearon por la nota y su rostro palideció. Le dio la carta a su mujer y Lydia lanzó un grito ahogado.

–¿Qué significa esto? –dijo atónita.

–No tengo ni idea –repuso su marido–. Nunca había recibido una carta parecida.

–Lo sabía –gimió Lydia–. Sabía que la felicidad no podía durar.

La carta anónima rezaba:

Señor Stolowitzky:

Si no quiere que algo malo le suceda a usted y su familia, tenga a punto un millón de *zlotys* en efectivo mañana. Envíe a su chófer a la entrada del parque Kraszinski. Será la señal de que quiere entregarnos el dinero. Más adelante le daremos instrucciones. Le aconsejamos que no acuda a la policía.

Jacob leyó la carta una y otra vez, incapaz de digerir aquellas palabras.

Sus amigos empresarios habían sido alguna vez el blanco de los chantajistas, y uno de ellos había sido acribillado a tiros al salir de casa después de rechazar sus demandas. Durante mucho tiempo, Jacob Stolowitzky había reprimido el miedo de que algo así pudiera pasarle a él algún día. Ahora el miedo se confirmaba.

–¿Quién te ha dado la carta? –preguntó, volviéndose hacia Emil.

–Una desconocida.

–Descríbemela.

–Era una mujer delgada, entrada en años, con un abrigo negro. Llevaba la cabeza envuelta en un chal marrón y gafas de sol.

–¿La acompañaba alguien?

–No vi a nadie.

–¿Cómo sabía que trabajas para nosotros?

–Estaba apostada junto a la verja. Cuando me ha visto se ha acercado y ha esperado a que la verja se abriera, ha venido hacia mí y me ha preguntado si trabajaba para el señor Stolowitzky. Yo le he dicho que sí y entonces me ha dado la carta y se ha marchado.

Jacob le dio permiso para retirarse. Michael miraba a su padre con curiosidad y Gertruda se mordió la lengua para no preguntar de qué se trataba. Jacob acabó de comer rápidamente y se fue a su habitación, desde donde llamó a la policía.

Un oficial y dos policías no tardaron en presentarse en la mansión de la avenida Ujazdowska. Le tomaron declaración al chófer y a los criados, se llevaron la carta y aconsejaron a los Stolowitzky que no salieran de casa solos. Jacob sacó la pistola del cajón de su escritorio y se la guardó en el bolsillo. Lydia canceló las visitas a sus amigos y se encerró en casa, dándole instrucciones a Gertruda de no salir a pasear con el niño hasta que la policía cogiera a los chantajistas.

Durante varios días no hubo noticias. Luego llegó Emil con otra carta. Les dijo que iba conduciendo al ralentí en un cruce muy concurrido de Varsovia cuando alguien introdujo la carta por la ventanilla del Cadillac. «Era la misma mujer que me dio la primera carta», dijo.

La carta también iba dirigida a Jacob Stolowitzky y, como la precedente, no estaba firmada:

> Nos hemos enterado de que, a pesar de nuestras advertencias, ha hablado con la policía. Le avisamos por última vez: si en algo aprecia su salud y la de su familia, corte de inmediato la comunicación con la policía y pague el dinero. Dígale a su chófer que aparque el coche a las puertas del parque Chopin mañana a las cinco de la tarde. Lo interpretaremos como una promesa de pago y recibirá nuevas instrucciones.

–Nos vigilan –le dijo a Lydia con preocupación–. Debieron de ver que la policía entraba en casa.

–O alguien se lo dijo.

–¿Quién? –preguntó Jacob, sorprendido.

–Alguno de nuestros empleados. Un criado, un jardinero, el cocinero... Cualquiera podría estar conchabado con los chantajistas.

–Los hemos tratado siempre como si fueran de la familia. Me cuesta creer que alguno de ellos conspire contra nosotros.

–¿Qué piensas hacer? –dijo ella.

–Llevar la carta a la policía, por supuesto. No pienso dejarme coaccionar por unos facinerosos.

6.

Desde las ventanas de la mansión de la avenida Ujazdowska se veía el animado parque Chopin, donde los padres paseaban por los jardines con sus hijos, las niñeras empujaban los cochecitos y las familias felices extendían sábanas sobre el césped para hartarse de exquisiteces.

Michael le suplicaba a Gertruda que lo llevara a dar un paseo por el parque. Desde la primera carta de los chantajistas tenían prohibido abandonar la casa, pero pasaban las semanas y no ocurría nada. Para Michael era un suplicio estar allí encerrado y Gertruda lo consultó con su madre.

–Salid a dar un paseo corto –accedió Lydia–, pero dile a Emil que os vigile.

Emil fue dispensado de todas sus tareas. El cielo estaba limpio cuando salieron de casa y entraron en el parque. El chófer llevaba oculta en el bolsillo de la chaqueta una pistola que le había dado Jacob Stolowitzky, quien le pidió a Emil que se mantuviera en todo momento al lado del niño y su niñera.

Los tres comieron helado en una cafetería a la orilla del lago. Gertruda no vio nada sospechoso. Cerró los ojos y se quedó dormida al sol. Michael lamía su helado y Emil se encendió un cigarrillo.

No tardaron en emprender el camino de vuelta. Gertruda y Michael paseaban del brazo y Emil iba detrás de ellos. De pronto unos arbustos se removieron junto al sendero y de improviso surgieron de ellos un hombre y una mujer, que se lanzaron sobre Michael y trataron de arrebatárselo a Gertruda. La niñera abrazó al niño con todas sus fuerzas y pidió socorro. El hombre la golpeó en la cara y siguió tirando del niño junto a su cómplice. Unos hombres que pasaban por allí se acercaron corriendo. Los dos secuestradores soltaron al niño y se dieron a la fuga. Emil sacó la pistola, les disparó y salió tras ellos. Gertruda apretó a Michael contra su pecho y rompió a llorar. Les pidió a los hombres que la rodeaban que la acompañaran de vuelta a la mansión. Cuando llegaron a casa, Lydia echó un vistazo al niño y a la niñera y se apresuró a cerrar la puerta con llave, asustada.

–¿Qué ha pasado?

Gertruda se lo contó.

–Te han lastimado.

–No es nada –dijo la niñera.

Le sangraba la nariz y tenía el cuerpo dolorido por los golpes, pero eso era lo de menos. Lo esencial es que Michael estaba a salvo. No se hubiera perdonado nunca haber cedido ante los secuestradores.

Lydia trajo unas vendas y un botellín de antiséptico.

Emil llegó al cabo de un rato.

–He perseguido a esos cabrones, pero me llevaban demasiada ventaja –dijo abatido–. No he podido alcanzarlos.

7.

Los inspectores de policía escucharon la historia de Gertruda y Emil. Interrogaron a los dos largo y tendido y les pidieron una descripción pormenorizada de los secuestradores.

–¿Era la misma mujer que le dio las cartas para el señor Stolowitzky? –le preguntó a Emil uno de los agentes.

–Sí –dijo–. La misma.

–¿Vio hacia dónde escaparon?

–Salieron del parque y fueron hacia un coche que estaba esperándolos y que arrancó en cuanto entraron. Disparé al coche, pero se esfumó.

–¿Qué coche era?

–Un Mercedes negro.

–¿Apuntó la matrícula?

–No me dio tiempo.

Los inspectores encontraron a Jacob Stolowitzky en mitad de una reunión de negocios en su oficina del centro. Se encerraron con él en su despacho y le relataron lo sucedido.

–Al parecer, alguien reveló a los secuestradores que su hijo saldría al parque –le dijeron–, y se apostaron allí para secuestrarlo. ¿Quién pudo avisarlos?

–Sólo lo sabía Gertruda, la niñera, y Emil, el chófer –dijo.

–¿Hace mucho tiempo que la niñera trabaja para usted?

–Más de un año.

–¿Está satisfecho con ella?

–Absolutamente.

–¿Y el chófer? ¿Cuánto tiempo lleva a su servicio?

–Seis años.

–¿Quién lo contrató?

–Yo. Pusimos un anuncio en el periódico y se presentó con buenas referencias.

–¿Le ha dado problemas desde que trabaja para usted?

–Nunca.

–Es posible que Emil esté conchabado con los secuestradores –dijo el inspector–. No olvide que fue él quien le trajo las dos cartas de extorsión y sabía que el niño saldría a dar un paseo. Disparó a los secuestradores, es cierto, pero erró el tiro. Puede que fallara a propósito. Deberíamos arrestarlo.

–¿Tienen alguna prueba?

–Pruebas no, pero sí sospechas fundadas.

–Eso no basta –insistió Stolowitzky–. Emil es un empleado cumplidor y leal. Jamás se le ocurriría hacernos daño.

–La gente está dispuesta a hacer muchas cosas por dinero –dijo el inspector–. En cualquier caso, no podemos descartar que esté implicado. Confíe en nuestra intuición. Después de pasar unos días en el calabozo nos lo contará todo. Para curarse en salud, sería conveniente que buscara a otro chófer.

–Ni hablar –protestó Stolowitzky–. Les aseguro que Emil está limpio. Estamos muy satisfechos con él y no nos cabe ninguna duda de que es honesto y leal.

Aun así, la policía decidió llamar a Emil para interrogarlo. Avergonzado y triste, se fue con ellos y volvió al cabo de un par de días.

–La agarraron conmigo sin ningún motivo –se quejó a sus patrones–. Me metieron en un calabozo con delincuentes comunes y me interrogaron día y noche, hasta que comprendieron que no tenían nada de lo que incriminarme.

4. La Noche de los Cristales Rotos

1.

La sala de reuniones de la unidad de las SS de Karl Rink estaba abarrotada de hombres jóvenes y más mayores, ataviados todos con uniformes negros. Fuera arreciaba el frío de noviembre y en la sala, cargada de humo de tabaco, reinaba una tensa expectación.

Rink, sin embargo, se sentía cómodo y relajado. Desde que se había unido a las SS se había dedicado mayormente a garantizar la seguridad de los altos cargos del partido. Nadie había mencionado a su mujer judía y estaba seguro de que el asunto estaba olvidado. Para su gran alegría, los temores de Mira también se habían ido mitigando.

A las siete en punto el comandante de la unidad, Reinhard Schreider, entró en la sala como una exhalación, se subió al estrado y alzó la mano. «¡*Heil* Hitler!», gritó, y un bosque de manos se alzó mientras los asistentes clamaban: «¡*Heil*!».

El silencio se adueñó de la sala cuando Schreider, con la cara roja de furia y la voz de trueno, comenzó a hablar del incidente que copaba todos los titulares: unos días antes, un estudiante judío llamado Hershel Greenspan había entrado en la embajada alemana de París y había matado a tiros al diplomático Ernst von Rath para vengar la expulsión de su familia de Alemania.

–Todos estamos enterados del horrible crimen cometido en París –gritó el comandante con la voz quebrada–. ¿Sabéis de quién es la culpa?

–¡De los judíos! –gritaron los asistentes al unísono.

–Si los judíos creen que correremos un tupido velo –agregó Schreider–, están muy equivocados. Les pagaremos con la misma moneda. Esta noche organizaremos por toda Alemania manifestaciones en contra de los judíos, y espero que cada uno de vosotros convoque a todos los amigos que pueda y salga a la calle.

Dio órdenes precisas: destruir las tiendas y las casas de los judíos, quemar las sinagogas, localizar a los empresarios e individuos prominentes judíos y arrestarlos de inmediato. Millares de militantes del partido nazi de toda Alemania habían recibido órdenes parecidas al mismo tiempo en sus comandancias municipales.

Karl Rink salió al frío de la calle la noche abominable que pasaría a la historia como la Noche de los Cristales Rotos. Sabía que se esperaba de él la conducta de un militante de las SS y sus camaradas contaban con que cumpliría las órdenes de arremeter contra los judíos. Sus superiores apreciаban su entusiasmo, su obediencia y su lealtad a los principios del cuerpo. Había ascendido más deprisa que el resto, tenía un trabajo en el cuartel general de las SS, un buen sueldo y una moto. Como miembro fiel al partido, siempre llevaba a cabo las órdenes de sus superiores. Ahora, en mitad de un pogromo contra los judíos, dudaba por vez primera.

Rink pensaba en Mira, en sus padres, en su familia. Desde que se habían casado, él había tratado a su familia política como a la de su propia sangre. Cuando estaba con ellos no hablaba de su trabajo, no decía nunca una palabra contra los judíos ni se cebaba con ellos ni con sus posesiones, como sus compañeros, y se ofendió cuando la familia partió peras con él porque trabajaba en las SS. Aquella noche le habían ordenado explícitamente que llevara a cabo actos que nunca se le habrían pasado por la cabeza, pero formaba parte de un cuerpo cuyos miembros habían jurado obedecer órdenes y no sabía cómo eludir la misión que le habían encomendado.

Al final se vio forzado a salir con sus compañeros a asaltar las tiendas judías de Berlín y a romper sus escaparates y tuvo que ver cómo quemaban los pisos de familias judías aterradas, cómo les golpeaban y destrozaban sus muebles. En la medida de lo posible trató de mantenerse al margen, sin llamar mucho la atención, y exhaló un suspiro de alivio a la mañana siguiente, cuando las cosas volvieron a la normalidad. Volvió a casa lentamente, pasando junto a las pilas de muebles rotos que habían tirado por las ventanas de las casas de los judíos. Entró en casa de puntillas, para no despertar a su mujer y a su hija. Se metió en la cama en silencio, pero no pudo dormir, pensando en los judíos de pálido semblante agredidos por grupos de matones nazis. No creía tener agallas para contárselo a Mira y a Helga.

Se levantó tarde. Helga ya había salido hacia la escuela y su mujer parecía abatida.

–Acabo de enterarme de lo de anoche –dijo–. Dime la verdad, Karl. ¿Estabas ahí?

–Sí, pero me mantuve al margen.

Ella lo miró fijamente.

–¿Cuánto tiempo podrás mantenerte al margen, Karl? ¿Cuánto tiempo pasará hasta que tengas que maltratar tú también a los judíos? Cuando te uniste al partido aún podía entender tus razones. Muchos parados hicieron lo mismo. Eran tiempos de grandes sueños, de fe en el poder de Hitler. Pero yo lo sabía y te dije bien claro que algún día los judíos habrían de padecer los delirios del *Führer*. Tú no encajas entre esa panda de matones, Karl, no encajas porque eres mi marido y el padre de nuestra hija. No olvides ni por un momento que yo soy judía, y según las leyes raciales nazis Helga es tan judía como yo. Por su bien y por el mío, prométeme que abandonarás las SS.

Karl se quedó perplejo. Se sentía dividido entre su mujer y el partido, pero su fe en Hitler seguía siendo sólida.

–El partido ha hecho mucho por nosotros –dijo–. Yo estaba sin trabajo, no teníamos ni un céntimo, de pronto llegó Hitler y todo cambió. En las SS también hay gente decente,

Mira. Lo que les han hecho a los judíos es producto de la rabia por el asesinato de París. Las cosas volverán a la normalidad, ya verás.

–¿Es que no ves que la situación sólo puede empeorar?

–No seas tan pesimista, Mira. Tienes que cambiar la perspectiva.

Estaba sirviéndose una taza de café cuando sonó el timbre. Karl abrió la puerta y se encontró cara a cara con un hombre de las SS que no conocía.

–Schreider quiere verte en su despacho –dijo el mensajero.

–¿Cuándo?

–Ahora mismo.

Desde que se había alistado en las SS, Rink no había tenido ocasión de hablar en persona con Reinhard Schreider, el comandante de su unidad, y se preguntó por qué le habría convocado con tanta urgencia.

–¿Qué querrá de ti? –le preguntó Mira–. A lo mejor te quiere castigar por no haber participado en los destrozos.

Karl no respondió. Salió de casa, arrancó la moto y se dirigió al cuartel general de las SS.

2.

En la mansión de los Stolowitzky la vida seguía como siempre, ajena a los oscuros nubarrones que se cernían sobre Europa. El fulminante crecimiento del ejército alemán, la anexión de

Austria al Tercer Reich y la caída de la región checa de los Sudetes bajo el dominio de Hitler eran ciertamente motivos de inquietud, pero la familia Stolowitzky seguía disfrutando de las vacaciones en su casa de verano, recibiendo invitados y esquiando en las montañas. Los negocios prosperaban y el dinero afluía a espuertas. No había habido más chantajes ni intentos de secuestro. «No hay por qué preocuparse –les decía Jacob a sus allegados, para calmarlos tanto a ellos como a sí mismo–. Al final, Hitler no se atreverá a declarar la guerra.» Jacob miraba al futuro con optimismo. Estaba convencido de que incluso en el peor de los casos no saldría tan malparado. La mayor parte de su dinero estaba a buen recaudo: en las cajas acorazadas de los bancos suizos.

Por las tardes, cuando hacía buen día, Gertruda salía a pasear con Michael. Antes de salir iban a ver a Lydia para que les diera un último repaso y Michael le preguntaba a su madre, muy serio: «¿Vamos bien vestidos, como buenos Stolowitzky?». Lydia sonreía y respondía: «Claro que sí, vais perfectos». Le daba luego a Gertruda unos *zlotys* y les deseaba que lo pasaran bien.

Gertruda y Michael salían por la verja, casi siempre en compañía de Emil, y cruzaban la calle para entrar en el parque Chopin, donde acariciaban a los pavos reales que caminaban a sus anchas por los jardines, comían helados y pasteles en el Café Belvedere o alquilaban una de las vistosas barcas del lago. Les gustaba también acercarse en trolebús al centro para ver entrar y salir los trenes de la bulliciosa estación o admirar los escaparates repletos de manjares.

De tanto en tanto, Emil los llevaba en coche a las afueras. Visitaban pueblecitos cuyos habitantes contemplaban anonadados a los ricos capitalinos, compraban manzanas y cerezas en puestos de carretera y paseaban por los huertos. Emil le hacía la corte a Gertruda y le ofrecía multitud de regalos que ella rechazaba educadamente, repitiéndole una y otra vez que la dejara tranquila.

Un día primaveral de 1939 Michael y Gertruda salieron a pasear, como de costumbre. El cielo estaba azul y el sol brillaba con fuerza. Enfilaron por la calle Yeruzalimska y en un quiosco Gertruda compró chocolatinas para los dos. Se sentaron en un banco para comérselas y un cachorro de pelaje pardo se les acercó meneando la cola. Michael lo acarició y el perro le lamió la mano.

–¿Tú crees que mamá me dejaría adoptarlo? –le preguntó a Gertruda.

–No, Michael. Ya sabes que a tu madre no le gustan los animales.

–Qué pena. Con lo bonito que es.

Al levantarse y seguir su camino, el perro los siguió. Gertruda se puso seria y trató de espantarlo. El perro no se daba por enterado, pero ella era más tozuda que él y al final se rindió y cruzó lentamente la calle hacia la otra acera, con el rabo entre las piernas. Por la calzada pasaba en aquel momento un trolebús y el conductor trató de ahuyentar al animal tocando la bocina, pero el perro no era consciente del peligro.

Michael apretó aterrado la mano de Gertruda y gritó: «¡Cuidado!». El perro no se detuvo y cruzó las vías lentamente, por delante del trolebús. Michael le soltó la mano a Gertruda y corrió hacia el perro. Desoyendo los bocinazos del conductor, saltó entre las vías y agarró al cachorro.

Con un chillido, Gertruda salió despavorida detrás del niño y trató de apartarlo de las vías. El perro aulló y escapó de los brazos del chico, pero el trolebús golpeó a Michael en la rodilla y lo lanzó despedido a la calzada. La sangre comenzó a manar y le empapó los pantalones por completo.

Gertruda se inclinó angustiada sobre el niño, que gemía de dolor. «Dios, ayúdanos», sollozó. Se imaginaba ya a la madre de Michael cuando se enterara del accidente y le echara la culpa a ella. Gertruda no podría perdonarse jamás haber descuidado al niño que tanto quería.

El trolebús frenó en seco y los pasajeros se congregaron asustados en torno a la niñera y el niño herido. Alguien se abrió paso hasta ellos entre la multitud. «Soy médico, déjenme pasar», dijo. Era un hombre joven, vestido con sencillez. Mientras examinaba al niño, Gertruda se puso a rezar en voz baja. El médico se quitó la camisa y la desgarró para hacerle al niño un torniquete. Luego alzó a Michael y lo llevó en brazos a un hospital que había allí cerca. Entró por la puerta de urgencias, llamó a los médicos y entró con ellos al quirófano. La operación duró un buen rato y cuando el médico salió y le dijo que Michael se encontraba estable y no tardaría en volver a casa, Gertruda le besó la mano de pura gratitud.

–¿Es su madre? –preguntó el médico.

–Soy la niñera.

–Pues vaya a casa y avise a sus padres –dijo el hombre–. Yo los esperaré aquí, al lado del chico.

Temblando aún de la impresión, Gertruda deshizo el camino hasta la casa de los Stolowitzky y les contó lo sucedido. Lydia se quedó blanca, pero Gertruda pudo comprobar que sus temores no estaban fundados: en ningún momento le echó en cara su descuido ni habló de despedirla. Únicamente le pidió que la acompañara al hospital.

Al llegar encontraron a Michael sedado y al joven doctor esperando de pie, junto a su cama. Gertruda le describió a Lydia los auxilios que el médico le había dispensado desinteresadamente.

–No sé cómo agradecérselo –dijo Lydia.

–No tiene por qué, sólo he cumplido con mi deber –dijo, y se fue dejándola con la palabra en la boca.

Lydia y Gertruda pasaron la noche en el hospital y a la mañana siguiente, cuando el niño abrió los ojos y les sonrió con languidez, apareció por la puerta el joven médico, que le dio a Michael unas palmadas cariñosas y le prometió que volvería muy pronto a casa.

–¿Cómo se llama? –le preguntó Lydia.

–Joseph Berman.

–Es usted judío, entonces. Nosotros también.

–Mucho gusto.

–Dios le ha enviado para que le salvara la vida a mi hijo. Muchísimas gracias.

Al cabo de dos días Michael recibió el alta y Gertruda volvió a arroparlo en su cama. Emil dio con la dirección del doctor Berman y Lydia fue con él a casa del médico. Aparcaron junto a un bonito y céntrico bloque de pisos y subieron al tercer piso. En la puerta, una placa metálica rezaba: «DR. JOSEPH BERMAN, ESPECIALISTA EN ENFERMEDADES RESPIRATORIAS».

Abrió la puerta la mujer del médico y del interior del piso llegaron las voces de unos niños que jugaban. La señora miró con curiosidad a su distinguida visitante y al chófer de uniforme.

–¿Está en casa el doctor? –preguntó Lydia.

–Sí, está atendiendo a un paciente. Pasen, por favor.

Se sentaron en el pasillo, frente al consultorio doméstico del médico. Al cabo de un rato salió un anciano acompañado del joven doctor, que se sorprendió al ver que tenía visita. Lydia se puso en pie y le entregó un sobre.

–Para usted –dijo.

El médico lo abrió y al ver que contenía una gran suma de dinero sacudió la cabeza.

–No me ocupé de su hijo por dinero –dijo quedamente.

Lydia se ruborizó.

–Pero es su trabajo… y tiene derecho a cobrar por él.

El médico le devolvió el sobre.

–No eran horas de trabajo –le dijo–. Me alegro de haberles sido de ayuda.

Lydia no acababa de entender que quisiera rechazar tan generosa recompensa. Nadie se había negado nunca a aceptar su dinero.

–De todas formas, me gustaría recompensarle –insistió.

El joven sonrió.

–Con su gratitud me basta, madame.

Lydia dejó el sobre en un armario que tenía a mano y salió de allí corriendo.

3.

Karl Rink llegó al cuartel general de las SS con sentimientos encontrados. Si de algo estaba seguro era de que el comandante de unidad Schreider no se hubiera molestado en llamarlo sin un buen motivo. Se alisó el uniforme negro, se apretó el brazalete con la esvástica y se preguntó qué podía querer decirle el comandante.

El edificio hervía de hombres uniformados que caminaban por los pasillos y se juntaban en corrillos. Rink los conocía a casi todos y fue repartiendo saludos.

En la antesala del despacho del comandante de la unidad, Kurt Baumer, el tercero en la línea de mando, le obsequió con una sonrisa amistosa. Baumer era un buen amigo suyo, su único amigo en las SS. Los dos habían crecido en el mismo vecindario y habían pasado juntos por muchas cosas hasta llegar allí.

–El comandante te espera –dijo Baumer.

–¿Qué quiere?

–Ni idea.

Baumer condujo a Rink al espacioso despacho de Schreider. De la pared colgaba un retrato de Hitler y tras el escritorio se alzaba una gran bandera con la esvástica.

Karl se cuadró, alzó el brazo y gritó:

–¡*Heil* Hitler!

Schreider se levantó de su butaca de cuero y le devolvió el saludo con el brazo en alto. Era un hombre bajo, fornido y calvo, con un tic que le torcía la comisura de los labios.

–Puede retirarse –le dijo a Baumer–. Karl Rink –dijo, dirigiéndose a su subordinado con aire marcial–. Lleva ya siete años en el cuerpo, ¿me equivoco?

–Siete años y dos meses.

–He oído decir cosas muy buenas de usted, Rink. He repasado su hoja de servicio y me consta su devoción hacia el *Führer*. Tiene usted muchos números para conseguir un puesto de mayor responsabilidad.

–Gracias, comandante.

–Pero antes tengo que aclarar un par de cosas. En primer lugar, acabo de leer el parte sobre la actividad de nuestros hombres durante las represalias de anoche contra los judíos. Entre otras cosas, apunta que no se involucró usted de forma especialmente activa en la operación.

–Estuve presente.

–Lo estuvo. ¿Pero qué hizo?

–Participé en la operación, como todo el mundo.

–Me han llegado informes de que se mantuvo al margen, no castigó a ningún judío ni rompió un solo escaparate. ¿Cómo es eso?

–Hice lo que pude –dijo Karl con un hilo de voz.

Schreider lo escrutó con sus ojos penetrantes.

–Su mujer es judía, ¿verdad?

–Sí.

–Y quiere hacerme creer que eso no tiene que ver con que ayer usted se quedara al margen.

–Nada que ver –mintió Karl sin demasiada convicción.

–¿Viven juntos o se han separado? –le preguntó Schreider.

–¿Qué quiere decir, comandante?

–Como bien sabe, las leyes de Núremberg invalidaron los matrimonios entre arios y judíos. De hecho, está prohibido seguir casado con cualquier judío.

–Lo sé.

–Aun así, he oído que sigue usted viviendo con su mujer, infringiendo la ley.

–Es cierto.

–Rink –dijo el oficial de las SS–, el *Führer* va a guiar a Alemania y al mundo entero a una nueva era. Nos aguardan cambios revolucionarios y necesitamos hombres capaces que contribuyan a llevar a término la noble misión que nos ha sido encomendada. Hombres como usted, Karl.

–Cumpliré cualquier orden que me den, señor.

Schreider lo miró impertérrito.

–No es preciso que le diga que en algún momento va a tener que escoger entre el cuerpo y su mujer –dijo con brusquedad–. La lealtad al partido es incompatible con la lealtad a los judíos. Tiene que separarse de ella.

–Mi mujer no se interpone ni se interpondrá nunca en mi trabajo –dijo Karl Rink, tratando de convencerlo–. El hecho de que sea judía no disminuye un ápice mi fidelidad a los ideales del partido.

–Mire, Rink –dijo Schreider entre dientes–, hasta ahora no hemos querido presionarle porque pensábamos que llegaría a tomar la decisión correcta usted mismo. Pero ahora tendrá que decidir: o ella o nosotros. Son las dos únicas alternativas.

–¿Puedo pedirle una cosa?

–No –gruñó el comandante, cuya paciencia se había agotado.

–Necesito un poco más de tiempo.

El comandante lo fulminó con la mirada.

–Un hombre de las SS debe estar dispuesto a sacrificarlo todo por el Reich –dijo–. A nuestra gente sólo ha de importarle una cosa: la victoria. La familia no es prioritaria para un hombre de las SS, ¿entendido?

–Entendido –masculló Rink.

–¿Cuando se divorciará?

–Pronto.

–Pronto no basta. Le doy de tiempo una semana.

Rink se quedó allí plantado, buscando algo que responder.

–Una semana –repitió Schreider–. ¿Estamos?

Karl Rink arrancó la moto y vagó sin rumbo por las calles mojadas de la ciudad. No tenía ninguna prisa en volver a casa. Necesitaba tiempo para pensar. Era una decisión difícil, más difícil que cualquier otra que el destino le hubiera planteado en treinta y ocho años. Amaba a Mira con todo su corazón, pero también era fiel a las SS. Lo cierto era que comulgaba con muchas cosas del cuerpo, aunque otras no le gustaran tanto, como el trato que dispensaban a los judíos. En las SS predicaban a todas horas la pureza de la raza aria y culpaban a los judíos de todos los problemas del país. En los periódicos se los retrataba como abominables sanguijuelas que les chupaban la sangre a los alemanes. Rink detestaba aquel ataque incesante, pero seguía creyendo que era sólo un escollo en el camino hacia el objetivo común. El problema era que su lealtad al partido era tan inamovible como el amor que sentía por su mujer. Se maldecía por la promesa de divorciarse en el plazo de una semana que su comandante le había arrancado. ¿Cómo iba a abandonar a Mira después de pasar a su lado tantos años felices?

A su regreso encontró a Mira en el salón, escuchando ópera por la radio. Desde que la habían despedido se pasaba el día en casa, incapaz de encontrar otro trabajo. A esas alturas nadie se atrevía a contratar a un judío.

Su mujer bajó el volumen y le lanzó una mirada inquisitiva esperando a que le contara cómo había ido la reunión.

Karl se derrumbó en su sillón.

–Schreider me ha dado un ultimátum –dijo con voz quebrada.

–A ver si lo adivino: te ha pedido que escojas entre tu mujer y el partido.

–Sí, eso ha dicho.

–Te lo advertí… ¿Y qué le has dicho?

–Le he dicho que tú nunca te interpondrás en mi trabajo.

–¿Y se ha conformado con eso?

–Creo que no.

–Quiere que nos divorciemos.

–Sí.

–¿Y qué has decidido?

–Le he dicho que me divorciaría de ti, pero hablaba sin pensar.

–¿Que quieres decir?

–Que no tengo ninguna intención de divorciarme.

–¿Y si Schreider te descubre?

–Esperemos que no lo haga.

Rink se levantó y se puso a dar vueltas.

–El partido es importantísimo para mí –le dijo, tras un largo silencio–. De él depende mi futuro, el futuro de todos nosotros, el futuro de Alemania.

–Tu partido será nuestra ruina.

–Te equivocas.

Mira suspiró.

–Eres *tú* quien se equivoca –le dijo–, no yo.

4.

La tormenta que azotó Varsovia a mediados de junio de 1939 abatió tres árboles y arrancó los tejados de las casas de los barrios pobres. Como de costumbre, muchas líneas telefónicas se vinieron abajo. Aun así, y pese a los pitidos ensordecedores y las interferencias del teléfono de su despacho, Jacob Stolowitzky alcanzaba todavía a oír la voz distante de una mujer que lloraba, desesperada.

Apretó el auricular, se lo pegó a la oreja y tardó un rato en identificar la voz. Era la mujer del director de su fábrica de Berlín.

–Cálmese, por favor –le dijo–. No entiendo ni una palabra.

Los sollozos de la mujer fueron menguando.

–Ayer las SS detuvieron a mi marido –se lamentó–. Lo han metido en la cárcel y se niegan a soltarlo.

–¿Por qué?

–Porque es judío, señor Stolowitzky. De eso se le acusa.

Jacob Stolowitzky palideció. El arresto del director de la fábrica de acero que tenía en la zona industrial de Berlín llegaba en el peor momento, en mitad de las negociaciones con la compañía ferroviaria francesa para suministrar a Francia cientos de kilómetros de vías férreas. La fábrica alemana era la única que podía alcanzar aquel volumen de producción y cualquier interrupción de su actividad podía echar por tierra las negociaciones con los franceses. De pronto, los pingües beneficios con los que había contado pendían de un hilo.

–¿Dónde han retenido a su marido? –preguntó.

–No tengo la menor idea.

Stolowitzky le dijo unas palabras de consuelo y llamó inmediatamente al Ministerio de Defensa alemán. Tenía allí buenos amigos, altos cargos con los que había hecho negocios más de una vez. Iba a Alemania con frecuencia para reunirse con ellos e invitarlos a cenar a los mejores restaurantes, y estaba convencido de que lo ayudarían.

Logró comunicar con dos de ellos, pero ambos lo trataron con frialdad.

–Son los nazis quienes mandan ahora –le dijeron–. Tendrá que hablar con ellos.

–Salgo para allá hoy mismo –dijo, impaciente–. Hablaré con quien haga falta para que suelten a mi empleado.

–No sé si es buena idea –le dijo uno de ellos antes de colgar–. Alemania no es ahora mismo un destino muy recomendable. Es usted judío, no lo olvide. Son capaces de arrestarlo a usted también.

Jacob Stolowitzky se pasó un buen rato dando vueltas por su despacho, inquieto, buscando el modo de solventar el problema.

De pronto sonó el teléfono. Era la mujer del director de la fabrica, que volvía a llamar.

–Señor Stolowitzky –dijo, con la voz quebrada–. El SS ha vuelto a la fábrica esta mañana y ha echado a todos los trabajadores polacos. Los han mandado a todos de vuelta a Polonia.

Stolowitzky estaba orgulloso de sus ingenieros polacos. Los había seleccionado cuidadosamente y los había mandado a Berlín junto a sus familias. Sin ellos, su fábrica no podía seguir en marcha.

–Es terrible, señor Stolowitzky –agregó la mujer–. Berlín se ha convertido en un infierno. El antisemitismo se ha desatado, a los judíos los echan del trabajo o los arrestan, estamos haciendo lo posible por escapar de aquí.

La conversación se cortó.

Jacob Stolowitzky se llevó las manos a la cabeza. Estaba al tanto de las noticias que los periódicos traían de Alemania, había leído artículos sobre los abusos que debían soportar los judíos, pero su fábrica era propiedad extranjera. Después de todo, él era un extranjero que hacía negocios con el Gobierno alemán y no se le había pasado por la cabeza que Alemania se atreviera a atentar contra ciudadanos extranjeros.

Se marchó a casa descorazonado, recordando las profecías de su padre en su lecho de muerte. Su padre había visto claro lo que estaba pasando y comprendía las consecuencias inevitables de la incitación antisemita. Indignado, le habló a su mujer del arresto del director y de la expulsión de los ingenieros.

–Tengo que hablar con mi abogado en Berlín –dijo–. Partiré hoy mismo.

Ella trató de detenerlo.

–Los alemanes te arrestarán –dijo–. Dicen que Europa está a las puertas de la guerra. Espera a que las cosas se calmen.

Él le cogió la mano.

–Tengo que ir –dijo–. Pero no te preocupes, en unos días estaré de vuelta.

Una de las criadas le hizo el equipaje y Jacob se despidió de su mujer y su hijo. Al salir, se topó con Gertruda.

–Me marcho –le dijo–. Cuida de Lydia y de Michael.

Gertruda lo miró con miedo. Su intuición le decía que iba a emprender un viaje peligroso.

–Cuidaré de ellos tan bien como pueda –dijo.

Emil le llevó la maleta al coche.

–A la estación –le ordenó Stolowitzky.

Entró en el vagón de primera clase y se arrellanó en su confortable asiento. Cuando el tren se puso en marcha, Stolowitzky vio por la ventanilla cómo Varsovia se perdía en la distancia.

Estaba seguro de que volvería en unos días.

5.

Las clases terminaron bien entrada la tarde, como siempre, y caía ya la noche cuando Helga salió de la escuela y se encaminó hacia su casa, envuelta en su abrigo, con las manos en sus guantes de lana, por una calle donde aún se veían las huellas del pogromo de la Noche de los Cristales Rotos. Los escaparates estaban rotos y en las puertas de las tiendas habían escrito: «JUDÍO». Vio a unos hombres de las SS arrastrando a un viejo judío a un coche gris y le dio un vuelco el corazón. Por un momento creyó reconocer a su padre entre ellos, con su uniforme negro, tan despiadado como el resto. Pero vio que se equivocaba. Pensó en la relación de sus padres, que se había ido a pique cuando su padre se había negado a dejar las SS. Le vinieron a la mente algunas estampas del pasado reciente, un paseo por el campo, una salida en barco por el lago de Berlín, un *picnic* en el bosque, una fiesta de cumpleaños. En todas ellas Karl Rink parecía un padre entregado, sonriente y feliz. Pensó en lo orgullosa que estaba de su padre hacía bien poco. ¿Qué le había sucedido?, se preguntaba. ¿Por qué había decidido cambiar de piel, dar la espalda a su familia y unirse a aquellos animales que habían impuesto un régimen de matones en el país que ella más quería?

Seguía inmersa en sus pensamientos cuando un grupo de chicos le cerró el paso. Trató de escabullirse, pero los chicos la rodearon y comenzaron a increparla. El cabecilla, un chico rubio y fuerte, se acercó a ella, le tiró del pelo y la insultó. Helga trató de resistirse pero el chico la golpeó una y otra vez, hasta derribarla. Se llevó la mano a la nariz, que le sangraba. Los chicos se echaron a reír.

–Judía asquerosa –gritó el cabecilla, propinándole una patada–. Esto es sólo el principio. Mañana más.

Retorciéndose de dolor, Helga llegó a su casa dando tumbos. Se limpió la sangre de la nariz para que su madre no se preocupara, pero a Mira le bastó un primer vistazo.

–¿Qué te ha pasado? –exclamó incrédula.

Helga se lo contó.

Mira le limpió la cara a su hija y le vendó la nariz, y Helga se encerró en su cuarto. La tristeza se adueñó de la casa. Mira caminaba de un lado a otro, convertida en la sombra de sí misma. Pensaba en lo que le había pasado a su hija y en lo que le volvería a suceder, no cabía duda, si no es que le pasara algo peor. Tenía que contárselo a su marido, aunque no confiaba en que pudiera hacer gran cosa. Sabía que Karl no lo tenía fácil, que se debatía a diario entre la lealtad al partido y a la familia. A Mira le dolía en el alma que se empeñara en conservar su puesto en las SS. Nerviosa, incapaz de pensar con claridad, se encendió un cigarro y se sirvió una copa de vino.

Karl Rink no pasaba mucho tiempo en casa, y aquella noche, la noche en que su mujer y su hija lo necesitaban más que nunca, no apareció. Cuando volvió, de madrugada, encontró a su mujer sentada en el sofá del salón, fumando.

Mira le contó someramente lo ocurrido. Karl Rink suspiró afligido, fue al cuarto de su hija y la abrazó.

–No te preocupes –trató de consolarla–. Los días difíciles pasarán. Todo se arreglará, ya lo verás.

Helga bajó los ojos. Sabía que nada iba a arreglarse, que nada volvería a ser como antes.

–¿Sabes quién fue? –le dijo, señalándole el vendaje.

Sí, lo sabía. Se llamaba Paul, era el hijo de unos vecinos. En otros tiempos le sonreía siempre que se cruzaban. Nunca hubiera imaginado que aquel chico tan simpático pudiera convertirse en una bestia.

6.

El 20 de junio de 1939 el tren de Varsovia a Berlín iba más vacío que de costumbre. Sentado en su compartimento con aire sombrío, Jacob Stolowitzky hervía de tensión y sopesaba los peligros que amenazaban a su empresa alemana. Su único consuelo era la reunión que iba a mantener con su abogado. Quería creer que, pese a todo, en Berlín aún se podían hacer las cosas de forma legal.

Frente a él, en el compartimento de primera, se sentaba una pareja alemana. El marido no dijo ni una palabra en todo el camino y su mujer estrechaba en su regazo a un bebé que lloraba. Un camarero recorrió los compartimentos ofreciendo comida y bebidas calientes. Jacob Stolowitzky no tenía hambre. Tenía atravesada en la garganta una náusea creciente.

El tren se detuvo al llegar a la frontera y entraron en el vagón unos guardias alemanes que, tras examinar detenidamente el pasaporte polaco de Stolowitzky, le preguntaron por el motivo de su viaje. Stolowitzky les dijo que se trataba de un viaje de negocios.

–¿Judío? –preguntaron.

–Sí.

Los guardias hicieron una mueca.

–¿Qué negocios lo traen a Alemania?

–Tengo una fábrica en Berlín.

–No por mucho tiempo –farfulló con sorna uno de los guardias.

–¿Cuándo piensa volver a Polonia? –le preguntó su compañero.

–Esta misma semana.

Le sellaron el pasaporte a regañadientes y se marcharon.

Cuando el tren se puso en marcha Stolowitzky miró por la ventanilla y advirtió que la carretera estaba saturada de tráfico militar. Los camiones, repletos de soldados y cajas de municiones, avanzaban lentamente en una larga caravana, remolcando ametralladoras y cocinas de campaña. En la estación de Berlín vio pasar más soldados que transportaban armas y equipos militares.

Jacob cogió un taxi hasta el despacho de su abogado. Por el camino vio pintadas de «JUDÍOS FUERA» en escaparates del centro hechos añicos y hordas de gorilas nazis desfilando por la acera, porra en mano.

El despacho estaba cerrado y en la puerta habían colgado un cartel que rezaba: «CERRADO HASTA NUEVO AVISO». Después de una búsqueda febril, Stolowitzky logró llegar al domicilio de su abogado. El hombre que lo recibió había envejecido de la noche a la mañana. El abogado lo invitó a pasar y confirmó todos sus temores: los nazis se apoderaban con rapidez de todas las fábricas de propiedad judía, habían restringido los movimientos de los judíos e imponían sanciones durísimas a cualquier judío que transgrediera unas leyes cada día más severas.

–Sólo Dios sabe lo que va a ser de nosotros –le dijo el abogado–. A mí me han quitado la licencia y he perdido a casi todos mis clientes, porque no quieren tratar más con judíos. A un colega judío amigo mío que se atrevió a interponer una queja a la policía contra un empresario cristiano lo molieron a palos, lo desnudaron y le obligaron a pasearse por la calle llevando al cuello un cartel que decía: «NO VOLVERÉ A QUEJARME A LA POLICÍA». Somos muchos los que tratamos de escapar. El resto se queda en su casa, temblando de miedo.

Le confió que en pocos días iba a mudarse con su familia a Palestina.

–He intentado vender mis propiedades –agregó–, pero no encuentro compradores. Esa chusma está esperando que los judíos se larguen para quedarse con todas sus posesiones sin pagar un chavo.

–¿Qué posibilidades tengo de salvar el negocio? –preguntó Jacob Stolowitzky, angustiado–. ¿Vale la pena que lleve el caso a los tribunales?

–No –repuso el abogado con pesar–. Lo echarán de allí a patadas.

Stolowitzky contempló por la ventana el bullicio de la calle. La vida berlinesa parecía la misma de siempre, pero bajo la superficie la ciudad era un auténtico infierno.

–Sólo puedo aconsejarle una cosa –dijo el abogado–. Vuelva inmediatamente a la estación y regrese a su casa antes de que sea demasiado tarde.

–¿Tan seria es la situación?

–Peor de lo que se imagina. A juzgar por los indicios, se avecina una guerra. En su lugar me plantearía también la posibilidad de mudarme de Polonia con mi familia. Puede que sea uno de los primeros países que los nazis piensen invadir.

El tren salía al día siguiente al amanecer. Jacob Stolowitzky encontró habitación en un hotel cercano a la estación y pidió que le comunicaran con su casa. Dos horas más tarde escuchó por fin la voz de Lydia.

–¿Cómo andan las cosas por Berlín? –preguntó su mujer.

–Muy mal. Vuelvo mañana.

Emil fue a buscarlo a la estación y Jacob le pidió que lo llevara a casa. Estaba agotado. Se sentó en el asiento trasero y no dijo una palabra en todo el trayecto. Lydia lo recibió en el vestíbulo.

–¿Qué ha pasado? –preguntó.

Jacob se lo contó.

Lydia le tendió entonces un telegrama que le había mandado su representante comercial en París:

> *El contrato con la compañía francesa está listo para firmar, exceptuando ciertas cláusulas que precisan su visto bueno. Debería venir cuanto antes.*

Los ojos de Stolowitzky chispearon de alegría.

–Por fin una buena noticia –le dijo a su mujer.

–¿Te vas a París?

–Pues claro.

Fue a la habitación de Michael, lo abrazó y le dio un beso.

–Otra vez me marcho –dijo–. Cuando vuelva te traeré un buen regalo.

–¿Cuándo volverás? –preguntó Michael.

–Dentro de unos días.

Jacob llamó a su representante en París y le confirmó que llegaría al día siguiente.

«Una puerta se ha cerrado y otra se abre», pensó esperanzado al cabo de unas horas, en su compartimento del tren nocturno con destino a París.

7.

Karl estaba alterado. La cabeza le daba vueltas y tenía los nervios de punta. Apretando los puños, se paseaba de un lado a otro ante la casa del chico que había pegado a su hija, tratando de decidir qué hacer. Se acordó con añoranza de los tiempos en que todo marchaba bien en Alemania y uno podía acudir a la policía y denunciar a un chico que hubiera agredido a su hija y confiar en que se tomarían medidas. Pero ahora era imposible. La policía no iba a aceptar ninguna denuncia de agresión contra una chica judía y él no podía hacer nada al respecto. Tampoco podía entrar en aquella casa con su uniforme de las SS y amenazar al chico o a sus padres. Si lo denunciaban a sus superiores se iba derecho a la cárcel. Aun así, no estaba dispuesto a olvidar el asunto.

Conocía al chico de vista y se apostó a esperarlo detrás de un panel de anuncios repleto de manifiestos nazis que había allí cerca. Al anochecer lo vio pasar hacia su casa, lo siguió, sacó la pistola y lo golpeó en la cabeza con la culata. El chico se desplomó aullando de dolor.

–Esto es por meterte con las chicas –dijo entre dientes–. Si vuelves a tocar a Helga, no saldrás tan bien parado.

–¿Quién es usted? –gimoteó Paul, que en la oscuridad no había reconocido a Karl.

–Eso a ti no te importa –gruñó Karl y volvió a aporrearlo con la culata.

Paul se echó a llorar.

–Pero si es una judía –decía.

–Quiero que me des tu palabra de que no volverás a tocarla –exigió Karl.

–Lo prometo... Lo prometo...

Karl Rink dio media vuelta y se esfumó mientras el chico se arrastraba como podía hasta su casa. Al verlo su madre se asustó mucho.

–¿Qué te ha pasado?

–Me han dado una paliza.

–¿Quién?

–No lo sé. Estaba muy oscuro, no lo he visto. Me ha dicho que era por darle su merecido a una judía de clase.

–Pobrecito mío –lo consoló su madre, apretándolo contra su pecho–. Los judíos son una plaga. No te acerques más a esos desgraciados, ya tenemos a Hitler para que les dé su merecido.

* * *

Cuando Karl volvió a casa encontró a Helga y a su madre sentadas en el salón, con las puertas y las ventanas cerradas a cal y canto.

–Paul no volverá a tocarte.

–¿Estás seguro?

–Tranquila. Confía en mí.

–De todas formas, no tengo ganas de volver a la escuela –dijo Helga–. Si no es Paul, será algún otro. Y la próxima vez puede ser peor que un par de puñetazos.

Su padre quería consolarla, pero no sabía qué decir. Se asomó por la ventana y vio que volvía a llover.

–Papá –dijo Helga–, mamá y yo no nos sentimos seguras. Las cosas empeoran de día en día y no vas a poder encargarte de todos los que quieran agredirnos por judías.

Karl se acercó a su hija y le pasó un brazo por el hombro.

–Os quiero mucho a las dos –dijo–, más que a nada en este mundo. Por favor, ten un poco de paciencia. Tarde o temprano la persecución de los judíos se acabará.

Su mano le traspasó toda su calidez, como antaño.

–Gracias por consolarnos, papá –dijo, y hubo de hacer un gran esfuerzo para pronunciar cada palabra–, pero tus consuelos no nos sirven. No te atreves a ver la realidad como es y te engañas pensando que puedes seguir trabajando en las SS y viviendo con una familia judía. Pero algo acabará por sucederte a ti o a nosotras, es sólo cuestión de tiempo.

Karl la miró largamente y le dijo a su mujer:

–Puede que la niña tenga razón. La única solución es que os marchéis de aquí. Si os quedáis, no tenemos garantías de que os dejen tranquilas.

–Yo de aquí no me muevo –dijo Mira–. Esta es mi casa y no puedo abandonar a mis padres, que son mayores, están mal de salud y me necesitan. Nadie va a echarnos de aquí.

Karl se sentó frente a ella, con el rostro desencajado.

–No seas tozuda –le dijo.

–Déjanos en paz, Karl. Fuera de aquí. Vuelve con tus amigos.

–No tienes derecho a arriesgar tu propia vida, ni la de Helga.

–Helga ya es mayorcita. Que ella decida sola qué va a hacer.

Helga se acercó a la ventana y miró afuera con melancolía. Hacía tanto tiempo que no veía a su padre sonreír.

–¿Has oído a tu madre? –le dijo.

–Sí.

–Yo me quedo donde estoy –insistió Mira.

–Papá tiene razón, mamá –dijo la chica–. Aquí no podemos quedarnos. Ven conmigo.

–Yo me quedo, Helga.

–Pues tendrás que irte sola –le dijo Karl a su hija, suplicante.

–Quiero que venga mamá –dijo la chica, con lágrimas en los ojos.

–Mamá no puede ir, Helga –dijo Karl.

–No lo sé. Dejadme pensarlo.

–Pues date prisa –le rogó Karl–. No tardarán en cerrar las fronteras y entonces será demasiado tarde.

5. Secuestro a plena luz del día

1.

Al llegar a la estación de París, Jacob Stolowitzky se encontró con su representante comercial francés, que lo llevó al Ritz, donde tenía reservada una *suite* del último piso.

–Estamos ultimando el contrato –le dijo–. Quedan sólo un par de puntos por acordar. Espero que lo hagamos pronto.

Jacob le habló de su aterradora visita a Berlín.

–Tal como están las cosas en Alemania, la fábrica va a tener que cerrar, no me cabe duda –le dijo–. Vamos a perder un dineral.

–La situación en Alemania tiene preocupados a los franceses –dijo el representante–. Tienen miedo de que no pueda suministrarles la cantidad de vías férreas que necesitan. ¿Qué vamos a hacer?

–Sigo en contacto con las grandes fábricas de Inglaterra –dijo Stolowitzky–. Con su volumen de producción podremos atender todos los pedidos.

* * *

Jacob era optimista, pero la firma del contrato francés le llevó más tiempo de lo que había previsto. La extensa documentación incluía todos los planes de producción, plazos de entrega y fichas del personal que debía reclutar. Prepararla había requerido más de dos años y a última hora los franceses temían que Stolowitzky no fuera capaz de suministrar el producto. En dos días consiguió el visto bueno de las fábricas británicas, se reunió con los representantes de la compañía ferroviaria francesa, su representante y los abogados que habían negociado los contratos franceses desde el principio, y juntos repasaron todos los párrafos discutibles. El contrato estipulaba que Jacob Stolowitzky debía producir vías férreas nuevas para sustituir varios centenares de kilómetros de vías antiguas por todo el país. A cambio los franceses se comprometían a pagarle una enorme suma de dinero.

A Jacob Stolowitzky no le hacía ninguna gracia la demora en las negociaciones. Quería regresar a su casa de Varsovia junto a su mujer y su hijo y volver a tomar las riendas de la empresa, pero no podía dejar a sus clientes franceses en la estacada. El negocio era uno de los más grandes que había hecho nunca y tras el descalabro alemán era aún más importante atarlo bien atado.

Llamó a Lydia varias veces y se disculpó por la demora. Ella lo entendió. No era la primera vez que debía ausentarse tanto tiempo por sus negocios.

–No te preocupes por nosotros –le dijo–. Aquí todo está tranquilo, estamos bien.

2.

Wolfgang Erst era un matón corto de entendederas, un exobrero de la construcción que había ascendido por el escalafón de las SS llevando a cabo brutales demostraciones de fuerza contra los judíos y asesinando a los oponentes del régimen. Cumplía todas sus órdenes a cierra ojos y sus superiores sabían que no diría ni una palabra de lo que sucedía entre bastidores o en las celdas de tortura de la organización.

Cuando le dijeron que Reinhard Schreider lo había convocado a su despacho, Erst acudió exaltado y feliz. Tenía el presentimiento de que su comandante lo felicitaría por su labor y no podía descartar que le comunicara su inminente ascenso. Schreider no hizo ni una cosa ni la otra. Se acercó al matón y le dijo, en tono confidencial:

–Tengo una misión especial para ti, Erst.

–A sus órdenes, mi comandante.

Schreider le tendió una nota con un nombre y una dirección.

–¿Sabes quién es esa mujer? –preguntó.

–No –repuso Erst.

–¿Has oído hablar de Karl Rink, su marido?

–Nunca.

–Esa judía está casada con uno de los nuestros. Hace dos semanas su marido me prometió que se divorciaría de ella. Sólo quiero averiguar si ha cumplido su palabra.

Erst le echó un vistazo a la nota y se la metió en el bolsillo. Era una orden sencilla. Había llevado a cabo misiones mucho más complicadas.

–Me encargaré inmediatamente –dijo–. Puede contar conmigo.

–Lo sé.

Erst y dos de sus hombres salieron a hacer averiguaciones y al cabo de un par de días Erst volvió al despacho de Schreider.

–No hemos encontrado ningún indicio de divorcio –le dijo–. Mira y Karl Rink siguen viviendo juntos. Él come y duerme en casa y no parece que haya hecho ninguna gestión para divorciarse.

–Traedme a la mujer –ordenó Schreider.

Desde su despido Mira pasaba la mayor parte del tiempo en casa. Después de la agresión a Helga había comenzado a acompañarla a la escuela para protegerla. De regreso hacía la compra y una vez por semana visitaba a sus padres. Cuando llegaba la hora de recoger a su hija en la escuela volvía a salir y regresaba con Helga a casa, donde se quedaba hasta el día siguiente.

–Mañana la arrestaremos con discreción cuando vaya a hacer la compra y se la traeremos –dijo Erst.

3.

A primera hora de la mañana Peter y Maria Babilinska se subieron al tren en la estación del pueblo. Peter cultivaba coles y patatas y tenía un trabajo en la oficina de correos. Su mujer hacía mermeladas y las vendía en el mercado.

Los dos estaban nerviosos, preocupados, impacientes por reunirse con su hija en Varsovia. Llevaban varios meses sin verla.

Gertruda se sorprendió cuando la criada le dijo que sus padres estaban en la puerta. Los recibió en la casa y les preparó unas tazas de té que sus padres ni siquiera tocaron.

–¿Cómo estás? –le preguntó su padre.

–Bien.

Gertruda se preguntaba por qué habrían ido. Rara vez venían de visita y ella no había ido al pueblo más de tres veces desde que trabajaba en casa de los Stolowitzky.

–Tu madre y yo estamos pasando por un bache –dijo su padre con un suspiro–. Hace ya más de un año que estás aquí y... –se interrumpió, avergonzado.

Gertruda calló, esperando a que terminara.

–... hemos venido para llevarte de vuelta a casa –dijo por fin.

Su madre asintió y Gertruda los miró atónita.

–Tú ya no eres tan joven –agregó su padre–, y nosotros nos hacemos mayores. Nada nos haría más felices que verte casada y poder abrazar a los nietos que nos des.

–Aquí estoy a gusto –dijo Gertruda–. Ahora mismo no me apetece casarme.

–Pero tú eres cristiana –dijo su padre, atacando por otro flanco–. Aquí no estás en casa.

–Aquí cuido de un niño que me necesita ahora más que nunca –insistió ella–. Su padre está lejos y su madre no tiene a nadie más. No puedo marcharme.

–Sí que puedes, hija.

De pronto llamaron a la puerta y entró la señora de la casa. Gertruda le presentó a sus padres.

–Hemos venido para llevarnos a nuestra hija a casa –dijo Maria–. Ya es hora de que se case y cuide de sus propios hijos en lugar de cuidar de los ajenos.

Lydia miró a la niñera.

–¿Cuándo te marchas? –preguntó.

–No me marcho –respondió.

A Lydia le temblaban los labios.

–Es normal que tus padres se preocupen –le dijo–. Quizá deberías irte con ellos.

Gertruda se volvió hacia sus padres.

–Lo siento –dijo–, pero quiero quedarme.

Maria y Peter sabían que su hija era firme y testaruda y se pusieron en pie, apesadumbrados.

–Piensa en ello –le dijo Peter–. Te estaremos esperando. Vuelve pronto.

–Gracias por la oferta –dijo–, pero no voy a cambiar de parecer.

Su madre rompió a llorar y las mejillas se le bañaron en lágrimas.

–Ya ves que tu madre no puede vivir sin ti –le dijo su padre–. No le rompas el corazón.

Gertruda abrazó a su madre.

–Te quiero mucho, mamá, pero ya soy mayorcita –le dijo–. Déjame que siga los dictados de mi corazón.

La madre la besó como si no hubiera de volver a verla.

–Prométeme que te cuidarás.

–Prometido.

Desalentados y muertos de pena, los padres se marcharon.

–Sólo quiero que sepas lo mucho que Michael y yo nos alegramos de que quieras quedarte –le dijo Lydia.

4.

A finales de los años treinta, el partido nazi se había hecho con el control absoluto de Alemania. Encarcelaba o enviaba a un campo de concentración a cualquier opositor del régimen real o potencial, sembró el país de espías y aprobó leyes y regulaciones para marginar a los judíos y forzarlos a abandonar el país. Los ciudadanos del Reich no tardaron en habituarse al nuevo orden nacionalsocialista. En su gran mayoría, los alemanes seguían creyendo firmemente en las promesas de Hitler y se limitaban a mirar hacia otro lado ante situaciones que en otro tiempo hubieran juzgado intolerables. Se acostumbraron a presenciar toda suerte de escenas lamentables. Un coche, por ejemplo, aparca en el bordillo junto a un bloque de pisos y se apean unos hombres con abrigos de cuero negro que enfilan las escaleras. Al cabo de unos minutos reaparecen en la calle con un prisionero aterrorizado al que meten en el coche para salir pitando hacia algún lugar. Luego la vida de la calle vuelve a la normalidad. Eso mismo le sucedió a más de un político que se oponía al imperio del crimen de Hitler y sus seguidores, a multitud de escritores, artistas e intelectuales que osaban criticar al *Führer* y a muchísimos judíos, por supuesto.

Mira Rink se había convertido en una molestia que había que quitar de en medio. Karl Rink tenía que divorciarse de ella y al no a hacerlo había sellado el destino de su mujer. Fueron sus superiores quienes tuvieron que decidir por él.

A finales de agosto de 1939 Mira fue a hacer la compra a una tienda del barrio. Se quedó allí un rato y se encaminó de vuelta a casa, sin dejar de darle vueltas en la cabeza al problema que amenazaba su matrimonio. Su amor por Karl era inquebrantable. Era el primer y único hombre de su vida y para ella era muy duro aceptar que siguiera creyendo en el partido nazi y participara en la represión.

Pasó junto a unos vecinos judíos que la fulminaron con la mirada, como tantas otras veces. Algunos de ellos habían sido buenos amigos suyos, pero habían partido peras con ella cuando su marido se alistó en las SS. Era duro de aceptar, pero tenía que sobreponerse.

Poco antes de llegar a casa tres hombres con abrigos de cuero negro le cerraron el paso.

–¿Frau Rink? –preguntó uno de ellos.

Mira asintió y, sin mediar palabra, Erst y sus dos secuaces la agarraron por los brazos y la metieron en un coche marrón que arrancó de inmediato.

–¿Quiénes sois? –bramó ella, aunque ya lo había adivinado.

Ninguno de sus acompañantes dijo una palabra.

–Mi marido es oficial de las SS –les dijo, pero ellos la miraron con ojos gélidos y guardaron silencio. Por un momento se le pasó por la cabeza abrir la puerta del coche y lanzarse en marcha, pero comprendió que no hubiera servido de nada. No iban a dejarla escapar.

El coche se detuvo junto a un viejo edificio de piedra del sur de la ciudad. Mira Rink le echó un vistazo pero no lo reconoció. No había pasado por allí en su vida.

Los tres hombres la hicieron entrar a empujones y la condujeron por un largo y estrecho corredor que conducía a una gran sala. El oficial de las SS Reinhard Schreider alzó la cabeza en su escritorio.

–Dejadla aquí –dijo.

Cuando los tres hombres se hubieron retirado le ofreció con tranquilidad un vaso de agua, que ella rechazó.

–¿Sabía que los matrimonios entre arios y judíos están prohibidos? –le dijo lentamente, con voz grave.

–Lo sé.

–Usted es judía y su marido ario, ¿verdad?

–Sí.

–Supongo que sabrá que al seguir casada con él está incurriendo en un delito.

–Me casé con él mucho antes de que la prohibición entrara en vigor. Los dos nos queremos y tenemos una hija de catorce años.

–Hace poco su marido y yo acordamos que se divorciarían.

Ella fingió sorprenderse.

–No tenía ni idea –dijo.

–Me veo en el deber de aclararle que para mantener el orden es preciso que todos obedezcamos la ley. Van a tener que divorciarse, Frau Rink.

De pronto el miedo se apoderó de ella. En la voz del hombre que tenía delante había algo frío y distante y sabía que sólo aceptaría un sí por respuesta.

–De ninguna manera –dijo, no obstante–. No tenemos la menor intención de anular nuestro matrimonio.

El hombre enrojeció de furia.

–Va a hacerme enfadar, Frau Rink.

Ella se puso en pie.

–¿Puedo irme ya? –preguntó.

–No –dijo él alzando la voz–. ¡No puede irse!

Descolgó el auricular, dio una orden y al cabo de un momento aparecieron los tres hombres que la habían secuestrado.

–Al patio –ordenó Schreider.

Cuando comprendió adónde la llevaban, ya era demasiado tarde. El patio empedrado estaba rodeado de un alto muro de piedra. Le ordenaron que se pusiera de cara a la pared, la apuntaron con sus pistolas y vaciaron los cargadores. Las gruesas piedras del muro amortiguaron el ruido. Mira se desplomó en el patio, sin vida, y los tres hombres arrastraron su cuerpo a una fosa común que habían excavado allí cerca.

5.

Karl Rink se dejó arrastrar por la marea de hombres uniformados que avanzaba hacia el salón de asambleas de las SS. Bajo las gigantescas esvásticas que orlaban las paredes, miles de hombres esperaban la llegada del *Führer*. El líder llegó en un Mercedes descapotable que hubo de abrirse paso entre una multitud histérica que gritaba: «*Heil* Hitler». Se apeó, entró en la sala y subió al estrado. El discurso fue electrizante y Karl lo escuchó hipnotizado. Como todos los allí reunidos, creía tener delante a su audaz salvador, y cuando Hitler gritó por fin su «*Deutschland über Alles*» un temblor de excitación recorrió su piel. De pronto volvió a sentir que formaba parte de un programa político brillante, de un gran plan de futuro que conduciría al país a un florecimiento sin precedentes.

Al salir del mitin Karl se fue a casa en su motocicleta. Hacía varios meses que al llegar a casa sentía una gran opresión. Le era muy difícil soportar el sufrimiento de su mujer, las preguntas hirientes de su hija, la sensación de que ninguna de las dos lo comprendía. Mientras iba hacia allá pensó en movilizar a todos sus amigos y parientes para convencer a Mira de que no lo presionara más hasta que las cosas se calmaran.

* * *

Al llegar a casa encontró todas las luces encendidas y oyó que su hija lloraba en su habitación. La encontró tirada sobre su cama, con los ojos rojos.

–Mamá no ha vuelto a casa. No sé dónde está. Te he llamado al despacho, pero no estabas.

Karl consultó la hora en su reloj. Eran las diez de la noche pasadas.

–¿Dónde habrá ido? –se preguntó en voz alta, tratando de espantar el mal augurio.

–Salió de compras esta mañana y no ha vuelto.

–A lo mejor ha ido a visitar a algún amigo.

–Nunca vuelve tan tarde. Me da miedo que pueda haberle sucedido algo.

Karl le rogó que se fuera a la cama.

–Cuando despiertes tu madre estará en casa, ya verás –le dijo para calmarla.

–Ve a buscarla, papá –le suplicó su hija–. Sal a buscarla antes de que sea demasiado tarde.

Karl salió en moto a buscar a su mujer. Primero fue a casa de sus suegros, pero cuando llegó ya estaban durmiendo. Abrió la puerta su suegra, que lo saludó con un mohín. Ni ella ni su marido le dirigían la palabra desde que comenzara la represión de los judíos.

–¿Está Mira? –le preguntó.

–No –dijo su suegra, asustada–. ¿Qué ha pasado?

–Salió a hacer la compra y no ha vuelto.

–¿Y eso tú qué crees que significa? –le preguntó en tono acusatorio.

–No lo sé.

–Pues ve a preguntarles a tus amigos, Karl –dijo ella–. Seguro que se la han llevado esos cabrones.

Su suegro, que había salido de la habitación y escuchaba la conversación sin decir nada, le gritó entonces, furioso:

–¡Tráela de vuelta a casa! ¡Tráela de vuelta antes de que le suceda algo terrible!

Karl pasó por las casas de varios amigos, con los que tampoco encontró a Mira. La buscó en hospitales y comisarías, pero no había ni rastro de ella. Volvía ya a casa desesperanzado cuando una idea repentina le hizo dar media vuelta y dirigirse a las oficinas de las SS. No, se dijo, sus camaradas no podían haber hecho algo así. De todas formas, llamó a su comandante. Schreider seguía en su despacho.

–Mi mujer ha desaparecido –le dijo–. ¿Sabe algo al respecto?

–¿Debería? –dijo Schreider, haciéndose el inocente.

Karl iba de un lado a otro, en ascuas. La desaparición de su mujer había acabado de crisparle los nervios y cuantas más vueltas le daba al asunto más se convencía de que algo o alguien la había hecho desaparecer de forma deliberada. Volvió al cuartel general de las SS, le pidió ayuda a su amigo Kurt Baumer, habló con los comandantes de interrogatorios y los soldados a cargo de los prisioneros y paró a todos los oficiales de rango con los que se cruzó. Todos negaron haber tenido contacto con su mujer, pero Karl no se lo creyó.

Al volver a casa encontró a Helga llorando desconsolada.

–¿La has encontrado? –le preguntó.

–Aún no –repuso.

Pero las posibilidades de encontrar a Mira se reducían con cada hora que pasaba y ya no sabía qué hacer para traerla de vuelta a casa.

6.

Entre el 24 y el 25 de agosto de 1939 Karl Rink no pegó ojo. Pasó toda la noche pensando en su mujer, tratando de instilar en su corazón una gota de esperanza y convencerse de que estaba a punto de regresar. Volviera o no su mujer, se preguntaba cómo iba a garantizar ahora su propia seguridad y la de su hija si no podía vigilarla las veinticuatro horas. ¿Cómo iba a asegurarse de que los antisemitas no volvían a agredirla y de que las futuras agresiones no terminaran de forma trágica?

Por la mañana se vistió de civil, salió de casa y se trasladó en su moto a las afueras. En el segundo piso de un edificio gris se encontraba el despacho de una organización caritativa llamada Ayuda a la Juventud Judía, dedicada a sacar de Alemania a jóvenes judíos y llevarlos sanos y salvos a la Tierra de Israel. Karl había oído decir que allí habían organizado unas colonias agrícolas llamadas kibutz donde los jóvenes tenían todo lo que necesitaban. Las SS conocían la organización pero no intervenían en sus actividades, puesto que su propósito coincidía con el objetivo general del partido nazi de librarse de los judíos cuanto antes.

La directora de la organización, una asistente social llamada Raha Frayer, estaba hablando por teléfono con un contribuyente cuando Karl Rink se presentó en la oficina. Frayer alzó la cabeza y le pidió con un gesto que esperara. Vestido de civil, Rink se parecía a cualquier otro padre preocupado por sus hijos, deseoso de sacarlos de Alemania y enviarlos a un lugar seguro. Frayer terminó de hablar por teléfono y se dispuso a atenderle.

–Soy miembro de las SS –dijo él, de sopetón.

Raha lo miró atemorizada y pensó que se avecinaba alguna catástrofe. Las visitas de los miembros de las SS nunca auguraban nada bueno.

–No se preocupe, estoy aquí por mi hija –agregó Karl con una sonrisa tranquilizadora, y le explicó su caso–. Quiero sacar a Helga de Alemania antes de que sea demasiado tarde.

–Pues llega usted a tiempo de puro milagro –dijo Frayer–. Pasado mañana parte hacia Suiza un grupo de chicos. Desde allí cruzarán a Italia, donde embarcarán con destino a Palestina. Al llegar los enviarán a un kibutz. Si su hija está lista cuando el tren salga de la estación, me aseguraré personalmente de que llega a Palestina.

Dicho esto entró en el despacho contiguo y regresó con un joven de aspecto sencillo.

–Te presento a Karl Rink –le dijo y volviéndose hacia el padre de Helga añadió–: Le presento a Yossi Millman, del kibutz Dafna, que estará a cargo del grupo que se dirige a Palestina.

Karl les preguntó si sabían a qué kibutz destinarían a su hija.

–Aún no –repuso el joven–. Lo decidiremos al llegar.

Karl volvió a casa y encontró a Helga asomada a la ventana por si veía aparecer a su madre, con el desaliento pintado en el rostro.

–Por desgracia, no puedes quedarte aquí por más tiempo –le dijo su padre–. Tendrás que marcharte.

–¿Y mamá?

–Cuando vuelva intentaré convencerla para que vaya contigo.

–Prefiero esperarla aquí.

–Mamá podría tardar mucho tiempo en volver, Helga, y el tiempo ahora es precioso.

–Seguro que puedes encontrarla. Tienes contactos.

–Lo he intentado y no es tan fácil, de verdad.

Helga no pudo contener las lágrimas.

–No puedo irme sin mamá. No he estado nunca sin ella. Tú encuéntrala y nos iremos de aquí juntas.

Karl abrazó a su hija.

–Yo también preferiría que siguiéramos juntos –dijo–, pero eso es imposible. Si no te marchas, podrían pasarte cosas que no me perdonaría nunca.

Helga sollozó contra su pecho.

–No sé qué hacer –murmuró.

–Confía en mí, Helga.

–¿Adónde vas a enviarme? –dijo, arrastrando cada palabra.

–A Palestina. Allí estarás a salvo de la guerra.

–No conozco a nadie en Palestina.

Su padre le explicó la reunión que había tenido con Raha Frayer y le pintó de color de rosa su futuro en Palestina.

–Estarás mucho mejor que aquí –le dijo.

–¿Y qué será de ti?

–Yo me quedaré aquí buscando a mamá, tratando de mantenerme a flote. El tren parte en dos días. Deberías ir preparando el equipaje.

Helga no acababa de decidirse.

–No tienes elección, Helga –dijo su padre–. Tienes que irte. Te prometo que te enviaré a tu madre en cuanto dé con ella.

–Quiero que vengas conmigo.

–Aquí tengo mucho que hacer. Debo quedarme, por un tiempo al menos.

Helga se enjugó las lagrimas.

–Os echaré mucho de menos.

A primera hora de la mañana Karl Rink recorría en su moto las calles aún desiertas de Berlín. Helga iba en el asiento de atrás, con una pequeña maleta en una mano y agarrando con la otra a su padre, que había vuelto a salir de civil para no llamar la atención en la estación de tren, repleta de hombres uniformados. Padre e hija corrieron hacia el andén, donde esperaba el tren con destino a Zúrich. El grupo de chicos judíos ya se había instalado en uno de los vagones y sus padres los miraban desde el andén a través de la ventanilla, llorando a moco tendido.

Karl acompañó a Helga a su asiento y la abrazó, conteniendo las lágrimas a duras penas.

–Hasta pronto –farfulló sin mucha convicción.

Besó luego a su hija, sacó algo de dinero del bolsillo y se lo dio.

–No te olvides de mamá –le dijo ella.

La locomotora soltó un pitido.

–Buen viaje, hija –dijo Karl–. Cuídate mucho.

–No te olvides de escribirme, papá.

Karl Rink bajó del vagón y se quedó plantado en el andén, mirando angustiado cómo salía el tren, llevándose a su única hija. Se sentía como si le hubieran amputado un miembro. Su mujer había desaparecido y su hija había emigrado a otro país. Y en el fondo de su alma algo le decía que no volvería a verlas.

7.

El 31 de agosto de 1939 Jacob Stolowitzky y su representante lograron sortear por fin todos los obstáculos y firmar el contrato con la compañía francesa de ferrocarriles en una alegre ceremonia. En las oficinas de la compañía se descorcharon botellas de champán y se pronunciaron discursos festivos. Stolowitzky hizo caso omiso de las noticias sobre la beligerancia declarada de Alemania y se dispuso a volver a casa.

Se quedó en París un día más para comprar algunos regalos. En un célebre modista de los Campos Elíseos le compró a su mujer un elegante vestido y a Michael una flota de cochecitos de juguete y circuitos de carreras. Se acordó incluso de comprarle un detalle a cada miembro del servicio doméstico.

Regresó al hotel de buen humor y pidió que le comunicaran con su casa, para avisar a su familia de su llegada inminente.

–Lo siento, señor –dijo la operadora–. Las líneas con Varsovia están cortadas. Le ruego que lo intente más tarde.

Trató de enviar un telegrama, pero tampoco pudo.

Stolowitzky no acababa de entenderlo. No encontraba forma de comunicarse con su casa. Era algo que jamás le había ocurrido, en ninguno de sus múltiples viajes.

La comunicación seguía sin restablecerse y le pidió a la operadora que continuara probando. Pasó largas horas esperando junto al teléfono. Al final se quedó dormido y se despertó a la mañana siguiente al oír que llamaban a la puerta. Un camarero le dejó el desayuno junto a la cama. Stolowitzky se incorporó, farfulló un agradecimiento y se colocó la bandeja sobre el regazo. Mientras sorbía el café, encendió la radio. Las noticias que oyó le dejaron helado:

El ejército alemán ha invadido Polonia.

El 1 de septiembre de 1939, un día lluvioso y gris, pasaría a la historia como uno de los días más nefastos de la humanidad. Por la mañana, como una nube de langostas hambrientas, dos mil cazas alemanes invadieron los cielos de Polonia, mientras un millón ochocientos mil soldados y dos mil seiscientos tanques ocupaban el país por tres vías distintas. Hacía tiempo que circulaban rumores sobre la gran operación militar que Alemania estaba preparando. Polonia se temía lo peor y convocó al ejército de reserva, pero aparte de eso no hizo ningún preparativo para repeler a los invasores.

El ejército polaco, muy pequeño comparado con el del atacante, se batió con bravura y causó numerosas bajas entre los alemanes. Decenas de miles de invasores murieron y el ejército de ocupación perdió unos doscientos cuarenta tanques y poco menos de trescientos aviones. Para los nazis fue un duro golpe, pero no lo bastante para tener que batirse en retirada. De hecho, los polacos no tenían la menor posibilidad de victoria. Los alemanes conquistaban una ciudad tras otra, sembrando el terror entre la población civil.

La invasión alemana de Polonia paralizó el mundo entero. Aunque los nazis aún estaban lejos de la capital, en Varsovia resonaba ya a todas horas el tronar de los cañones. La gente se congregaba en las calles, angustiada. La estación central se llenó hasta los topes de familias que habían cogido todos los objetos de valor de sus casas y trataban en vano de subir a algún tren que los sacara del país. Camiones y coches particulares abarrotados de refugiados embotellaban las carreteras de salida de Varsovia.

Lydia Stolowitzky daba vueltas por su casa, confusa y desmoralizada. La ausencia de su marido no hacía sino acentuar su desesperación. Llevaba dos días sin noticias de Jacob y eso en él no era normal. Cuando salía de viaje no se olvidaba nunca de mandarle telegramas o llamarla a diario para decirle dónde estaba y cuándo pensaba volver. Aquella vez no había dicho nada. Lydia no conocía su paradero ni su número en París. Trató de llamar a sus padres en Cracovia, pero las líneas estaban colapsadas.

Desesperada y abatida, Lydia sabía que no podía quedarse en Varsovia mucho tiempo, que debía huir a algún lugar seguro, pero no sabía por dónde empezar. Se le ocurrió entonces que jamás había tenido que tomar una decisión de tanta importancia. Al lado de Jacob Stolowitzky había vivido siempre entre algodones; lo único que había tenido que decidir era qué servir para cenar y qué artista invitar para tal o cual recepción. Ahora debía tomar la decisión que determinaría el curso de su vida y la de su hijo, y el peso de la responsabilidad le parecía insoportable.

8.

Para Jacob Stolowitzky la noticia de la invasión de Polonia no podía haber llegado en peor momento. Justo el día que debía estar en casa, junto a su mujer y a su hijo, y encontrar el modo de ponerlos a salvo, justo aquel día se encontraba muy lejos, impotente, incapaz de hacer nada por ellos.

Su primer impulso fue el de volver a Varsovia enseguida, llegar antes que los alemanes y poner a su familia a salvo. Una vez allí, tenía dinero más que suficiente para organizar su huida con garantías. Llamó a su agencia de viajes para encontrar un modo de volver a casa, pero el gerente no pudo ofrecerle ninguna solución. Los servicios de tren y autobús a Varsovia habían cancelado la ruta a Polonia hasta nuevo aviso. Stolowitzky volvió a llamar a casa, pero no consiguió comunicar. Para su consternación, la operadora le preguntó: «¿No ha oído que Polonia está en guerra?».

Sin saber qué hacer, se acercó en taxi a la embajada polaca, donde reinaba el caos. Los funcionarios corrían por los pasillos, presa del pánico, suplicando a las operadoras que les establecieran una comunicación urgente, y no le prestaron la menor atención. Stolowitzky se abrió camino hasta el despacho del embajador, un viejo amigo suyo con el que salía a cenar en algún restaurante de lujo siempre que pasaba por París.

–Ayúdame a volver –le rogó Stolowitzky, sin darle ni los buenos días.

–Olvídalo –dijo el embajador, con una sonrisa lánguida en los labios–. No tienes la menor posibilidad de llegar a tiempo. Los alemanes avanzan a toda velocidad, no tardarán en ocupar Varsovia.

–Pero… tengo allí a mi mujer y a mi hijo. No puedo abandonarlos a su suerte.

–Lo siento, no puedo hacer nada por ti.

A Stolowitzky se le ocurrió entonces otra idea.

–Podría contratar a un chófer y llegar a Varsovia por carretera –dijo–. Puede que no sea aún demasiado tarde.

–Te juegas la vida –le advirtió el embajador–. Los alemanes te apresarán al llegar a la frontera y no creo que vivas para contarlo.

Jacob Stolowitzky terminó por darle la razón. Tratar de llegar a Varsovia era muy arriesgado. Aun así, no estaba dispuesto a rendirse tan pronto. Cogió un taxi y se fue al despacho de su representante para discutir la posibilidad de enviar a un emisario a Varsovia para que tratara de sacar a Lydia y Michael del país. El representante llamó inmediatamente a su chófer y le propuso encargarse de la misión. Stolowitzky le dio al hombre un maletín lleno de dinero para sobornar a quien hiciera falta y le prometió una cuantiosa recompensa si volvía con su mujer y su hijo. El chófer dijo que lo intentaría, apuntó la dirección de su mansión de Varsovia y partió hacia allá.

Jacob pasó la mayor parte de los días siguientes en el despacho de su representante, esperando el regreso del chófer. Se enteraron entretanto de que, tras la invasión de Polonia, la compañía francesa de ferrocarriles veía que se avecinaba un periodo de incertidumbre en Europa y había congelado el contrato hasta que el panorama político se despejara.

Pero el contrato era para entonces la última de sus preocupaciones. Jacob rezaba para que su mujer y su hijo llegaran a París sanos y salvos. Era lo único que deseaba.

El chófer regresó al cabo de cuatro días y lo hizo solo. Al parecer, las tropas alemanas lo habían detenido al llegar a la frontera polaca y no lo habían dejado pasar. Stolowitzky sintió que su mundo se desmoronaba.

Tenía un mal presentimiento.

9.

La débil esperanza de que el ejército polaco pudiera bloquear el avance de los alemanes antes de que alcanzaran Varsovia se desvaneció como un penacho de humo en mitad de una tormenta. Las noticias que llegaban del frente eran malas y los esfuerzos del Gobierno polaco por disipar el miedo de la población fueron en vano. Las sirenas de alarma ululaban día y noche, las salvas de artillería se aproximaban a la capital, los aviones alemanes dejaban caer sus bombas sobre bloques de pisos y zonas residenciales, y las arterias de salida se llenaron de gente y vehículos que trataban de huir de la ciudad.

Uno a uno, los criados de la mansión de los Stolowitzky de la avenida Ujazdowska fueron desapareciendo. El primero en huir fue el cocinero y a este le siguió el jardinero y el resto del servicio. En la casa sólo quedaron Lydia, Michael, Gertruda y Emil, el chófer.

Lydia sentía que su confianza iba menguando. Le quedaba todavía la esperanza de que en el último momento apareciera su marido para hacerse cargo de la situación. Al fin y al cabo, le había dicho que volvería en unos días.

El rugido de las bombas aterrorizaba a Michael y Gertruda no sabía qué hacer para calmarlo. Pasaba las noches a su lado y durante días no le soltó la mano en ningún momento. Con su cabeza fría, su cuerpo robusto y su paso firme, se convirtió en un apoyo indispensable para el niño.

Cuando se marchó el cocinero, Lydia, que no había cocinado una sola vez en su vida, se quedó perdida. Gertruda asumió sus funciones. Compraba comida en el mercado negro, cocinaba, ponía la mesa y fregaba los platos. Se levantaba muy temprano y se iba a dormir de madrugada, sin proferir una sola queja. Cuidaba de Michael y de su madre, limpiaba la casa y hasta podaba los rosales del jardín.

Emil la deseaba con locura. Con su patrón ausente, el chófer disponía de mucho tiempo libre y el ocio le crispaba los nervios. Desde el día en que Gertruda pisó aquella casa Emil soñaba con el momento de hacerla suya. La niñera enardecía su imaginación, su rechazo no lo desanimaba y ahora se sentía envalentonado. Lydia estaba nerviosa y sólo pensaba en su marido, los criados habían desaparecido y Gertruda se había convertido en una presa fácil.

Un día Gertruda se encontraba en la cocina preparando la cena. Caía ya la noche y los cañonazos sacudían los muros de la mansión. Estaba probando la sopa cuando una mano firme la cogió por la cintura, desde atrás. Ella soltó un chillido de pánico y trató de desasirse de las manos que la apresaban. Emil soltó una risotada.

–¿Qué pasa? ¿No te gusta?

–¡No me toques! –exclamó–. Como Lydia se entere te despedirá.

Emil seguía riendo, sin soltarla.

–Lydia no hará nada de eso –dijo–. Ahora mismo el hombre de la casa soy yo. Me necesitáis. Ni se le pasaría por la cabeza quedarse aquí sola contigo y el chaval.

Gertruda se resistió, pero Emil era mucho más fuerte. Trató de gritar, pero él le tapó la boca con una mano y le levantó el vestido con la otra. Ella se puso a patalear, pero fue en vano. Emil la tiró al suelo y se lanzó sobre ella con todo su peso. Gertruda gemía de desesperación y rezaba.

En las escaleras de la cocina se oyó la voz de un niño asustado:

–Gertruda –la llamaba Michael–. ¿Estás ahí?

Ella no podía responder. Emil se quedó inmóvil.

–No muevas ni un músculo –le susurró a la oreja.

–Gertruda –volvió a llamarla el niño–. No puedo dormir. Ven a hacerme compañía.

Michael apareció en el umbral y la buscó con la mirada. Emil soltó una maldición, se levantó y se escabulló por otra puerta. Gertruda seguía tendida en el suelo, con el cuerpo dolorido. Michael se inclinó sobre ella.

–¿Te has puesto mala? –preguntó.

–No, cariño, me he caído. Ayúdame a levantarme.

El niño le tendió su manita y Gertruda se levantó con esfuerzo.

Tratando de cubrirse el busto con el vestido, acompañó a Michael a su habitación, lo metió en la cama y fue corriendo a su cuarto a cambiarse de ropa. Tenía el rostro bañado en lágrimas.

10.

El grupo de jóvenes berlineses se embarcó en Italia y llegó a la Tierra de Israel un día frío y lluvioso de octubre de

1939. Eran una docena de chicos y chicas de trece a dieciséis años educados en escuelas judías y sabían un poco de hebreo. Viajaron hacinados en los camarotes de la bodega del barco, sacudidos por las olas día y noche. No hablaron mucho durante el trayecto, preferían retraerse en sus propios pensamientos y pensar en el destino que aguardaba a sus padres. Baldados y afligidos, esperaron en un almacén abarrotado del puerto de Haifa a que vinieran a buscarlos para llevarlos al kibutz. Cargaban con maletas y miraban continuamente las fotos de las familias que habían dejado atrás.

Cuando llegó la gente de los kibutz destinaron a Helga y otros chicos a Kfar Giladi, donde los recibieron los preceptores que les explicarían cómo era la vida en el kibutz. Al cabo de unos días, los chicos berlineses fueron bautizados con nombres hebreos y Helga pasó a llamarse Elisheva. Vi-

Helga (Elisheva) Rink, a los diecisiete años.
Kfar Giladi, Israel, 1942.

vía en el mismo edificio que sus compañeros de viaje, estudiaba con el resto de chicos del kibutz y realizaba tareas diversas. Los chicos pasaban su tiempo libre con familias de adopción que trataban de darles afecto y calor. Elisheva se sentía muy afortunada por el trato que recibía de su familia adoptiva, una de las más veteranas del kibutz, fundado veintitrés años atrás. La vida en el kibutz le gustaba, aunque seguía muy ligada a su pasado. No hablaba nunca de su familia, se limitaba a decir que su familia se había quedado en Berlín y nunca le contó a nadie la verdad sobre su padre.

Elisheva aprendió a ordeñar vacas, recoger naranjas y pastorear las cabras por las montañas de Galilea. Solía caminar descalza. Las piedras y espinas de los senderos no tardaron en curtir sus delicados pies y el sol bronceó su rostro y sus brazos. Los residentes del kibutz aceptaban sus largos silencios y sus ansias de soledad y comunión con la naturaleza. Daba frecuentes paseos por el campo, recordando a sus padres y a los amigos que había dejado atrás. Por la noche no lograba conciliar el sueño. La guerra se recrudecía por momentos y sabía que tarde o temprano su padre se encontraría en el frente. Se preocupaba por él y esperaba sus cartas con impaciencia.

La primera la recibió pocas semanas después de su llegada a Kfar Giladi y decía así:

Mi querida hija:

Lamento decirte que aún no he encontrado el rastro de tu madre, a pesar de mis muchas diligencias. He preguntado por ella a infinidad de gente, pero nadie ha podido ayudarme. Los hombres con los que trabajo me aseguran que no tuvieron nada que ver con su desaparición.

Por la noche vuelvo a casa deprimido. Me quedo mirando sus cosas y las que tú tuviste que dejar y se me encoge el corazón de pura nostalgia. Tengo aún la esperanza de que algún día volveremos a reunirnos y seremos aún más felices de lo que lo fuimos.

Me han informado que tendré que partir hacia Polonia. Sólo espero que no me asignen ninguna misión desagradable.

Me encantaría saber cómo es tu vida en Palestina. ¿Estás a gusto? ¿Han comenzado ya las clases? ¿Has hecho nuevos amigos? Te adjunto un sobre con un poco de dinero. Nuestro servicio de correos tiene problemas, a causa de la guerra, y no voy a poder recibir tus cartas, pero espero poder seguir escribiéndote.

Te echa de menos.

Tu padre

Karl Rink le dio la carta a un amigo suyo que se trasladaba a Suiza y que le prometió enviarla desde allí. Como no sabía donde estaba su hija, puso la dirección de Yossi Millman, el joven del kibutz Dafna que había acompañado a los niños berlineses a la Tierra de Israel. Millman le remitió la carta a Helga. Ella la escondió y se moría por responder, pero la carta no llevaba remitente.

Karl Rink no volvió a escribir a su hija en varios años y ella no pudo responderle.

11.

Jacob Stolowitzky era un hombre tenaz y expeditivo. A lo largo de su vida había superado muchos obstáculos que habrían desalentado a cualquiera. Pero jamás se había sentido tan impotente e inútil como durante aquellos días lluviosos del otoño de 1939 en París. La radio y los periódicos sólo traían malas noticias: el avance fulminante del ejército alemán en Polonia, la gran destrucción que sembraba a su paso, los cadáveres que orlaban las carreteras, el fracaso del ejército polaco.

Lydia Stolowitzky tampoco se había sentido nunca tan desesperada como aquellos días. Las noticias que llegaban del frente no podían ser peores. Largas columnas de tanques y camiones de transporte de tropas cargados de soldados alemanes avanzaban en dirección a Varsovia, los pueblos y las ciudades se rendían sin oponer apenas resistencia, los bombarderos arrasaban las zonas rurales indiscriminadamente y los cadáveres de centenares de soldados y civiles polacos se pudrían en las cunetas. Entretanto, ella no conseguía ponerse en contacto con ningún familiar o amigo bien situado que pudiera echarle una mano. En Varsovia imperaba el miedo y el caos y los rumores sobre la brutalidad de los invasores corrían como la pólvora.

La mayoría de sus amigos y vecinos habían huido ya de la ciudad. De algún modo el administrador de su finca estival se las arregló para ir a verla a su casa de Varsovia y suplicarle que se escondiera en la finca, que estaba apartada del frente, pero Lydia se negó.

–En Polonia ya no hay ningún lugar seguro –dijo–. Los alemanes terminarán por llegar a la finca, estoy segura.

Le dio algo de dinero para que pagara a sus empleados y se disculpó por no poder pagarles más en el futuro inmediato.

–No se preocupe –dijo el hombre–. Les estaremos esperando hasta el fin de la guerra.

Aquel mismo día, Isaac Geller, un rico tratante de diamantes que vivía allí cerca, llamó a la puerta de los Stolowitzky. Isaac era un habitual en las recepciones de Lydia y un buen amigo de Jacob. Michael jugaba a menudo con su hijo en la casa que Geller tenía en la avenida Ujazdowska 15.

–Nos vamos, está decidido –le dijo–. Los alemanes pueden llegar a Varsovia en cualquier momento. Vosotros también deberíais marcharos.

–¿Y adónde vamos a ir? –preguntó Lydia, con la voz entrecortada.

–A Vilna. Es el lugar más seguro.

Lydia no sabía qué hacer. Aún estaba a tiempo de salir de Varsovia, pero si se iba tenía miedo de que su marido no pudiera encontrarla.

–¿Jacob no ha llamado? –le preguntó Geller.

–No. No tenemos línea telefónica.

–¿Podemos ayudarte en algo antes de irnos?

–No, gracias. Lo único que necesito es que Jacob vuelva de una vez.

Pero su marido no llegaba y el tronar de los cañones se hacía cada vez más fuerte. La ciudad lituana de Vilna estaba a seiscientos kilómetros de Varsovia y era entonces territorio soviético. Según el pacto de Mólotov-Ribbentrop, firmado hacía apenas unas semanas, Alemania y la Unión Soviética se comprometían a no atacarse mutuamente, con lo que muchos judíos creían que Vilna sería un lugar seguro. Después de muchas vacilaciones, Lydia decidió partir también hacia allá.

–No metas en la maleta más que objetos de primera necesidad –le dijo a Gertruda–. No podemos llevárnoslo todo.

Ordenó a Emil que preparara el coche para emprender un largo viaje por la mañana. El chófer compró gasolina en el mercado negro, se agenció varios neumáticos de repuesto y una caja de herramientas, vació el maletero de cualquier objeto superfluo e hizo su equipaje.

Al amanecer, cuando la neblina gris aún no había escampado y el rugido de los cañones parecía más próximo que nunca, Emil metió en el maletero las maletas que Lydia había preparado. Se llevaba la plata antigua, los cuadros más valiosos, las joyas, todo el dinero en efectivo de la casa y el álbum de fotos de la familia. Gertruda se llevó las imágenes de la virgen María y el Cristo en la cruz que tenía sobre la cama y le puso a Michael un grueso abrigo de invierno.

Lydia sacó de su escondite la pistola de su marido y la guardó en el bolso. «Espero que no nos haga falta», se dijo, alarmada. A la hora de la verdad Lydia no encontraba las fuerzas para cruzar el umbral. Volvió a entrar y durante un buen rato se paseó por las habitaciones en penumbra, con los postigos cerrados. Sus ojos se posaban sobre los muebles que iba a dejar atrás. Tenía la sensación de que no volvería a verlos. En el dormitorio se encerró y se estiró en la gran cama de matrimonio, sobre la colcha de terciopelo escarlata. Sola, aislada por fin de los criados, de la niñera y de su hijo, se echó a llorar.

La voz impaciente de Emil se oyó al otro lado de la puerta:

–No hay un minuto que perder, señora Stolowitzky. Tenemos que irnos.

Al levantarse de la cama su cuerpo le pareció pesado como el plomo. Se enjugó las lágrimas en un pañuelo y se maquilló. Añoraba a su marido más que nunca, necesitaba oír su voz serena y sentir la seguridad que irradiaba.

Cogió su pasaporte y salió lentamente de la casa, apretando contra el pecho el bolso donde llevaba el dinero y sus joyas más preciadas.

–Pronto terminará la guerra y volveremos –le dijo Gertruda, con una confianza que no tenía. En el fondo, pensaba que la situación sólo podía empeorar.

Lydia exhaló un profundo suspiro y guardó la llave en el bolso.

–¿Qué será de nosotros? –se preguntó en voz alta.

El coche arrancó.

–¿Cuando volverá papá? –preguntó Michael, compungido.

–Pronto, hijo –murmuró Lydia–. Pronto.

–Lo echo de menos.

–Yo también.

6. A punta de pistola

1.

En las calles principales de Varsovia el tráfico se movía en una sola dirección: la de Vilna. Una larga caravana de civiles, judíos en su mayor parte, avanzaban en coches, camiones, bicicletas y carros de caballos hacia la ciudad lituana, que se encontraba por el momento a salvo de la guerra. Estaban todos desconsolados. Dejaban atrás amigos y familias y todas sus propiedades, sin saber lo que les depararía el futuro.

El coche de los Stolowitzky avanzaba al ralentí, en el centro del atasco, y no servía de mucho que Emil aporreara el claxon. Tres horas después de salir el Cadillac apenas había llegado a los arrabales, pues el tráfico era igual de denso en las estrechas carreteras comarcales.

Dos campesinos que vendían manzanas se acercaron a la ventanilla.

–Yo quiero –dijo Michael.

–Para el coche un momento –le dijo Lydia a Emil.

El chófer se detuvo, contrariado. Lydia abrió el bolso para sacar el monedero y en aquel preciso instante uno de los campesinos sacó una navaja.

–El bolso –masculló.

Emil pisó el acelerador y trató de huir, pero el hombre se aferró a la ventanilla con una mano mientras con la otra seguía blandiendo la navaja. Michael se echó a llorar y Lydia se apretó el bolso contra el pecho. En su interior había una pistola cargada.

La navaja se acercaba peligrosamente a su rostro, afilada y amenazante. Temblando de miedo, Lydia sacó la pistola y apuntó al rostro del hombre, que se apartó de la puerta y llamó a gritos a su compañero. Los dos corrieron tras el coche, que avanzaba muy despacio, y sus aterrorizados ocupantes los vieron aproximarse.

–¡Deme la pistola! –le dijo Emil.

Lydia obedeció.

Los dos campesinos se asieron a ambos lados del coche, y en la mano del segundo apareció otra navaja. Emil se detuvo y encañonó fríamente a uno de los campesinos. «No, por favor», le suplicó el hombre, pero Emil apretó al gatillo. Luego disparó sobre el otro.

Los campesinos se desplomaron en sendos charcos de sangre. Ninguno de los numerosos refugiados que pasaban junto a la carretera les prestó la menor atención. Emil guardó la pistola a su lado y siguió conduciendo como si tal cosa.

Lydia rompió a llorar.

–¿Cómo has podido? –le gritó a Emil.

–Es la guerra, señora –rezongó el chófer–, y en la guerra no hay piedad. O matas o te matan.

La gente caminaba en silencio por las cunetas, con sus pertenencias a cuestas. Un anciano de pelo blanco iba entre ellos, maleta en mano. El hombre miró hacia el coche y su mirada se cruzó con la de Lydia, que lo reconoció en el acto: durante más de veinte años había trabajado de contable en el despacho de su marido en Varsovia. Era viudo, no tenía hijos y se consagraba por entero a su trabajo. Jacob Stolowitzky apreciaba mucho su dedicación y su honradez.

–Para el coche y hazlo subir –le dijo a Emil.

El chófer torció el gesto, reacio.

–Vamos a ir muy apretados –le dijo.

–¡He dicho que pares!

Emil detuvo el coche junto al hombre.

–Vamos a Vilna –dijo Lydia–. Si quiere, podemos llevarle.

El hombre sonrió, agradecido.

–Dios se lo pague –dijo, y se hizo un sitio al lado de Emil.

A las afueras de Vilna se había formado un gran atasco que serpenteaba hasta al puesto fronterizo. El coche avanzaba lentamente. Lydia miró la ciudad que se distinguía a lo lejos. No conocía Vilna, pero estaba segura de que allí se las arreglaría. Tenía suficiente dinero para mantenerse a flote una buena temporada.

–Tengo la dirección de un piso de alquiler –dijo el contable, como si le hubiera leído el pensamiento–. Pensaba ir a vivir allí, pero ustedes necesitan un piso con más urgencia. Yo ya me las apañaré en otra parte.

El hombre le dio una nota con una dirección.

Caía la tarde y comenzaba a llover cuando cruzaron el puesto fronterizo. Los transeúntes caminaban con prisa, sin dedicar una sola mirada a la procesión de refugiados procedentes de Varsovia. Desde el inicio de la guerra se habían acostumbrado a su desfile permanente.

El Cadillac enfiló las apretadas calles del centro. Lydia le dijo a Emil que los llevara al piso de alquiler. El chófer condujo un rato en silencio, giró por una callejuela y se detuvo.

–¿Qué pasa? –dijo Lydia, aterrorizada.

En lugar de contestar, el chófer empuñó la pistola y la encañonó.

–Salid del coche ahora mismo –le espetó–, y no os llevéis nada.

Lydia se quedó paralizada por el miedo.

–Ya me has oído –dijo Emil fríamente–. Fuera del coche.

Michael soltó un chillido de pánico y Gertruda lo apretó contra su pecho.

–¡Fuera! –exclamó Emil.

Lydia no le había oído nunca gritar ni le había visto jamás fruncir el ceño.

Se quedaron en el coche un momento, pensando que cambiaría de parecer, pero el chófer parecía decidido:

–¡Fuera! Me estáis haciendo perder el tiempo.

El contable, que estaba en el asiento de al lado, se lanzó sobre él y trató de arrebatarle la pistola. Se oyó un disparo y el anciano se desplomó en su asiento. En su traje se iba ensanchando una gran mancha de sangre. Emil abrió la puerta y le dio una patada al anciano, que cayó inerte en mitad de la calle.

Emil, con expresión enajenada, los apuntó con la pistola.

–¡La próxima bala es para quien no quiera apearse! –bramó.

Lydia se aferraba al bolso con el dinero y las joyas. Tenía el rostro pálido como una sábana.

–¿Cómo puedes hacernos esto? –le dijo con la voz quebrada–. Siempre te hemos tratado bien, como si fueras de la familia. Cuando la policía nos recomendó que te despidiéramos, tras el intento de secuestro, no quisimos oírlos.

Emil soltó una carcajada.

–Pues os equivocasteis –dijo.

–¿Qué quieres decir?

–La policía tenía razón, los secuestradores eran amigos míos. Lo único que queríamos era un poco de dinero. Pero no salió bien, qué se le va a hacer.

–¡Hijo de puta! –le espetó Lydia.

–¡Ya está bien! –exclamó Emil, y le arrebató el bolso.

–Déjanos al menos un poco de dinero –le rogó–. No nos dejes morir de hambre.

Emil la empujó afuera y Gertruda y Michael salieron tras ella. Luego giró el volante y se marchó.

2.

Los tres se quedaron aturdidos en medio del callejón. Lydia se apoyó en el muro de una casa. Le temblaban las piernas y veía cómo su mundo se desmoronaba. Gertruda abrazó a Michael, que temblaba de miedo y de llanto.

–¿Cómo ha podido? –gemía el crío–. Con lo que lo queríamos.

–Ha perdido el juicio –le susurró Gertruda–. Pero no te preocupes, cambiará de parecer y volverá a rescatarnos.

Lydia se envolvió en su abrigo de piel, el único objeto de valor que le quedaba, y sintió que un viento frío le azotaba la cara.

–¿Qué vamos a hacer? –preguntó, descorazonada.

–Lo primero es encontrar un techo –dijo Gertruda, tratando de recobrar el ánimo.

–¿Con qué dinero?

–Con el mío –dijo la niñera–. Llevo escondidos unos *zlotys* en las medias. Emil no pensó que yo pudiera llevar algo encima.

Lydia la abrazó.

–Nuestro ángel de la guarda –dijo.

Volvieron a la calle principal. Habían perdido la nota con la dirección del piso y Gertruda tuvo que llamar a varias puertas y preguntar si alquilaban habitaciones. Algunos ni siquiera se molestaban en responder. Otros sacudían la cabeza, impacientes. Dos o tres le ofrecieron agujeros atroces por sumas exorbitantes.

Era ya de noche cuando una anciana se avino por fin a alquilarles dos habitaciones en su casa de la calle Mala Stefanska 6.

La casera era una mujercita vigorosa con el rostro curtido y el pelo blanco y alborotado. Con los brazos en jarras y unos ojos tan hirientes como la voz, les espetó a las dos mujeres y al niño:

–Espero que no sean judíos.

–No –repuso Gertruda.

–¿De dónde vienen?

–De Varsovia.

–¿Y qué han venido a hacer a Vilna?

–La comida se puso muy cara en la guerra, yo me quedé sin trabajo y se nos agotaron los ahorros. Supusimos que aquí nos iría mejor.

Le dijo que su marido era un soldado del ejército polaco caído en combate. La mujer la interrogó sobre su marido para asegurarse de que decía la verdad, fijó el precio del alquiler y exigió un mes por adelantado.

–Ahora mismo no tengo tanto –dijo Gertruda–, pero puedo pagar una parte. Muy pronto encontraré un trabajo y entonces podré pagarle el resto.

–¿A qué se dedica?

–Soy maestra, pero tengo buena salud y no hago ascos a ningún trabajo. Puedo trabajar de niñera o de secretaria y hablo un par de idiomas.

La mujer hizo una mueca.

–Con los tiempos que corren, no creo que a nadie le interese una maestra, una niñera o una secretaria.

–De todas formas, lo intentaré.

–¿Y esa mujer quién es? –dijo, señalando a Lydia, que se había escondido detrás de Gertruda.

–Es mi prima.

La mujer rezongó algo ininteligible.

–Tengan muy presente una cosa –rugió–. De la gente que vive en mi casa espero una conducta decente. Aquí no se invita a hombres ni se vuelve tarde a casa. Y quiero que me prometan que el niño no hará ruido. ¿Estamos?

–Gracias –dijo Gertruda y le dio el dinero.

La casera llevó a sus inquilinos al segundo piso y abrió una de las puertas. Era un piso con dos amplias habitaciones, amueblado a la antigua. De la vieja estufa salía la cañería de una chimenea teñida de hollín que recorría la pared hasta la ventana. Con sus manos nudosas, la mujer prendió el hogar con un poco de madera y la habitación no tardó en templarse.

–Tienen suerte –dijo–. En Vilna no queda un solo piso de alquiler.

Michael fue a la otra habitación y volvió soltando un grito de alegría, con un coche de juguete en la mano.

–Es de mi nieto –dijo la casera.

–¿Puedo jugar con él? –preguntó Michael, mortificado.

–Sí, pero no lo rompas.

–¿Hay algo de comer? –preguntó el niño–. Tengo mucha hambre.

Gertruda le preguntó a la anciana si podía ofrecerles algo de cenar.

–Hay sopa –gruñó la mujer.

–Perfecto. Pues comeremos sopa.

La mujer trajo una cazuela de sopa de patata y tres platos y le tendió la mano para cobrar. Estaban los tres hambrientos y devoraron la comida. Al terminar Gertruda hizo la cama para Lydia y Michael.

–Yo dormiré en la silla –dijo.

La noche era glacial y no tenían más leños que echar al fuego. Lydia y Michael durmieron vestidos, cubiertos con los abrigos, y Gertruda pasó la noche en la silla, temblando de frío. Por la mañana le compró un poco de té y unas lonchas de pan a la vieja casera.

–Busca a los Geller, nuestros vecinos en Varsovia –le dijo Lydia–. También ellos han huido a Vilna y seguramente podrán echarnos una mano.

–Los buscaré –prometió Gertruda.

La niñera salió a la calle, pero no tardó en comprender que tenía muy pocas posibilidades de encontrar al tratante de piedras preciosas. Miles de personas habían huido a Vilna, no quedaba ya ni un piso desocupado, y la procesión de refugiados no cesaba. La estación de tren hervía de familias que no habían podido encontrar alojamiento. Mucha gente descansaba por los suelos, rodeada de sus pertenencias, desesperada.

Gertruda recorrió las calles de la ciudad durante horas, preguntó en tiendas y en restaurantes y no consiguió nada. Al final se sentó en un banco y sopesó cuáles eran sus posibilidades. No tenía muchas. Necesitaba encontrar un trabajo cuanto antes y prefería no pensar en lo que podía suceder si el dinero se le acababa antes de haberlo conseguido.

De pronto oyó el motor de un coche, alzó la cabeza y vio pasar el Cadillac blanco de los Stolowitzky. Le dio un vuelco el corazón y, tras un momento de duda, se puso en pie de un brinco y salió corriendo tras él. El tráfico era denso y el Cadillac avanzaba al ralentí. Gertruda no tardó en alcanzarlo. No sabía qué sucedería cuando Emil la viera, pero suponía que podría contarle lo abatida que estaba Lydia y convencerlo para que les devolviera al menos una parte del dinero.

Con el corazón desbocado, se acercó al coche.

–¡Emil! –le gritó al hombre sentado al volante.

El tipo se volvió hacia ella. No era él. Era un hombre cuarentón, rubicundo, tocado con un gorro de piel.

–Perdone –le dijo Gertruda, sorprendida–, pero este coche es el nuestro.

–No sé de qué está hablándome –gruñó–. Lo he comprado esta misma mañana.

–¿A quién?

–Deje de incordiar, ¿quiere? –rezongó–. No es asunto suyo.

El hombre le cerró la ventanilla en las narices y se concentró en la calzada.

«De modo que Emil se ha vendido el coche –pensó Gertruda–. El muy miserable se estará dando la gran vida con lo que haya sacado por él y lo que le robó a Lydia.» En cualquier caso, decidió mantener aquel encuentro en secreto. No quería entristecer a Lydia todavía más.

* * *

Por la noche, al término de una larga e infructuosa búsqueda de trabajo, Gertruda regresó a la casa de la calle Mala Stefanska. Se acercaba ya al portal cuando un joven salió de la casa vecina. Sus miradas se cruzaron y Gertruda se quedó boquiabierta, pues reconoció de inmediato al médico de Varsovia que tan bien se había ocupado de Michael tras su accidente.

–¡Doctor Berman! –exclamó–. Qué casualidad.

–¿No me diga que viven ustedes aquí? –dijo el médico, que tampoco salía de su asombro.

Gertruda le contó sus desventuras y el joven sacudió la cabeza, apesadumbrado.

–La guerra transforma a los hombres en bestias –dijo–. ¿Cómo piensan arreglárselas ahora?

–No tengo ni idea.

–¿Puedo hacer algo por ustedes?

–De momento, no. Se lo agradezco, de todas formas.

Berman le contó que había llegado a Vilna hacía una semana.

–La ciudad está inundada de refugiados –le dijo–. La gente acepta cualquier trabajo, aunque paguen una miseria.

–¿Cuánto tiempo vamos a tener que soportar todo esto? –preguntó Gertruda llena de angustia.

–Sabe Dios. ¿Cómo está Michael?

–Un poco asustado, pero está bien.

–Nosotros vivimos aquí, en el número 8, en el segundo piso. A mi mujer y a mí nos haría mucha ilusión invitarlos a cenar. No será ningún festín, pero les prometo que saldrán de casa sin hambre.

3.

Por primera vez desde que se afiliara al partido nazi, Karl Rink tenía sus dudas, no creía ciegamente en el partido ni estaba convencido de que Hitler pudiera guiar al país por el buen camino. Estaba orgulloso de entregarse al partido en cuerpo y alma y no vacilaba en cumplir las órdenes de sus superiores de acabar con los comunistas y los miembros de otros grupos de la oposición, pero tenía sus reservas sobre los métodos de las SS, que encontraba demasiado radicales. No dejaba de buscar a Mira y de preguntarles a sus conocidos si sabían algo, cualquier cosa. En el fondo de su alma, sospechaba que las SS eran las responsables de la desaparición de su mujer, pero sus camaradas y el comandante seguían mintiendo cada vez que trataba de averiguar lo sucedido. Solicitó una revisión de las listas de detenidos y víctimas, para asegurarse de que no estaba el nombre de su mujer, pero los encargados de las listas tenían terminantemente prohibido enseñárselas a nadie.

Impotente, Karl Rink volvía cada noche a su casa vacía y se preguntaba qué hacer, sin hallar respuesta. Si dejaba las SS sería destinado inmediatamente al frente, donde se jugaría la vida. Si no las dejaba, tendría que cumplir órdenes que iban en contra de sus principios. Lo mirara por donde lo mirara, parecía encontrarse en un callejón sin salida.

En sus largas noches insomnes echaba de menos a su mujer y lamentaba no haber prestado oído a Helga y haberse marchado del país con toda su familia cuando aún estaba a tiempo. Por la mañana volvía al cuartel general de las SS con el corazón encogido y cumplía a regañadientes las misiones que le encomendaban, intentando persuadirse de que la guerra terminaría muy pronto y, con ella, la pesadilla por la que estaba pasando.

Una noche Karl Rink fue convocado a una reunión extraordinaria en casa de Reinhard Schreider, al este de Berlín. El comandante vivía solo en un piso de lujo de la planta baja, en un barrio muy popular entre los altos cargos del partido. Rink asistió a la reunión junto a un grupo de oficiales que estaban a punto de incorporarse a las fuerzas de ocupación en Polonia. Todos ellos sabían que las misiones que les habían asignado en Polonia eran un trampolín para su carrera. Si las llevaban a cabo con eficacia, no tardarían en ocupar algún puesto de responsabilidad en cualquiera de los países europeos anexionados por el Reich.

La reunión en casa de Schreider parecía más bien una fiesta de sociedad. Se sirvieron vinos caros y manjares exquisitos y los invitados charlaron animadamente hasta que llegó un hombre de unos cuarenta años, con una calvicie incipiente y el uniforme de oficial de las SS.

–Caballeros, es para mí un honor presentarles a Hans Frank –dijo Schreider.

Todos los asistentes conocían bien a aquel nombre. Frank había combatido en la Primera Guerra Mundial, era uno de los fundadores del partido nazi, ejercía de ministro sin cartera del Gobierno de Hitler y había ganado notoriedad por su feroz antisemitismo.

–Hoy –dijo Schreider–, Hans Frank ha sido nombrado gobernador general de Polonia. Pronto estarán ustedes a sus órdenes.

En su breve discurso, Frank dijo que su objetivo era el de instaurar la ley y el orden en Polonia y, por encima de todo, ocuparse de los judíos.

Al oír sus palabras, Karl Rink se preguntó, exasperado, por qué no se habría negado a incorporarse a las fuerzas de ocupación en Polonia cuando aún estaba a tiempo. Al ver a Hans Frank comprendió que aquel hombre apoyaría cualquier tipo de tortura a los judíos polacos y, como el resto de sus colegas, él tendría que cumplir sus órdenes. No le habría costado mucho encontrar alguna excusa para permanecer en Berlín y seguir dedicando sus ratos libres a buscar a su mujer y se preguntaba ahora por qué motivo había callado cuando se le comunicó su partida inminente hacia Polonia: ¿tenía miedo de ser la excepción, como en la Noche de los Cristales Rotos? ¿Trataba acaso de demostrar a sus superiores su lealtad al cuerpo?

Frank agradeció a los invitados su atención, propuso un brindis y les deseó suerte. Seis años después, el tribunal de los Juicios de Núremberg por crímenes contra la humanidad condenaría a Frank a la horca, tras declararlo culpable de enviar a decenas de miles de judíos a los campos de la muerte.

Al cabo de unos días, poco antes de su partida, Schreider se despidió de los oficiales destinados a Polonia. A Karl le estrechó la mano y le deseó suerte.

–¿Puedo hacerle una pregunta personal? –le preguntó Karl.

–Adelante, pero que sea breve –dijo Schreider–. Tengo mucho que hacer.

–Me gustaría saber la verdad sobre mi mujer.

–Escuche, Rink. Está perdiendo el tiempo, y su tiempo es muy valioso. Esa judía con la que estaba casado debió de abandonarle. Siempre digo que no hay que fiarse de los judíos. Debería dar gracias de que ya no esté a su lado.

–Yo la quería, señor –dijo Karl.

–Las SS son su único amor, el de todos nosotros –lo reprendió Schreider, dando la conversación por terminada.

Al salir del despacho Karl Rink se encontró con su amigo Kurt Baumer, el tercero del comandante, que le dio los billetes de tren y los papeles con los que debía presentarse en el cuartel general alemán.

–Me da la impresión de que se me ha ocultado la verdad sobre mi mujer –le confesó Karl, apesadumbrado.

Baumer le miró largamente.

–Deja que te dé un consejo –le dijo–. Olvídalo. No conseguirás nada tratando de averiguar dónde está.

Karl presintió que Baumer sabía mucho más de lo que estaba dispuesto a reconocer. Sin embargo, sabía que no podría sacarle ninguna información acerca de la suerte que había corrido Mira.

Se despidieron con un triste apretón de manos.

4.

Al amanecer Gertruda abrió los ojos. Los leños que había comprado con una parte de sus últimos céntimos se habían convertido en grises cenizas. El fuego se había extinguido y el frío la hacía tiritar de pies a cabeza. Lydia y Michael dormían en la cama, envueltos en sus abrigos. Gertruda entró silenciosamente en la exigua cocina del piso, equipada con un par de cazuelas y platos y un viejo hervidor de aluminio. La despensa estaba vacía. Llenó el hervidor de agua y lo puso a calentar en el fogón eléctrico con la esperanza de que el vapor contribuyera, aunque sólo fuera un poco, a combatir el frío que reinaba en el piso.

Contó las pocas monedas que le quedaban y salió a hacer la compra.

Un hombre corpulento le cortó el paso en la escalera.

–¿Eres la nueva inquilina? –preguntó.

–¿Quién es usted?

–El hermano de la casera.

El hombre se acercó a Gertruda. El aliento le apestaba a alcohol.

–¿Puedo hacer algo por ti? –le dijo.

Con un repeluzno Gertruda advirtió que el hombre la estaba devorando con la mirada.

–Ahora mismo no.

–¿Necesitas dinero? Puedo darte algo de dinero.

–No, gracias –dijo–. Pronto comenzaré a trabajar, no lo necesitaré.

El hombre sonrió.

–Yo ando siempre por el barrio –dijo–. Me pasaré de vez en cuando para asegurarme de que todo va bien.

–No creo que haya necesidad, gracias.

–La habrá, la habrá –repuso, con una carcajada–. Y si no, el tiempo.

Dicho esto se hizo a un lado y la dejó pasar.

Una caravana de refugiados en carretas de caballos desfilaba por la avenida principal. Los recién llegados venían envueltos en mantas, rodeados de sus pertenencias. De una manta de colores surgió el rostro triste de un chiquillo. Gertruda apartó la mirada y entró en la tienda, que estaba muy mal surtida y era carísima. Compró té y azúcar, una barra de pan y un poco de mantequilla, y calculó que con esos precios su dinero se le acabaría antes de lo que imaginaba.

Al volver al piso encontró a Lydia y Michael despiertos.

Les preparó un té y una rebanada de pan con mantequilla. Lydia le dio las gracias y Michael le preguntó si podía repetir.

–¿Cómo lo haremos? –se preguntaba Lydia.

–No se preocupe –dijo Gertruda, para confortarla–. Tenemos un techo para dormir y aún nos queda algo de dinero para comer. Muchos no tienen ni eso.

Lydia exhaló un suspiro.

–Pero el dinero se nos va a acabar. ¿Cómo haremos, entonces?

–Nos apañaremos, se lo prometo.

Gertruda no acababa de creerse sus promesas, pero estaba decidida a hacer todo lo que pudiera para aliviar el sufrimiento de Michael y su madre.

Los refugiados que conocía le recomendaron que fuera a pedir auxilio a las casas de beneficencia judías de Vilna. Allí hizo cola durante horas y recibió un abrigo, una chaqueta para Michael y un vale para el comedor de caridad. Lydia se negó a acompañarlos, pero al final el hambre pudo más que los remilgos. No le quedaba más remedio, así que se tragó su orgullo y fue a almorzar allí con Michael y Gertruda. El comedor estaba repleto de refugiados hambrientos y les costó encontrar un sitio para sentarse a la basta mesa de madera. Les sirvieron una sopa turbia y verduras al vapor. Michael comió con ganas, pero su madre no pudo probar bocado. La brusca transición entre la vida confortable de su mansión y la atmósfera lúgubre del comedor de caridad era dura de digerir. Miró a los demás comensales de la mesa, que en su mayor parte iban harapientos y desgreñados y comían haciendo mucho ruido. Bajando la mirada, murmuró:

–No puedo quedarme aquí ni un minuto más, me siento fatal.

Regresaron los tres a casa, pues, y Lydia se desplomó sobre la cama, llorando desconsolada.

–Tienes que encontrar a Jacob –le rogó a Gertruda–. Mueve cielo y tierra, pero encuéntralo. Nadie más podrá sacarnos de aquí.

Gertruda no sabía qué hacer. Lydia guardaba todos sus documentos personales y los números de teléfono de Jacob Stolowitzky en su bolso, aquel que Emil le había robado. La niñera no sabía por dónde empezar, pero trató de consolar a Lydia.

–Lo intentaré –dijo–. Prometido.

Por la noche el estado de Lydia empeoró. Tenía una sensación de asfixia y dolores en el pecho. Gertruda llamó al doctor Berman, que le recomendó llevarla al hospital de inmediato.

–Tiene el corazón muy debilitado –le dijo–. Necesita cuidados médicos constantes.

Lydia se negó en redondo.

–Quiero quedarme con mi hijo –dijo–. Sin él no quiero vivir.

A la mañana siguiente, después de pasar la noche cuidando a Lydia, Gertruda salió a buscar trabajo. Preguntó en comercios, restaurantes y talleres, pero nadie quería contratar a una trabajadora sin experiencia. El único lugar donde se avinieron a darle un trabajo de lavaplatos fue el transitado bar de la estación de tren.

–No podemos pagarte en efectivo –le dijo el dueño–. Pero te daremos comida que puedes llevarte a casa.

No era el trabajo ideal, pero les daría de comer, de modo que se arremangó y se puso a lavar platos hasta el anochecer. En una cazuela que le prestó el dueño se llevó una cena caliente. Llenó con ella los tres platos y cenó con Michael y Lydia en su pisito de alquiler. Sus pensamientos viajaron hasta la mansión de la avenida Ujazdowska, donde hacía bien poco habían comido verdaderos banquetes, y le pareció que habían pasado siglos...

5.

En el expreso de Berlín a Varsovia viajaban únicamente hombres uniformados. Karl Rink iba en el vagón reservado a los oficiales de las SS. Sus compañeros hervían de excitación pensando en su estancia en Varsovia, en las chicas polacas y los judíos a los que podrían desvalijar. Karl no dijo nada en todo el trayecto.

En la estación de tren de Varsovia los vino a recoger un coche de las SS que los condujo por las calles del centro, muy dañadas por los bombardeos alemanes. Muchos edificios se habían desmoronado y los escombros seguían humeando. La mayoría de los peatones que veían eran soldados alemanes.

Se apearon en el cuartel general de las SS, donde les fueron asignadas sus respectivas misiones. Karl Rink fue nombrado oficial del Estado Mayor a cargo de las políticas de restricción de movimientos destinadas a la población judía. Un joven oficial, que se presentó como su ayudante, lo condujo a su despacho. Sobre su escritorio encontró un primer borrador de los edictos que Hans Frank pensaba promulgar en Polonia, que obligaban a todos los judíos a vestir un brazalete con una estrella de David amarilla en el brazo derecho y a las tiendas o negocios judíos a colgar una estrella de David en la puerta. El sacrificio *kósher* quedaba prohibido y cada judío debía presentar un informe detallado de sus bienes.

Una vez se hubo instalado en su despacho, Karl Rink fue conducido al piso que le habían asignado. Se encontraba en un gran edificio cuyos habitantes habían huido despavoridos cuando los alemanes entraron en Varsovia. El piso de tres habitaciones conservaba intacta la mayor parte del mobiliario. En las paredes colgaban aún retratos de familia: hombres con trajes de buen corte, algunos de ellos con barbas bien cuidadas, mujeres con elegantes vestidos y niños acicalados. También había fotos de la boda de una pareja, una foto de grupo frente a una sinagoga y varios títulos académicos enmarcados. Algunos estaban expedidos por la escuela de magisterio judía. Rink inspeccionó también la biblioteca, en la que había unos pocos libros en polaco junto a gran cantidad de libros sagrados y gruesos tomos en hebreo.

–Le enviaré a alguien para que se deshaga de toda la parafernalia judía –le dijo su ayudante.

–No se preocupe. Por el momento, puede dejarlo todo tal cual. No me molesta.

Karl quería que el piso conservara su carácter judío, pues le recordaba a su mujer y a su hija.

6.

El abogado Joachim Turner sostenía el auricular en la mano, paralizado.

–¡Pero eso es terrible! –exclamó.

Al otro lado de la línea escuchaba la voz agitada de Jacob Stolowitzky, que seguía en París. Turner, su leal amigo y confidente, se había encargado de transferir dinero a los bancos suizos y tenía poderes para sacar cualquier suma que su amigo le solicitara. Aquella llamada intempestiva a su despacho en Zúrich era la primera noticia que tenía de la mujer y el hijo de Stolowitzky, que se habían quedado solos en Polonia durante la ocupación.

–Tienes que ayudarme –le rogó Jacob Stolowitzky–. Promételes a los alemanes cualquier suma de dinero, lo único que quiero es que Lydia y Michael puedan salir y reunirse conmigo.

–¿Cualquier suma?

–La que ellos decidan.

Turner llevaba las cuentas de muchos hombres de negocios de renombre en Zúrich. Antes de la guerra había negociado con varias empresas alemanas el suministro de grandes cantidades de carbón a Suiza. Estaba convencido de que a aquellas alturas los alemanes necesitaban hasta el último céntimo de su capital para mantener operativa su costosa maquinaria bélica y se avendrían gustosamente a sacar de Varsovia a la familia Stolowitzky a cambio de una parte de su fortuna.

–Me ocuparé de ello inmediatamente –prometió Turner.

Aquel mismo día fue a la embajada alemana en Berna y se entrevistó con el embajador germano en persona, que parecía muy interesado en la proposición.

–¿De cuánto dinero estamos hablando? –le preguntó.

–De diez millones de dólares –tanteó el abogado.

El embajador soltó una exclamación de sorpresa. Le preguntó entonces los datos de la familia y Turner le dio sus nombres y su dirección.

–Los verificaré de inmediato –dijo el alemán.

La jugosa proposición viajó con rapidez por las vías diplomáticas. En Berlín se expidieron órdenes a las autoridades de la ocupación para que localizaran a Lydia y a su hijo en Varsovia y velaran por su seguridad hasta nueva orden. Stolowitzky llamaba a Turner todos los días para averiguar, con honda decepción, que los alemanes aún no tenían noticias.

Al cabo de una semana convocaron a Turner a la embajada alemana en Berna.

–Hemos hecho todo lo que hemos podido –le dijo el embajador–. Nuestra gente ha tratado de localizar a la mujer y al niño, pero parece que ya no se encuentran en la dirección que me dio. La casa estaba vacía cuando nuestras fuerzas entraron en Varsovia. Allí se ha establecido el cuartel general alemán, de hecho. Hemos preguntado a los vecinos de la zona, pero nadie sabe qué les ha pasado.

–¿Dispone de alguna lista de judíos muertos y apresados?

–Aún no tenemos una lista completa y ordenada. En cuanto dispongamos de más información se la haremos llegar, por supuesto.

Stolowitzky se quedó de piedra. Hasta entonces se había aferrado a la esperanza de comprar a los alemanes para que localizaran a Lydia y Michael y los sacaran del país.

–¿Qué otra cosa puedo hacer? –le preguntó a su abogado suizo.

–Rezar –repuso Turner.

7.

Rebosante de vida y cultura judía, templos, sinagogas y célebres rabinos, Vilna acogió en pocos días a un sinfín de refugiados procedentes de toda Polonia. La ley y el orden se vinieron abajo. Cada día se cometían robos, violaciones y asesinatos, y la policía no daba abasto.

Los refugiados habían anegado la ciudad. Los había por todos los rincones, buscando trabajo o alojamiento, padeciendo una humillación tras otra por parte de antisemitas y empresarios aprovechados. Hacían largas colas en consulados extranjeros, donde suplicaban que les concedieran un visado para cualquier país lejos del frente, pero los preciados documentos fueron acaparados por aquellos que tenían contactos o sabían utilizar los codos. Lydia cayó en una profunda depresión y se quedó en la cama días enteros, rezando para que terminara aquella pesadilla y su marido regresara a su lado.

Michael no acababa de explicarse el vuelco que se había operado en sus vidas, la mudanza de su mansión a aquel cuartucho miserable, la desesperación de su madre. No sabía qué era la guerra, aunque comprendía que algo terrible había pasado y una gente muy mala los había echado de casa. Pasaba mucho rato callado, jugando con las cartas que Gertruda le había fabricado recortando y pintando unas cajas de cartón, disgustado por la ausencia de la niñera, que salía muy temprano y no volvía hasta el anochecer. La esperaba ansiosamente, por la comida que traía y por las historias que le contaba a la hora de acostarlo.

* * *

La salud de Lydia se deterioraba por momentos. La mujer llena de vida, alegría y vigor que había sido parecía ahora una vasija rota, sumida en la desesperación. Padecía constantes dolores y le costaba levantarse. Durante varios días guardó cama, hasta que una noche Gertruda se despertó asustada al oír sus gemidos. Al acercarse a Lydia vio que estaba inconsciente y llamó enseguida al doctor Berman. «Tendría que haberla llevado al hospital hace tiempo», le dijo el médico.

En la recepción del viejo hospital judío de la calle Zavalna unas cuantas enfermeras hacían guardia, medio dormidas. La tenue luz del vestíbulo proyectaba largas sombras sobre las paredes y de las crujías llegaban los quejidos de los pacientes. Gertruda les pidió a las enfermeras que buscaran ayuda y llamaron a un médico que dormía en una de las habitaciones adyacentes. El anciano doctor se puso una bata blanca raída. Tenía el rostro marcado por la fatiga. Ordenó a dos enfermeros que fueran a buscar la camilla y se fue con ellos al piso de la enferma. El doctor Berman seguía a su lado. El viejo médico examinó minuciosamente a la paciente y discutió el caso en privado con el doctor Berman. «Espero que no sea demasiado tarde», le dijo.

Transportada en una camilla endeble por las calles vacías y oscuras de Vilna, tapada con una manta finísima que se le caía una y otra vez y exponía su cuerpo maltrecho a la intemperie, Lydia Stolowitzky llegó por fin al hospital judío. El doctor Berman la acompañó y trató de aliviar su dolor, pero no había ya mucho más que pudiera hacer por ella. Consiguió, eso sí, internarla en una planta que no estaba demasiado llena.

–No creo que su corazón vaya a aguantar –le susurró a Gertruda.

Al día siguiente, de camino al bar de la estación, Gertruda hizo un alto en la iglesia y rezó una plegaria por la enferma. No sirvió de nada. En mitad de la noche Lydia sufrió un infarto que la dejó postrada en la cama, con pérdidas frecuentes de conciencia que a veces duraban horas.

Gertruda se sentó a velarla, y el doctor Berman y Michael insistieron en quedarse con ella en el hospital. Michael se quedó dormido en el suelo, envuelto en la fina manta que le dio una de las enfermeras. Al rayar el alba, Lydia despertó.

–Michael –murmuró.

Gertruda despertó al niño.

–Tu madre te llama.

Michael se acercó a su madre, que alzó una mano temblorosa y le acarició la cara.

–Mi niño –susurró–. Mi niño querido... No te olvides de mí.

–No, mamá –dijo él, soñoliento.

Lydia le hizo una seña a Gertruda para que se acercara.

–Tengo que decirte algo –le musitó al oído.

–Sí, señora.

–Estoy a punto de morir, querida.

–No diga eso –le suplicó Gertruda–. Descanse. Ya verá como se repondrá.

La enferma sacudió la cabeza.

–No me repondré, Gertruda, y quiero que me prometas una cosa.

–Lo que sea.

–No sé qué ha podido sucederle a mi marido. No sé si

volverá, ni siquiera sé si sigue con vida. Michael es todo lo que me queda, lo que más amo en este mundo, y quiero morir sabiendo que al menos él sobrevivirá. Prométeme que cuidarás de él.

–Cuidaré de él como si fuera hijo mío.

–Nadie ha de saber que es judío. Dile que vaya con cuidado... Una palabra de más o un paso en falso podría ser fatal.

–Lo sé, señora.

–En Palestina tengo unos parientes. Cuando acabe la guerra, llévales al niño.

–Lo haré, se lo juro.

–No tengo ningún dinero que darte –dijo la mujer, con un suspiro–. Quédate mi abrigo de piel. Te ayudará a pasar el invierno.

Haciendo un gran esfuerzo levantó una mano.

–Sácame la alianza –dijo.

Gertruda obedeció.

–Póntela. A partir de ahora, tú eres su madre.

A Gertruda le dio un vuelco el corazón al ponerse el anillo. Más que cualquier otra cosa en aquella noche aciaga, aquel acto representaba el fin de la madre de Michael y el comienzo de su propia maternidad. Lydia le acarició la mano.

–Tú serás su ángel de la guarda –agregó, con voz agonizante–. Michael te adora y tú a él también. Quiero que sepas lo mucho que te agradezco todo lo que has hecho y seguirás haciendo por él.

–Soy yo la que le doy las gracias por el privilegio.

–Y una cosa más. –Lydia hablaba con su último hilo de voz–. Mi marido tiene mucho dinero depositado en varias cuentas suizas. En efectivo… y en lingotes. Sácalo. Os ayudará a los dos a labraros un nuevo porvenir.

–Cuente con ello, señora.

–Apunta. En el Credit Bank de Zúrich tiene millones… También hay millones en…

No pudo seguir. Ladeó la cabeza y cerró los ojos. En la habitación se hizo un silencio, el doctor Berman bajó la cabeza y Gertruda rezó una oración para sus adentros. Michael los miraba asustado.

–Señor –dijo la niñera–, ayúdame a cumplir mi palabra.

Estaba dispuesta a hacer lo que fuera para mantener la promesa que le había hecho a la madre agonizante de Michael. Sabía que no sería fácil, que en las semanas y los meses que les aguardaban encontraría infinidad de obstáculos que superar. Sabía que iba a ser difícil, sino imposible, arrancar al niño que habían dejado a su cuidado de las crueles garras de su destino.

* * *

Lydia Stolowitzky murió esa misma noche y su certificado de defunción le fue entregado a Gertruda.

A cambio de unos céntimos, un carretero llevó el cuerpo de la mujer al cementerio para enterrarlo. Un hombre de barba lúgubre cavó su sepultura y la enterró, envuelta en una mortaja hecha jirones. Desde el comienzo de la guerra había cavado las tumbas de muchos otros refugiados que no habían soportado las condiciones de vida en Vilna. La cifra de muertes crecía a diario y era raro que los familiares del difunto tuvieran dinero para pagar un entierro. Los que tenían dinero eran enterrados en el cementerio judío comunitario local. Los indigentes eran enterrados muy lejos de allí, en sepulturas sencillas coronadas por maderos con los nombres grabados a mano. Lydia Stolowitzky, una de las mujeres más ricas de Varsovia, fue enterrada en una tumba de indigente.

El sepulturero pronunció el *kaddish*, la plegaria tradicional de los difuntos, y le ordenó a Michael que repitiera con él. El niño balbució las palabras extranjeras con la voz quebrada y llorosa. Gertruda lo abrazó y lloró con él.

Para ahorrarse el trayecto de vuelta, volvieron a pie. Los dos eran conscientes de que entre ellos se había creado un vínculo que sólo la muerte podría destruir.

7. Expulsión a medianoche

1.

Durante un tiempo Jacob Stolowitzky siguió diciéndose que todo iba a acabar bien. No lograba hacerse a la idea de no volver a ver más a su mujer y a su hijo, de que la empresa familiar estaba arruinada y su propio destino era cada vez más incierto. Siguiendo el consejo de su representante francés, se quedó en París y se empeñó en seguir creyendo en las vagas promesas de la empresa de ferrocarriles, que se comprometía a cumplir el contrato en cuanto se despejara la situación política.

La realidad se encargó de echar por tierra, una tras otra, sus vanas esperanzas. El ejército alemán avanzaba sin encontrar apenas obstáculos. En Francia se hacía sentir ya la pesada carga del miedo y la incertidumbre. La gente se congregaba en los quioscos de prensa, leía con impaciencia los titulares sobre el avance del ejército de ocupación y se preguntaba si el ejército francés lograría repeler a los invasores. Por las calles de París deambulaban refugiados polacos que habían conseguido huir del país en el último suspiro, con la tez pálida y los ojos acobardados, esperando con pavor la inminente irrupción de las tropas alemanas. Para espantar los malos augurios inminentes, gran parte de la población se resistía a modificar su rutina diaria. Los franceses seguían abarrotando los restaurantes para atiborrarse de ostras y de buen vino, los locales nocturnos abrían sus puertas como cada noche y los músicos y las divas de la ópera eran recibidos con ovaciones y ramos de flores.

En mitad de aquel ir y venir, Jacob Stolowitzky sentía con hondo pesar que sus seres queridos no estaban ya en este mundo. A pesar de sus diligencias, a pesar de sus contactos y su dinero, seguía sin localizar a su mujer y a su hijo. Las líneas telefónicas y el servicio de correos de Varsovia estaban cortados y las noticias procedentes de Polonia hablaban de la muerte de muchos judíos a manos de los alemanes.

Cada día que pasaba crecía la tensión y el miedo de Jacob, que deambulaba por la ciudad como una fiera enjaulada, siguiendo con angustia las noticias sobre las sucesivas invasiones nazis y cifrando todas sus esperanzas en la victoria aplastante del ejército francés si los alemanes se decidían a ocupar el país. Con el corazón en un puño se reunía con otros refugiados polacos y les preguntaba si sabían qué les había sucedido a su mujer y a su hijo. Uno de ellos le dio una pista, un dato en el que no había caído: le dijo que muchos judíos de Varsovia habían huido a Vilna.

Jacob Stolowitzky no se lo pensó dos veces. Llegó corriendo a la embajada rusa y pidió un visado para entrar en Vilna, pero su solicitud fue denegada en el acto.

–Imposible –le dijo el funcionario–. Moscú nos ha prohibido categóricamente expedir ningún visado a Vilna.

Stolowitzky no se rindió. Su dinero le había abierto más de una puerta cerrada y estaba convencido de que aquella vez volvería a hacerlo. Sacó algo de dinero de la cartera y lo dejó sobre el escritorio del funcionario sin mediar palabra. Para su sorpresa, el funcionario se lo devolvió.

–Lo siento –le dijo impaciente–. No puedo hacer nada por usted.

Stolowitzky se fue directo al despacho de sus abogados en París y les pidió un salvoconducto para Vilna. «Pagaré lo que haga falta», agregó. Los abogados prometieron intentarlo, pero no consiguieron nada. Llamó entonces a Joachim Turner a Zúrich y le pidió que fuera a Vilna a buscar a Lydia y Michael. Turner se prestó a ir, pero tampoco pudo conseguir un visado de entrada.

Desmoralizado como nunca lo había estado, Stolowitzky se encerró en su habitación de hotel e hizo lo que no hacía desde su infancia: llorar. El otrora omnipotente hombre de negocios se sentía solo y abandonado, desvalido. Su fortuna había perdido de pronto todo su valor. No tenía nadie a quien acudir en busca de ayuda ni el menor hilo de esperanza que pudiera levantarle el ánimo. Y sabía que las posibilidades de hallar a su mujer y a su hijo con vida menguaban cada hora que pasaba.

Los días se sucedían, grises y monótonos. Jacob perdió peso y bajo sus ojos se fueron dibujando las ojeras negras del insomnio. Dejó de frecuentar el restaurante del Ritz, cuya lujosa y distinguida atmósfera le recordaba a su hogar, al comedor donde se reunía su familia antes de que su vida se hiciera añicos. Dos veces al día se tomaba un tentempié en un pequeño restaurante junto a la calle Rivoli. Nunca conversaba con el resto de clientes, comía con prisa, pagaba y volvía a su habitación con el rostro macilento y los ojos nublados. La única persona que le preguntaba todos los días cómo estaba era la camarera del restaurante. Se llamaba Anna y tenía veintiocho años, las mejillas rubicundas y una sonrisa perenne. Conocía a la mayoría de sus clientes, hablaba con todo aquel que quisiera charlar y callaba con quien prefería comer en silencio. De Jacob Stolowitzky sabía únicamente que era originario de Polonia y que vivía en el Ritz. Comía siempre solo y con expresión de abatimiento.

Una noche Jacob no apareció a la hora de cenar y Anna se inquietó. Al terminar el turno se acercó al hotel y llamó a la puerta de su habitación. Stolowitzky abrió la puerta envuelto en una manta, afiebrado. Sin consultarle, mandó a buscar un médico de inmediato y le compró los medicamentos que el doctor le recetó. Luego le llevó comida del restaurante. Estaba tan débil que ni siquiera podía sostener un plato, así que ella misma le dio de comer.

Cuando se repuso, Jacob le agradeció de corazón lo que había hecho por él. Hasta aquel momento se había sentido solo y aislado en París, deprimido. Anna era el único rayo de luz que alumbraba su vida.

–¿Por qué eres tan buena conmigo? –le preguntó un día.

–Porque no soporto ver sufrir a la gente.

Stolowitzky le habló de su familia, de su búsqueda frustrada, del miedo que lo atenazaba de que hubieran matado a su mujer y a su hijo y de que su empresa se fuera al traste. Ella trató de animarlo.

–A lo mejor su mujer y su hijo han logrado sobrevivir.

–No creo –dijo Jacob con un suspiro–. No están acostumbrados a las estrecheces. No resistirán una guerra.

–Ojalá pudiera ayudarte más –dijo.

Jacob la miró con ternura.

–Ya lo haces –le dijo–. Me alegro de haberte conocido.

Anna miró largamente a aquel hombre. Él era judío y ella católica y él era mucho mayor, pero eso a ella le daba lo mismo. A sus ojos, era mucho más atractivo e interesante que la mayoría de hombres que conocía. Presentía que su afecto por él iría a más.

–Yo también me alegro –dijo ruborizándose.

Anna le contó que había nacido en la villa italiana de Pontremoli, a pocos kilómetros de la frontera francesa. Su padre había fallecido cuando ella era niña y su madre trabajaba en una institución para personas discapacitadas. Un pariente suyo que regentaba un restaurante francés le había propuesto un día ir a París a trabajar allí de camarera.

Anna comenzó a pasar sus horas libres con Jacob y él se sorprendió pensando en ella en sus largas noches insomnes. Más que cualquier otra cosa, lo que necesitaba era una persona próxima y comprensiva y algo de calor humano, y Anna estaba siempre disponible, llena de buena voluntad y devoción por él. Se creó así entre ellos un vínculo sólido, esperanzador, decisivo.

2.

–Tú no le digas a nadie que eres judío –le advirtió una noche Gertruda a Michael.

Estaban los dos sentados frente al hogar, donde se consumían los dos leños que la casera le había vendido. Al cabo de una hora el fuego se extinguiría y en el piso volvería a hacer frío. Mucho frío.

–No se lo diré a nadie –prometió el niño.

–La gente debe creer que soy tu madre.

–¿Cómo voy a llamarte, entonces? ¿Mamá?

Gertruda vaciló antes de responder. Michael sólo tenía una madre. Gertruda era sólo una madre interina.

–No, no me llames mamá.

–Pues te llamaré *mamusha*.

Una ola de calor anegó el cuerpo de Gertruda. *Mamusha*, el apelativo cariñoso con el que los niños llamaban a sus madres queridas, era el nombre perfecto.

–Sí, *mamusha* está bien.

Muerta la madre, ausente el padre y lejos de casa, Michael cayó en la más profunda depresión de su corta vida. Se retraía en largos silencios y se echaba a llorar a todas horas. Necesitaba más que nunca al único ser vivo que le quedaba en el mundo, sus caricias, sus palabras de consuelo, su vitalidad. Gertruda redujo su jornada para poder dedicarse a Michael y todos los días llevaba al niño a la iglesia adonde iba a rezar y paseaba con él por las calles de Vilna para que le diera un poco el aire. El tiempo solía ser frío y lluvioso y la ciudad no era en absoluto acogedora para los refugiados. Cobijados bajo el paraguas, los dos se abrían paso por las calles abarrotadas, entre los olores a comida de los restaurantes. Gertruda administraba con mucho cuidado los últimos céntimos que le quedaban. En el mercado agrícola sólo compraba los productos más baratos: patatas, col, remolacha y pan seco. Cocinaba muchas sopas. La carne no podían permitírsela.

De Polonia llegaban malas noticias. Al parecer, los alemanes habían ocupado ya todo el país. Aun así Gertruda estaba tranquila, pues suponía que no se atreverían a romper su alianza con los rusos y ocupar Vilna.

Los gastos del alquiler y la comida iban consumiendo sus ahorros. Gertruda pasaba las noches en vela, pensando en

Michael y Gertruda. Vilna, 1942.

nuevos modos de ganar dinero. Michael había adelgazado y comenzaba a perder el apetito. Tenía miedo de que cualquier día pudiera enfermar.

El doctor Berman se erigió entonces en su inesperado salvador. En Vilna al médico le sonreía la vida. Se había hecho un nombre como especialista en enfermedades pulmonares y su clientela crecía de día en día. Una noche llamó a su puerta y le hizo a la pobre Gertruda una oferta que no pudo rechazar.

–Necesito una secretaria para organizarme las consultas –le dijo–. Te pagaré un buen sueldo. ¿Qué dices?

Por supuesto, no dejó escapar la oportunidad y al día siguiente comenzó a trabajar en la clínica que el médico tenía al lado de su casa. Aquel mismo día el doctor Berman le dio un anticipo de su sueldo y compró comida para ella y el niño.

El doctor Berman les abrió a los dos las puertas de su casa. Yanek, el hijo mayor del médico, era de la edad de Michael y los dos pasaban muchos días jugando. Esther, su mujer, los invitaba con frecuencia a cenar.

Entretanto, el invierno había llegado con toda su crudeza. La ciudad estaba cubierta de una espesa capa de nieve y el frío volvió a adueñarse del pequeño apartamento donde vivían. Se sentaban los dos en su cama de matrimonio y se abrazaban para darse calor. Bebían una taza de té hirviente tras otra para combatir el frío y esperaban algún milagro que los sacara de la complicada situación en que se encontraban.

3.

Todas las noches, antes de irse a dormir, Gertruda Babilinska hojeaba su pasaporte polaco con creciente preocupación. En el documento sólo constaba su nombre. Michael aparecía en el pasaporte de su madre, que estaba en posesión de Emil. Gertruda estaba segura de que a los dos les esperaban tiempos difíciles. No sabía si se quedaría en Vilna, no sabía hacia qué lado soplarían los vientos de la guerra, pero sí sabía que si no encontraba el modo de hacer constar en su pasaporte que Michael era su hijo, sangre de su sangre, no podría protegerlo de verdad. Tenía que encontrar a cualquier precio un modo de ocultar que era judío y vincularlo de forma oficial a su persona. El nombre de Michael en su pasaporte era la única prueba posible de que era su hijo. Pero sin ningún documento para demostrar que así era, no iba a ser nada fácil.

Una mañana Gertruda salió de casa dispuesta a encontrar a un falsificador profesional que pudiera ayudarla. Había especuladores del mercado negro en cada esquina y les preguntó a unos cuantos si conocían a alguien que pudiera hacerle un cambio a su pasaporte. «Lo que usted quiere, señora, cuesta mucho», le dijo un viejo especulador. Al oír la suma, se marchó cabizbaja.

De camino a casa paró en la iglesia Ostra Brama que había enfrente, entró, se arrodilló ante el altar y rezó para que alguien llegara en su ayuda. Al ponerse en pie se encontró de frente con el padre Andras Gedovsky.

–¿Va todo bien, señora Babilinska?

–La verdad es que no –le dijo, pero no se atrevió a hablarle del niño judío.

–¿Puedo ayudarla en algo?

Gertruda escogió sus palabras cuidadosamente:

–Mi marido era oficial del ejército polaco y murió en la guerra. Yo me vine aquí huyendo con mi hijo y no tuve tiempo de coger el pasaporte. Me da miedo andar por ahí sin llevarlo encima.

–¿El niño que viene a misa con usted es su hijo?

Ella asintió. Desde que había comenzado a presentar a Michael como su hijo se había asegurado de ir todos los días con él a misa.

–Sí, padre, es mi hijo.

–Es un niño precioso. ¿Cómo se llama?

–Michael.

El sacerdote exhaló un suspiro.

–Esta guerra está haciendo sufrir a tanta gente –dijo–. Acompáñeme. Trataré de ayudarla.

Esperanzada, lo acompañó a su despacho. El cura se sentó en su escritorio, le pidió sus datos personales y los anotó en una hoja con el membrete de la iglesia.

> A quien corresponda: la viuda Gertruda Babilinska, nacida en 1902, ciudadana polaca y católica devota, feligresa de mi congregación, ha perdido sus documentos. Por la presente doy fe de que es la madre de Michael, nacido en 1936.

Entusiasmada, Gertruda le dio al cura las gracias, se guardó el documento en el bolsillo y volvió a casa.

4.

La idea de casarse no fue suya, fue de Anna.

–Aquí no estamos a salvo –le dijo un día–. Los franceses se temen una invasión alemana inminente y muchos judíos han hecho ya las maletas. Deberíamos refugiarnos en casa de mi madre, en Italia.

Le propuso que se casaran. Como marido de una ciudadana italiana, le dijo, no tendría problemas para cruzar la frontera italiana con ella. En mayo de 1940 Italia aún no había entrado en guerra. Hasta que el conflicto terminase, agregó, podría vivir con ella en la casa que tenía su familia en el pueblo de Pontremoli.

–¿Y si mi mujer sigue viva? –preguntó.

–Si está viva anularé el matrimonio de inmediato –le prometió.

La mañana del 9 de mayo de 1940 Anna y Jacob se presentaron en el Ayuntamiento de París, donde se casaron en una ceremonia civil. No asistió ningún amigo, pariente o conocido, y veinte minutos después de entrar se fueron corriendo a la estación para coger el tren a Génova. Ninguno de los dos sabía que al día siguiente el ejército alemán cruzaría la frontera para marchar triunfalmente hacia París, inquietado apenas por la escasa e ineficaz defensa del ejército francés.

Los italianos temían la afluencia multitudinaria de refugiados franceses y el control de aduanas era más estricto que nunca. Los guardias fronterizos examinaron el certificado de matrimonio de Jacob y Anna y les dejaron cruzar la frontera sin incidentes. Desde la estación de Génova cogieron un taxi al pueblo donde vivía su familia.

La madre de Anna, una mujer rellenita de semblante serio, le echó a Jacob una mirada severa cuando la conoció. No le gustaba que fuera judío ni que hubiera entre él y Anna tanta diferencia de edad, pero se mordió la lengua. Al fin y al cabo, Anna era su única hija. La había criado sola durante muchos años y no quería que surgiera entre ellas ninguna diferencia.

La casa estaba a las afueras del pueblo, entre huertos de manzanos y perales, algo separada de las casas vecinas. Un estrecho sendero de tierra unía la calle con el edificio de una planta, donde la pareja se instaló en una habitación lateral que daba a una plaza tranquila. Podían dejar las ventanas abiertas todo el día sin temor a que algún extraño fisgoneara en su interior.

El matrimonio despertó en el pueblo un interés fugaz. Anna les dijo a sus amigos que había conocido a su marido en París, donde él se ocupaba de sus negocios. Les dijo que Jacob tenía una enfermedad crónica que lo obligaba a quedarse en casa casi todo el día. La gente del pueblo no tardó en acostumbrarse a verla salir sola para comprar fruta y verdura en el mercado agrícola o acercarse a la carnicería. Cada domingo iba a misa con su madre y con ella asistía también a las reuniones de familia, amigos y vecinos. Jacob solía quedarse en casa, y sólo salía de noche para dar un paseo por los caminos desiertos.

Anna quería hijos. En el pueblo, las chicas de su edad que Dios había bendecido con nutridas progenies le preguntaban una y otra vez por qué no se quedaba embarazada y ella no sabía qué responderles. Le suplicó a su marido que trajera con ella un hijo al mundo, pero él prefería esperar al fin de la guerra. Sólo entonces podría iniciar con tranquilidad el siguiente capítulo de su vida, decía.

5.

Una noche, al volver de la clínica, Gertruda se encontró en la escalera a un hombre corpulento cuya cara no le era nueva. Era Denka, el hermano de la casera.

–¿Adónde vas con tanta prisa? –le preguntó.

–Mi hijo me espera –repuso tratando de esquivar al hombre, pero Denka le cerró el paso.

–Espera un poco –dijo.

No le quedaba más remedio que obedecer.

Denka tendió entonces una mano torpe y trató de acariciarle la cabeza, pero ella se apartó.

–Déjame pasar –le suplicó.

–Espera, mujer. Quiero proponerte un trato –le dijo.

–¿Qué trato? –preguntó ella, fingiendo que lo tomaba en serio.

–Sé de gente que te pagaría mucho dinero por la información que posees.

Gertruda sabía que Denka espiaba para los rusos. Era un secreto a voces.

–Si no me equivoco, conoces bien a Berman, el médico judío.

Gertruda se sobresaltó. ¿Cómo se habría enterado de su relación con el doctor Berman? ¿La espiaba cuando iba a trabajar a la clínica?

–Lo único que tienes que hacer –agregó– es decirme si el doctor se queja del Gobierno soviético, si se reúne con alguien a escondidas, si le has visto trajinando armas.

–No he visto nada ni he oído nada –respondió al momento.

–Por poco que quieras, puedes ver y oír. Y si nos das la información que queremos se te abrirán muchas puertas, hasta es posible que te asignen un sueldo fijo. ¿Qué dices?

–Lo pensaré –dijo para que la dejara en paz.

Los labios de Denka se contrajeron en una mueca.

–Tu cooperación también podría servirnos para romper el hielo –le dijo–. Tú y yo podríamos pasárnoslo muy bien.

–Déjame pasar, por favor.

Denka asió su cuerpo y trató de besarla, pero ella apartó la cara. En aquel preciso instante alguien entró en el portal y Denka tuvo que soltarla.

–Buenas noches, señora Babilinska –se despidió, con cortesía–. Un placer charlar con usted.

Gertruda subió a su piso corriendo.

Algo le decía que no sería la última vez que se toparía con aquel indeseable.

6.

El pacto de no agresión de Mólotov-Ribbentrop no tardó en romperse. La confrontación entre Stalin y Hitler era inevitable y el 22 de junio de 1941, cuando los campos lituanos se llenaban de flores de mil colores, el ejército alemán atacó las líneas de defensa rusas y se abrió paso hasta Vilna.

A las once de la mañana, el ministro de Asuntos Exteriores soviético anunció enfurecido en Radio Moscú que los alemanes habían violado el acuerdo de no agresión y avanzaban en dirección a Vilna. Al momento se dispararon las sirenas y en los arrabales comenzó a tronar el fragor de los ataques aéreos. Era un domingo cálido y soleado. Las familias paseaban por los parques públicos, las iglesias estaban llenas y los refugiados judíos vendían sus últimas pertenencias de valor al borde de la carretera. El aullido de las sirenas y el eco de los bombardeos quebró en un instante la paz dominical y sembró el pánico. El cielo se llenó de bombarderos alemanes que comenzaron a arrojar su carga mortal sobre los edificios y a barrer las calles con el fuego de sus ametralladoras, dejando a su paso muerte y destrucción.

Por las esquinas resonaron los gritos de los heridos hasta bien entrada la noche. Los hospitales estaban colapsados y muchos heridos se quedaron tirados en las calles. De madrugada los aviones regresaron para bombardear nuevamente la ciudad, mientras las unidades acorazadas alemanas avanzaban y se situaban ya a dos días de camino.

Los atroces bombardeos metieron a Gertruda y Michael el miedo en el cuerpo. Al primer estallido corrieron al sótano para protegerse entre las gruesas paredes de piedra. Los inquilinos de los pisos superiores del edificio también bajaron a toda prisa. El aire del sótano era sofocante y opresivo, no tenían agua ni víveres, los niños lloriqueaban y los ancianos respiraban trabajosamente, sin decir palabra.

Cuando se supo que el ejército alemán estaba a las puertas de la ciudad una oleada de júbilo estalló entre los lituanos de Vilna. Muchos de ellos habían luchado en la clandestinidad para socavar el poder del Gobierno soviético y allanar el terreno para una ocupación rápida y eficaz. Estaban convencidos de que en pago por su colaboración Berlín concedería a Lituania la independencia y le permitiría instaurar su propio Gobierno en las mismísimas narices de los soviéticos. Así las cosas, se preparaban para recibir a los alemanes con los brazos abiertos y llevar a cabo cualquier misión que les asignaran, incluido el exterminio de los judíos. Al igual que los alemanes, los lituanos creían que los judíos eran una plaga, un obstáculo para el progreso que había que quitar de en medio cuanto antes. En diversos manifiestos, que celebraban la independencia de Lituania como un hecho casi milagroso, se llamaba a los ciudadanos del nuevo estado a acabar con los judíos e incautar sus bienes. De hecho, antes de que llegaran las tropas de ocupación los lituanos asesinaron a cientos de judíos y les robaron todo lo que tenían.

Los judíos de Vilna seguían el curso de los acontecimientos con pavor. Los había que deseaban la llegada de los alemanes, persuadidos de que las fuerzas de ocupación restaurarían el orden y pondrían freno a la sed de destrucción antisemita de los lituanos, pero la mayoría de ellos, fueran locales o refugiados, estaban convencidos de que para ellos la ocupación alemana sería nefasta. Presa de la desesperación, los judíos dudaban entre quedarse en Vilna o huir hacia la frontera rusa y hallar refugio bien lejos de los alemanes y los lituanos. La primera opción era más sencilla, pero entrañaba un grave peligro; la segunda consistía casi siempre en meter en la maleta cuatro prendas y objetos de primera necesidad y encaminarse hacia lo desconocido sin un céntimo en el bolsillo. Ninguna de las dos opciones era muy halagüeña ni era, en principio, más acertada que la otra.

Gertruda se decantó por la huida y así se lo comunicó al doctor Berman, que le deseó suerte y le explicó que él y su mujer habían decidido quedarse.

–Tenemos dos niños –le dijo–, y no sobrevivirían a los rigores del viaje.

Gertruda metió todo lo que pudo en una pequeña maleta (ropa, dos hogazas de pan, unas manzanas y una botella de agua) y partió con Michael. A la casera no le dijo nada, para asegurarse de que el piso seguía a su nombre si por algún motivo debían regresar.

De camino a la estación los coches de las autoridades soviéticas los adelantaban a toda velocidad en dirección a la frontera rusa. De tanto en tanto aparecían en el cielo bombarderos alemanes que se abatían sobre la ciudad y se ensañaban con las caravanas de refugiados. Junto a la carretera ardían automóviles y en los cráteres de las bombas yacían cuerpos mutilados, sin vida.

La estación de Vilna estaba abarrotada y la gente debía hacer largas colas para comprar billetes. Los ancianos se desmayaban, los niños lloraban y menudeaban las peleas. Gertruda y Michael se apretujaron en una de las colas. Después de comprar los billetes no les quedaron más que unos pocos céntimos, pero eso era lo de menos. Ante la perspectiva de una invasión inminente, lo único que le importaba a Gertruda era poner a Michael a salvo.

El tren con destino a la ciudad fronteriza de Radoshkowitz salió con dos horas de retraso. Llevaba cientos de refugiados hacinados en los compartimentos y en los pasillos, muchos más de los que el tren podía transportar. Varias decenas de ellos se instalaron sobre el techo de los vagones, agarrados a los salientes para no caerse. La locomotora a duras penas podía arrastrar el tren y se averiaba cada dos por tres. Los bombarderos alemanes atacaron el tren en cuatro ocasiones y alcanzaron varios vagones, matando a docenas de personas. Los cadáveres eran arrojados a las vías y los heridos eran evacuados en las estaciones intermedias, con la peregrina esperanza de que allí pudieran recibir algún tipo de asistencia médica. Vilna estaba a doscientos kilómetros de la frontera rusa, una distancia que en circunstancias normales el tren cubría en menos de cuatro horas, pero en aquella ocasión el tren tardó poco menos de cuarenta horas en hacer el trayecto. Michael padeció todos los rigores del viaje en silencio, masticando mendrugos de pan seco y bebiendo sorbos de agua, estirado debajo de un banco. Cuando los aviones alemanes descargaban sus bombas le apretaba la mano a Gertruda.

Cuando el tren llegó por fin a la estación de Radoshkowitz, Gertruda vio a muchos judíos esperando en el andén para coger el tren de vuelta a Vilna. Nadie lo acababa de entender, pero no había tiempo que perder en preguntas. Agotados y hambrientos, los viajeros corrieron hasta el puesto fronterizo con una chispa de esperanza en los ojos, convencidos de que allí terminarían sus padecimientos, cuando menos por una temporada.

Gertruda y Michael corrieron con los demás y llegaron al puesto fronterizo ruso jadeando. Unos soldados armados los detuvieron y les pidieron los visados de entrada a Rusia. Como el bombardeo de Vilna había comenzado el domingo, cuando los consulados estaban cerrados, la mayoría de los pasajeros no había tenido tiempo de tramitar ningún documento. Les suplicaron a los guardas fronterizos que los dejaran pasar, pero los soldados se mostraron inflexibles y les recomendaron que se fueran por donde habían venido.

Nadie tenía ningunas ganas de volver, por supuesto. Sin dar crédito, las familias se congregaban en el puesto fronterizo. La gente se echaba a llorar y les imploraba a los guardas fronterizos que hicieran la vista gorda. Otros les ofrecieron sus joyas y el poco dinero que les quedaba, pero los soldados no dieron su brazo a torcer. Gertruda comenzaba a entender qué hacían todos aquellos judíos en el andén, dispuestos a regresar a Vilna. Ninguno de ellos tenía el visado en regla.

Así pues, dio media vuelta sin mediar palabra y se encaminó hacia la estación, llevando a Michael de la mano. No le quedaba dinero para comprar los billetes, pero los demás pasajeros tampoco estaban muy boyantes, así que se apretujaron en el tren con destino a Vilna y rezaron para que no los echaran antes de llegar. Los viajeros tenían el semblante apesadumbrado y los ojos lagrimosos. Cada minuto que pasaba estaban más cerca del infierno del que habían tratado de escapar.

En el compartimento de Gertruda, una joven que cargaba con un bebé les suplicó a los pasajeros que le dieran algo de comida, pero nadie le hizo ni caso. Gertruda separó unas rebanadas de pan y se las dio a la madre, que las devoró con avidez. Al cabo de unos minutos se acercó a Gertruda y le susurró al oído:

–Te agradezco de corazón tu *mitzvá*. No tengo nada para pagarte por el pan, pero puedo darte otra cosa.

La mujer le contó que en Vilna se ganaba la vida practicando la quiromancia.

–Dame tu mano –le dijo–. Te leeré el porvenir.

Gertruda le tendió su mano y miró con curiosidad a la mujer, que comenzó a estudiarla.

–El peligro no ha pasado –le dijo–. Tendrás que ir con mucho cuidado.

–¿Y el niño?

–Lo veo a tu lado en todo momento. Estáis muy unidos. Si lo abandonas, no sobrevivirá.

–¿Cuándo llegará la paz?

–Mucho tiempo ha de pasar. Pero cuando termine la guerra serás libre de hacer lo que te parezca. Veo zarpar un gran barco y los dos estáis a bordo, pero la travesía es ardua. Veo mucha sangre, mucha violencia, muchos muertos.

–¿Un barco? ¿Adónde nos llevará?

–A un lugar donde podréis empezar una nueva vida. Pero ese barco está maldito, algo malo le sucederá.

–No sé de qué barco me estás hablando.

–Yo tampoco –repuso la mujer–. Pero algún día lo averiguarás.

–¿Me estás diciendo que no debemos subir a bordo?

–Los dos subiréis a bordo del barco maldito, está escrito. Nada podéis hacer para cambiar vuestro destino.

El tren arrancó.

–¿Adónde vamos? –preguntó Michael, al ver pasar por la ventana la humareda negra de la locomotora.

–Volvemos a casa, a Vilna –respondió Gertruda.

–No quiero volver a Vilna –dijo el niño, cuyo fino instinto lo avisaba de los peligros que allí les aguardaban.

–No tengas miedo –le dijo ella, acariciándole el pelo–. Yo cuidaré de ti.

7.

Para Karl Rink la vida en Varsovia tenía un regusto amargo. Los remordimientos lo atormentaban por haber dejado de buscar a su mujer y no podía dejar de torturarse pensando en Mira y Helga. Se arrepentía de no haber seguido el consejo de su hija y huir de Alemania junto a su familia cuando aún estaba a tiempo. Todas las semanas le escribía una carta a su mujer y la mandaba a su dirección de Berlín, con la esperanza de que Mira hubiera regresado a casa y pudiera responder. La respuesta no llegó.

En el cuartel general de las SS el trabajo era monótono, pura rutina burocrática. Karl recibía órdenes de sus superiores para limitar la libertad de movimientos de los judíos, mandaba colgar los anuncios pertinentes en los muros y en los paneles publicitarios y comunicaba las nuevas directrices a las pocas instituciones y organizaciones judías que seguían operativas. Tenía a su servicio varias patrullas militares para asegurarse de que se cumplían las órdenes. Los judíos que no se ponían los brazaletes de identificación o no colgaban en sus negocios la estrella de David eran arrestados en el acto y enviados a campos de trabajo. A los que sorprendían viajando tras la prohibición de abandonar la ciudad también los arrestaban. Con el tiempo comenzaron a confiscar asimismo todos sus bienes.

Karl Rink terminaba de trabajar por la noche y se iba directo a su casa, eludiendo los bares de noche y las salas de conciertos reservadas a los oficiales alemanes. No pasaba demasiado tiempo en compañía de sus colegas. En sus pesadillas los veía secuestrar y asesinar a su mujer una y otra vez mientras él, con las manos atadas, aullaba de dolor e impotencia.

* * *

En la noche de Yom Kipur la radio alemana anunció que los judíos tenían un plazo de cinco semanas para mudarse al gueto de Varsovia. No había lugar para esconderse ni forma de hurtarse al fatídico decreto. El incumplimiento de las órdenes de los invasores se penaba con la muerte y los judíos sabían que el gueto era su única posibilidad de seguir con vida. Decenas de miles de personas comenzaron a juntar sus pertenencias y salieron a la calle cargando a cuestas o en carretillas todo cuanto pudieran transportar. El gueto ocupaba un área muy reducida de la ciudad y la aglomeración resultaba insoportable. En cada habitación debían vivir seis o siete personas, a veces más, y los que no encontraban un techo tenían que dormir al raso.

A efectos prácticos, la labor de Karl Rink en Varsovia terminó en cuanto los judíos fueron recluidos en el gueto.

A partir de aquel día se dedicó a pasear ociosamente de un lado a otro del cuartel. Aborrecía a todos y cada uno de los altaneros camaradas con los que se cruzaba y esperaba que lo enviaran pronto de regreso a Berlín. Pero sus superiores tenían otros planes. Pocos meses después de aislar a los judíos de Varsovia en el gueto, Karl fue destinado a Vilna, que acababa de ser ocupada por el ejército alemán. «Tenemos allí un montón de judíos y hay que poner un poco de orden, como en Varsovia», le dijeron.

8.

El trayecto de regreso a Vilna fue un viaje plagado de tormentos y huero de esperanza. Los vagones iban llenos hasta los topes de pasajeros hambrientos y cansados, que en su gran mayoría no tenía dinero ni para comprar un mendrugo de pan seco en las estaciones donde el tren se detenía. Buena parte del trayecto lo hicieron de noche para evitar el ataque de los bombarderos alemanes. Nadie podía pegar ojo entre los gemidos de los enfermos, algunos de los cuales no llegarían a ver Vilna. Gertruda y Michael se vieron forzados a quedarse estirados e inmóviles durante horas en el suelo metálico del vagón, bajo uno de los bancos, apretujados entre otros viajeros. Les dolía el cuerpo, les sonaban las tripas de hambre y la boca les ardía de sed.

El tren llegó a Vilna por la tarde y vomitó cientos de pasajeros, que salieron de allí arrastrando sus escasas pertenencias. La bandera con la esvástica lucía ya en lo alto de la estación. Tanques y motocicletas del ejército nazi recorrían las calles y bajo el cálido sol estival desfilaban orgullosamente las compañías de soldados alemanes.

Dos camiones aparcaron enfrente de la estación y un destacamento de lituanos con brazaletes blancos descendió para cerrar el paso a los recién llegados y pedirles la documentación.

Gertruda sacó la carta que le había dado el padre Gedovsky y se la tendió a un hombre fornido con el uniforme del ejército lituano y un fusil en bandolera. El hombre examinó el documento, donde constaba que Gertruda Babilinska y su hijo eran católicos. El lituano la miró con recelo.

–¿Es tu hijo? –preguntó.

–Sí.

–¿Dónde está tu padre? –le preguntó a Michael.

–Murió en la guerra –respondió el niño, como le había enseñado Gertruda.

–¿De dónde venís?

–De Radoshkowitz –repuso Gertruda.

–¿De la frontera rusa?

–Sí.

–¿Por qué motivo queríais ir a Rusia?

–Allí viven mis padres –mintió–. Quería reunirme con ellos.

–¿Y qué hacéis de vuelta en Vilna?

–No teníamos el visado de entrada.

El hombre la miró fijamente.

–Eres una espía de los rusos –afirmó categóricamente–. Todos los polacos son espías soviéticos.

La hostilidad hacia los polacos era bien conocida en Vilna. Los lituanos recurrían a cualquier medio para incriminarlos y entregárselos a los alemanes. Después de terminar con los judíos, los lituanos querían expulsar de su país también a los polacos. En la nueva Lituania independiente, provincia del Tercer Reich, no había lugar para unos ni otros.

–¡Se equivoca! –exclamó Gertruda–. ¡Yo no soy ninguna espía!

–¡Voy a tener que arrestarla! –bramó el lituano.

Gertruda palideció. Si la arrestaban la torturarían, y para ella y Michael eso podía ser el fin. Sólo disponía de una fracción de segundo para encontrar un modo de eludir el peligro.

Obsequió al soldado con una sonrisa seductora y le dijo:

–¿Por qué no lo discutimos en mi casa?

Los ojos del hombre centellearon.

–¿Dónde vives?

Gertruda le dio una dirección falsa.

–Ven a verme cuando acabes –agregó, guiñándole el ojo–. Lo hablaremos tranquilamente. Creo que me queda un poco de coñac.

–Vendré esta misma noche –dijo–. Espérame en casa.

El lituano le devolvió la carta del cura y la dejó pasar. Cuando se iba vio que hacían subir a los camiones a varias docenas de judíos: hombres, mujeres y niños. Cualquiera que tuviera algún problema o impedimento era apresado inmediatamente.

Los camiones salieron de la ciudad y torcieron al llegar a un bosque situado a unos diez kilómetros al sur de Vilna. Se adentraron en la espesura por un sendero de tierra y se detuvieron junto a una fosa gigantesca que los rusos estaban cavando para ocultar unos tanques de petróleo. La invasión alemana había interrumpido las obras y los rusos no habían tenido tiempo de ocultar los tanques.

Los lituanos hicieron descender a los pasajeros de los camiones. Los juntaron en el pequeño calvero, los organizaron en grupos de diez a veinte personas, confiscaron todos los objetos de valor que llevaban encima y les ordenaron que se desnudaran. Luego condujeron al primer grupo de judíos al borde de la fosa y les vendaron los ojos. Algunos estaban perplejos, otros rezaban, varias mujeres gritaban, histéricas; ninguno de ellos albergaba la menor duda sobre lo que iba a ocurrirles.

Los lituanos abrieron fuego y las víctimas desnudas se hincaron de rodillas y cayeron a la fosa. Los cubrieron con piedras y ramas y fueron llamando al resto de los grupos a la fosa de exterminio. Los quejidos de los moribundos no se extinguieron hasta el anochecer.

9.

El ejército alemán no tardó más que unos pocos días en transformar la ciudad en un lugar terrible y siniestro. Las fábricas cerraban, las empresas se iban a la bancarrota y las cifras de desempleo crecían a diario. Muchos lituanos fueron reclutados para engrosar las unidades paramilitares al servicio de los alemanes y muchos estratos de la sociedad dieron por fin rienda suelta al antisemitismo que llevaban tanto tiempo incubando. Una legión de soplones ayudó a los alemanes a arrestar a cualquier simpatizante soviético y las cárceles se llenaron de prisioneros arrestados en sus casas o secuestrados por la calle. El doctor Berman se quedó prácticamente sin clientela y Gertruda perdió su trabajo.

Del cuartel general del ejército de ocupación salían sin cesar nuevos decretos para oprimir a los judíos. Se trataba de una forma de tortura lenta y despiadada, concebida para que las víctimas se agitaran, padecieran y se desesperaran antes de recibir el golpe definitivo. Paulatinamente, a los judíos se les prohibió usar el transporte público, poseer un teléfono o una radio, sentarse en los cafés, ir al cine o al teatro, entrar en el barbero, pasear por las avenidas principales y tener contacto de ninguna clase con la población gentil. Para su identificación estaban obligados a llevar brazaletes amarillos.

* * *

El cuartel general alemán de la calle Zevalna, en pleno centro de la ciudad, se transformó en una fortaleza amenazadora, símbolo de un Gobierno omnipotente y atroz. A sus puertas se formaron largas colas de solicitantes que venían a averiguar lo que les había ocurrido a sus familiares encarcelados, a conseguir un permiso comercial u ofrecer sus servicios a las fuerzas de ocupación. La mayoría de ellos no hablaba alemán. A Gertruda, que dominaba el idioma, pues se había criado en una zona de mayoría germana, se le ocurrió entonces que podía sacarle partido a sus conocimientos y se acercó a los que esperaban en la cola para ofrecerse como intérprete. Un campesino la contrató de inmediato para que le redactara una petición en alemán.

–No tengo dinero para pagarte –le dijo–, pero puedo darte fruta y verdura a cambio.

Gertruda aceptó sin pensarlo dos veces. El hombre quería solicitar un permiso para abrir un puesto en el mercado agrícola y Gertruda se arrodilló en la acera y le puso la petición por escrito. El campesino se acercó entretanto a su carreta y volvió con un cesto de peras y patatas. Aquel día Gertruda escribió otras dos cartas y fue retribuida con una hogaza de pan, col y filetes de pescado ahumado.

Los días siguientes fueron aún más provechosos. Gertruda no sólo tuvo que escribir cartas sino que comenzó a trabajar de intérprete para los que tenían una entrevista en los cuarteles del ejército alemán. A la primera reunión fue asustadísima, pensando que los alemanes le preguntarían quién era, descubrirían que su niño era judío y los arrestarían a ambos. Pero la necesidad pudo más que el miedo y tuvo que sostenerles la mirada a aquellos hombres de uniforme y dirigirse a ellos con cortesía y seguridad. Para su alegría, ningún alemán mostró por ella un particular interés.

Gertruda era buena en su trabajo y no tardó en hacerse un nombre como intérprete del alemán. Volvía a casa cargada de comida. A la propietaria le daba una parte a modo de alquiler y vendía otra parte entre los vecinos.

Al cabo de un tiempo ya ni siquiera tenía que salir en busca de clientes. La gente oía hablar de ella y acudía a verla a su casa o le pedía que fuera a la suya para redactarles sus peticiones. De este modo pudo llenar la despensa y alejar de su casa el temible espectro del hambre.

Gertruda le prohibió terminantemente a Michael que saliera a la calle sin su permiso. Los soldados alemanes abordaban a menudo a los peatones para comprobar su identidad, decididos a desenmascarar a cualquier judío disfrazado de «ario». Paraban a los sospechosos para interrogarlos y torturarlos y ejecutaban a cualquiera que no pudiera disipar sus sospechas. Gertruda era consciente de que cada vez que salía de casa con Michael estaba poniendo la vida del niño en peligro.

10.

Por las calles resonaba el eco de las botas militares y la paz nocturna se veía turbada sin cesar por gritos en alemán y ruido de culatas que golpeaban contra las puertas. Los judíos, aterrorizados, se levantaban de la cama en silencio y acataban la orden de los alemanes de mudarse inmediatamente al gueto. Durante la operación de traslado de los judíos al gueto, Karl Rink terminó asqueado por la brutalidad de sus camaradas, que convirtieron la evacuación en un divertimento macabro, y se vio obligado a supervisar personalmente la conducta de las brigadas de expulsión.

En el edificio donde vivía la familia Berman los vecinos judíos se reunieron asustados en la escalera. No acababan de creer lo que decía la orden de desahucio colgada en la portería. Gertruda se encontró con el doctor Berman en el patio.

–No tenemos alternativa –le dijo el médico–. Si no queremos morir tendremos que hacer las maletas y marcharnos.

La familia Berman cargó sus pertenencias en un camión destartalado. La casera les escupió desde el umbral.

–¡Me mentisteis! –los increpó–. No me dijisteis que erais judíos.

En los pisos vacíos no tardó en disiparse el calor humano de las familias evacuadas.

El camión de los Berman avanzó pesadamente hasta el gueto, junto a una larga caravana de vehículos y carretas de caballos sobre los que se hacinaban otros judíos expulsados de sus casas en mitad de la noche, con los rostros pávidos y abatidos, muertos de frío. Ninguno de ellos sabía lo que les aguardaba, ninguno podía estar seguro de lo que les depararía el futuro.

El camión se detuvo en el centro del gueto y el conductor descargó en la acera las pertenencias de los pasajeros. Unos soldados alemanes armados pasaron junto a la caravana, profiriendo obscenidades. Un anciano muy flaco se desmayó en la calle y los soldados lo molieron a patadas para divertirse. Cuando se cansaron, salieron en busca de nuevas víctimas. El doctor Berman corrió a socorrer al anciano, pero era demasiado tarde. Estaba muerto.

Hasta donde alcanzaba la vista, la acera estaba abarrotada de judíos sentados junto a sus fardos de ropa y objetos personales. Las madres, pálidas de cansancio, daban de mamar a sus bebés hambrientos. Los enfermos se estiraban sobre sus pertenencias y rogaban para que sucediera un milagro y consiguieran ponerse en pie.

El doctor Berman dedicó varias horas a encontrar alojamiento. La oferta de pisos era muy escasa y los precios desorbitados. Al final encontró un piso de una sola pieza donde se instaló con su familia.

–¿Cómo vamos a apañárnoslas? –le preguntó su mujer, angustiada.

El médico trató de apaciguarla.

–He oído que necesitan médicos en el hospital judío. Iré allí a buscar trabajo.

* * *

En el pequeño piso del doctor Berman reinaba la incertidumbre y la tensión acumulada comenzaba a dejar huella en el rostro de su mujer. Los niños comían pan seco y bebían agua del grifo. En el dormitorio había una sola cama para los cuatro.

El doctor Berman encontró trabajo en el hospital, donde no tardó en comprobar que no era mucho lo que podía hacer por sus pacientes. Largas filas de enfermos aguardaban cada mañana junto al pequeño edificio de la calle Zavalna, demasiado pequeño para albergarlos a todos. Las reservas de medicamentos se les agotaron en pocos días y a los médicos no les quedó más remedio que ponerles compresas frías en la frente a los enfermos graves y rezar para que sanaran. La cifra de muertos aumentaba a diario.

Al cabo de dos semanas los médicos dejaron de percibir su sueldo, pues no quedaba ni un céntimo en las arcas del hospital. El doctor Berman continuó trabajando de voluntario y su mujer tuvo que vender uno a uno sus objetos de valor para mantener a la familia. Cada día pasaba largas horas en la cola de la panadería para conseguir un poco de pan. A veces las existencias se agotaban antes de alcanzar el mostrador y la mujer volvía a casa con las manos vacías. En la pequeña tienda de comestibles del gueto no había más que frutas podridas y aplastadas y verduras no aptas para el consumo humano.

Pero lo peor aún estaba por llegar. En colaboración con las tropas alemanas, los grupos paramilitares lituanos llevaron a cabo un exterminio concienzudo de la población judía del gueto. Entraban por la fuerza en las casas, anunciaban que venían a buscar a trabajadores y se los llevaban a los bosques de las afueras, donde los asesinaban a sangre fría y los lanzaban a la fosa. Otros judíos eran asaltados y ejecutados en plena calle. Los alemanes ofrecían también una jugosa recompensa a cualquiera que aportara información sobre los judíos escondidos fuera del gueto.

Incapaz de seguir pagando el alquiler, el doctor Berman se mudó con su familia al almacén del sótano del hospital judío, donde se habían instalado ya las familias de otros médicos. Vivían hacinados y en pésimas condiciones sanitarias, pero por el momento allí estaban a salvo de los lituanos y los alemanes, que no habían entrado aún en el hospital y dejaban que los pacientes fueran muriendo uno tras otro. Aun así, todos eran conscientes de que la destrucción del hospital y la muerte de todos sus inquilinos era sólo cuestión de tiempo.

Los judíos del gueto se debatían entre la esperanza y la desesperación. Muchos querían creer que los alemanes sólo querían explotarlos y no pensaban acabar con ellos. Entre ellos se contaba Jacob Gens, un antiguo agente de policía al que los alemanes habían encomendado la dirección de la policía del gueto y al que más adelante nombrarían presidente del Judenrat, el consejo judío. Gens exigía paz, obediencia y sumisión, y se oponía a la creación de cualquier organización que contemplara el uso de la fuerza para combatir a los alemanes. El doctor Berman y algunos amigo suyos discrepaban. Estaban convencidos de que los alemanes habían proyectado la destrucción total del gueto, como había sucedido ya en otras ciudades ocupadas, y decidieron crear varias células clandestinas para hacer acopio de armas y prepararse para la batalla. Itzik Vittenberg, un amigo de Berman, asumió la comandancia de la resistencia del gueto.

Pese al secretismo que rodeaba sus operaciones, un soplón desveló a los alemanes sus actividades y el nombre del jefe de la organización. Los nazis trataron de encontrar y apresar a Vittenberg, pero este se escondía en un lugar seguro, conocido únicamente por sus colaboradores más leales. Al final tuvieron que convocar a Gens para exigirle que entregara al líder de la resistencia. Gens se citó con varias docenas de judíos y les pidió que le transmitieran a Vittenberg que quería encontrarse con él para hablar de asuntos de suma importancia. Les prometió que si Vittenberg era apresado en el curso de la reunión se sobornaría a alguien para que lo liberaran, como ya había hecho con otros judíos. Vittenberg acudió a la reunión con Gens, pero sembró antes la zona de agentes de la resistencia para que velaran por su seguridad. Sus temores se confirmaron: antes de entrar en el despacho fue asaltado por dos lituanos de las SS y varios agentes alemanes, que trataron de meterle en un coche. Los guardaespaldas de Vittenberg comprendieron que había caído en una emboscada y se lanzaron sobre los lituanos para sacar de allí a su jefe, que durante la escaramuza fue herido en un brazo. Mientras el doctor Berman le vendaba la herida, Vittenberg le dijo que ahora estaba más seguro que nunca de que los alemanes trataban de apresarlo para debilitar la resistencia e impedir que les plantara batalla. Había que terminar cuanto antes los preparativos del levantamiento.

Cuando los alemanes se enteraron de que la presa se les había escurrido en sus narices llamaron a Gens y amenazaron con matar a cientos de judíos si no les entregaba a Vittenberg. Gens apeló entonces a los sentimientos de los judíos del gueto para localizar al líder de la resistencia. «Si sigue escondiéndose –les advirtió–, muchos de vosotros moriréis.»

En el gueto reinaba la incertidumbre y la angustia, y la amenaza de Gens sólo sirvió para aumentar la tensión. Cientos de hombres, mujeres y niños judíos salieron a buscar a Vittenberg. Las madres gritaban su nombre en las casas, en los almacenes y en las bodegas. «Compadécete de nuestros hijos –le decían–. Entrégate.»

La cólera de los habitantes del gueto crecía por momentos y todo el mundo criticaba abiertamente la tozudez de Vittenberg. Los pocos que se ponían de su parte salían escaldados.

Vittenberg recibía informes periódicos sobre la situación y sabía que siendo tantos los que buscaban su paradero, acabarían por encontrarlo. Tras largas deliberaciones, el comandante de la resistencia decidió convocar al doctor Berman a la remota habitación donde se escondía. El médico lo encontró pálido como una sábana.

–Los habitantes del gueto no entienden que de un modo u otro esto es el fin –le dijo, afligido–, pero prefiero que no me echen la culpa cuando los envíen a la muerte. He decidido entregarme y quería pedirte una cápsula de veneno.

El médico trató de convencerlo de que cambiara de idea

y le aseguró que la resistencia lo necesitaba ahora más que nunca, pero Vittenberg no dio su brazo a torcer. Berman lo consultó con sus compañeros, que coincidieron en que no había otra opción, y tuvo que acceder a la petición de Vittenberg y darle el veneno.

Al día siguiente Vittenberg salió de su escondite y se entregó. Los alemanes lo llevaron a la sala de torturas, donde consiguió tragarse la cápsula y murió en pocos minutos.

El doctor Berman y los demás miembros de la resistencia se habían quedado sin su líder. Estaban seguros de que el fin del gueto se acercaba y no podían hacer nada para evitarlo.

8. El salvador inesperado

1.

Gertruda no contaba con volver a verlo, y mucho menos muerto.

Pero era él, no cabía duda, con su melena negra, sus botas de cuero reluciente y la misma sonrisa maligna con la que los había sacado del coche a punta de pistola para despojar a Lydia de todo lo que le quedaba.

Emil yacía inerte en mitad de la acera, con los ojos cerrados y el pecho empapado de sangre. La gente que pasaba por ahí miraba su cadáver con indiferencia. Los muertos callejeros se habían convertido en un espectáculo cotidiano desde la llegada de los refugiados a Vilna y a esas alturas su existencia no parecía incomodar a nadie.

Dos hombres salieron de la tienda de enfrente, agarraron a Emil por los brazos y lo arrastraron lejos de la puerta. Uno de ellos esparció luego un poco de tierra para tapar la mancha de sangre.

–¿Qué le ha pasado? –les preguntó Gertruda.

–Se metió en una pelea y alguien sacó una navaja y se la clavó.

–¿Dónde vivía?

El hombre le señaló unos edificios.

–Por ahí –le dijo.

Gertruda se agachó junto al cuerpo de Emil y le inspeccionó los bolsillos, que estaban vacíos. Sin mediar palabra, se puso en pie y fue a averiguar dónde vivía. Llamó a unas cuantas puertas hasta que localizó a la portera, una mujer rubicunda entrada en carnes.

–¿Vive aquí Emil? –le preguntó.

–Sí –dijo sin inmutarse–. ¿Quién es usted?

–Su hermana.

–¿Y qué quiere?

–Emil está muerto –dijo Gertruda.

La portera encajó la noticia impasible.

–Pues suerte tengo de que me pagara el alquiler a principios de mes –gruñó–. En los tiempos que corren las personas se comportan como animales. Alquilan un piso, no te pagan el alquiler y desaparecen en mitad de la noche.

–¿Me deja entrar en su piso? –le preguntó Gertruda–. Tengo que llevarme un par de documentos familiares, si no le importa.

La portera la acompañó a una habitación cochambrosa, con una cama deshecha y un armario del que colgaban un par de camisas y unos pantalones. Gertruda se puso a buscar, pero no encontró ni rastro de las joyas o el dinero que Emil les había robado.

La portera comenzaba a impacientarse.

–Ya basta –dijo al fin–. No tengo tiempo para tonterías.

Gertruda le rogó que le dejara buscar un poco más, y hurgó entre los trastos del armario de la cocina y en los bolsillos de los pantalones colgados del armario, con la esperanza de encontrar, cuando menos, alguna de las joyas de Lydia o de los documentos que llevaba en el bolso. No encontró absolutamente nada.

Estaba a punto de irse cuando sus ojos recalaron en la pistola de Lydia, que estaba tirada al fondo del armario. Gertruda la cogió con cuidado y la portera la miró horrorizada.

–Saque eso de aquí –exclamó–. Lléveselo antes de que los alemanes me arresten por su culpa.

Gertruda se guardó la pistola en el abrigo y salió del piso.

Al salir a la calle sintió que la pistola le quemaba en el bolsillo. No sabía qué hacer con ella, pero le confería cierta seguridad.

2.

Gertruda se torturaba pensando en la suerte que correría el doctor Berman y su familia. Las noticias que llegaban del gueto eran preocupantes. A los judíos los reclutaban para realizar trabajos forzados o los mandaban a campos de concentración, y a los que trataban de huir los abatían a tiro limpio. Cuando no morían ejecutados, los judíos fallecían de hambre y de enfermedades terribles.

La familia del médico lo estaba pasando mal, de eso no le cabía duda. Posiblemente carecieran de alimentos, cuando su despensa estaba a rebosar. Hubiera querido hacerles llegar algo de comida, pero el ejército alemán había bloqueado todas las calles que conducían al gueto. Gertruda había oído decir que por las noches los niños judíos reptaban por las alcantarillas del gueto hasta los barrios vecinos para hurgar en los cubos de la basura y recoger restos de comida.

–Ojalá supiera dónde están esas alcantarillas –dijo Michael cuando ella se lo contó.

–¿Para qué?

–Para poder llevarle al doctor Berman algo de comida.

Gertruda adoraba la forma de pensar de su querido Michael. Las privaciones de la guerra le habían hecho madurar y a sus cinco años parecía ya un adulto. Pensó en la familia Berman, que debía de estar muriéndose de hambre. Había contraído una obligación moral con aquellas personas, que le habían echado un cable cuando más lo necesitaba, y ahora que se encontraban en apuros se sentía impotente para ayudarlos.

Una noche, al volver a casa después de visitar a un cliente que quería dirigir una petición al Gobierno militar, Gertruda pasó por una callejuela y vio aparecer a un niño triste con un abrigo harapiento que le iba grande. El niño le pidió una limosna y ella le dio unos céntimos.

–¿Vienes del gueto? –le preguntó.

El niño vaciló un momento antes de asentir.

–¿Conoces a un médico que se llama Berman?

–No.

–¿Vas a volver al gueto?

–¿Por qué?

–Berman es amigo mío y me gustaría mandarle algo de comida.

–Usted no podría.

–¿Por qué no?

–Porque el único camino seguro es la alcantarilla y allí abajo apesta. Es un asco, usted no lo soportaría. Pero yo puedo llevarle la comida a su amigo, puede confiar en mí. ¿Sabe la dirección?

–No tengo ni idea.

–Lo encontraré. Tengo contactos. ¿Usted cómo se llama?

–Gertruda.

Le dio la bolsa con las frutas y verduras que acababa de ganar y agregó:

–Guárdate un poco para ti.

–Gracias, señora.

–Ven mañana a la misma hora –le dijo–. Traeré más comida.

–De acuerdo.

Gertruda lo miró alejarse hasta que desapareció en la alcantarilla, volvió a casa de buen humor y le contó la historia a Michael, que la escuchó con ojos chispeantes.

–¿Y ese niño judío no tiene miedo de venir hasta aquí?

–Claro, pero tiene que hacerlo.

–Si los alemanes lo pillan lo matarán, ¿verdad?

–Puede ser.

–Debe de tener muchísima hambre. Yo haría lo mismo si no tuviéramos qué comer.

–Lo sé, Michael, lo sé –dijo, fundiéndose con él en un abrazo.

3.

El invierno de 1941 fue más frío que nunca. La nieve cubrió la ciudad con un manto blanco y la gente no salía a la calle sin un buen abrigo y una bufanda de lana. El niño del gueto tiritaba de frío en sus harapos, pero el hambre podía más que el frío. Se escapaba del gueto casi a diario y solía encontrar a Gertruda esperando en la callejuela con comida para él y para los Berman.

Una noche el niño salió de la alcantarilla tambaleándose, con las piernas trémulas.

–¿Qué te pasa? –le preguntó Gertruda, asustada.

–No me encuentro bien –murmuró el niño, apoyándose contra el muro junto al pasaje secreto que conducía al gueto–. Llevo unos cuantos días sin encontrar comida.

–Pero si te doy fruta y verdura todos los días.

El niño bajó los ojos.

–Lo que me da para el médico se lo llevo y lo que me da a mí lo vendo –dijo.

–¿Para qué?

–Para comprarle medicamentos a mi tía. Vivo con ella.

–¿Y tus padres?

–Murieron en el gueto.

–¿Cuánto tiempo llevas sin probar bocado?

–No me acuerdo.

Gertruda abrió la bolsa de comida destinada al doctor Berman y le dio una manzana, que el chico se guardó en el bolsillo.

–Quiero ver cómo te la comes –insistió Gertruda.

El niño cedió fácilmente y engulló la manzana.

–Te vienes conmigo –decidió ella de pronto.

–¿Adónde? –preguntó, mirándola maravillado.

–A mi casa.

–¿Para qué?

–Para que comas caliente –le dijo.

Al niño se le iluminó la cara.

–Por comer caliente haría cualquier cosa –dijo.

Era una decisión impetuosa y arriesgada. Gertruda era perfectamente consciente de que si caían en manos de los alemanes estaban sentenciados, pero no podía soportar ver a un niño hambriento.

–Sígueme a distancia –le dijo–. Vivo aquí cerca.

El chico la siguió como una sombra. Al llegar Gertruda echó un vistazo a la portería y cuando vio que no había nadie corrió con el niño escaleras arriba.

Michael se sorprendió al ver que tenían visitas.

–Es el niño del gueto –le dijo Gertruda–. Lo he invitado a cenar con nosotros.

Le cocinó una sopa con un pedazo de carne. El niño comió con ganas y su cara fue recuperando el color. Les habló luego de la vida en el gueto, del hambre y la escasez, de los cuerpos que encontraba por las calles y la gente que reclutaban para trabajar para los alemanes y jamás regresaban.

–Yo al final también voy a morir –dijo secamente, como quien afirma un hecho irrefutable.

–No digas eso –le reconvino Gertruda pensando en Michael, que corría también grave peligro–. La guerra terminará, la vida volverá a su cauce y volverás a casa.

–La guerra no va a terminar tan pronto –dijo el niño, adoptando el tono de una persona que lo ha visto todo y todo lo sabe–. Primero nos matarán a todos. Nadie tiene la menor posibilidad de salir con vida del gueto.

Gertruda le dio un poco más de comida para él, le tendió la bolsa de víveres para la familia Berman y echó un vistazo a la escalera para asegurarse de que nadie lo veía salir.

Por la ventana de su casa vio su diminuta figura avanzar pegada a los edificios, de camino al pasaje secreto.

–Espero que llegue sano y salvo –dijo Michael.

–Yo también.

4.

La nieve se acumulaba en las calles y el frío se hacía cada vez más intenso. Gertruda quemaba en el hogar la leña que le había dado un granjero que necesitaba una intérprete. Se les podía acabar muy deprisa y tuvo que administrarla con tiento. Cuando el hogar se apagaba hacía un frío glacial, cortante, que le dolía en las carnes y le daba miedo. Más que cualquier otra cosa, Gertruda temía que Michael se constipara, tuviera que guardar cama y necesitara el auxilio de un médico. Cualquiera descubriría de inmediato que Michael estaba circuncidado, revelaría su secreto y era muy probable que los entregara a los alemanes. La mera idea de separarse de Michael y no saber más de él le daba pavor.

Michael superó los primeros meses del invierno, pero en diciembre contrajo una pulmonía. Tenía una fiebre altísima, deliraba y no podía respirar con normalidad. Gertruda hacía lo que podía para cuidar de él con sus escasos medios, le ponía compresas frías en la frente y rezaba por él a todas horas, pero la fiebre aumentó y su respiración se convirtió en un silbido. Ella velaba junto a su cama, impotente, esperando en vano a que mejorase. Sólo un médico podía ayudarlo y sólo había uno en quien ella pudiera confiar.

Gertruda estaba decidida a dar con él, sin reparar en riesgos. Un día le dijo a Michael que tenía que ausentarse un rato y habría de pasar solo unas horas.

–No le abras a nadie –le ordenó–. Y si alguien te llama a través de la puerta, no respondas.

–Bueno –susurró el niño–. Pero no tardes, ¿eh?

Gertruda se puso el abrigo de piel de Lydia y se fue a la callejuela del pasaje secreto con la esperanza de encontrar allí al niño judío para pedirle que llamara al doctor Berman, pero el niño no estaba. Se escondió durante horas en el portal de la casa que había junto a la boca de alcantarilla. Pasaron unos guardias alemanes pero no la vieron. Hacía un frío espantoso y tenía el cuerpo congelado. No dejaba de pensar en Michael, febril en su piso, y el miedo de que su estado pudiera empeorar le crispaba los nervios. Las horas transcurrían y Gertruda sabía que al amanecer las posibilidades de entrar en el gueto y buscar al doctor Berman se esfumarían.

Sólo había un modo seguro de dar con él. Se agachó junto a la abertura y entró en las alcantarillas, ajena al peligro, a la peste y al líquido hediondo sobre el que caminaba encorvada.

Las calles del gueto estaban en silencio. En algunas ventanas alumbraba la luz de una vela contra la que desfilaban siluetas negras. Las aceras nevadas apestaban a basura amontonada y cuerpos descompuestos. Vio un camión repleto de soldados alemanes que se detuvo junto a una de las casas. Los soldados entraron en estampida y sacaron a un grupo de hombres, mujeres y niños asustados, a los que hicieron subir al camión. Sólo unos pocos habían tenido tiempo de ponerse un abrigo sobre el pijama. El resto temblaba de frío. Los niños lloraban y los soldados los golpeaban con las culatas de sus fusiles para hacerlos callar. Gertruda se arrodilló junto a un montón de basura hasta que el camión desapareció y siguió su camino. Entró en una casa vecina y llamó a todas las puertas, suplicando que le abrieran. Al cabo de una larga espera una de las puertas se entreabrió. Por la rendija apareció el ojo temeroso de una anciana. Cuando le preguntó la dirección del médico, le dijo que no lo conocía y cerró de un portazo.

Gertruda tuvo que preguntar en muchas otras puertas para dar con el paradero del médico. Avanzando penosamente por la nieve, enfiló luego hacia el hospital donde vivía el doctor Berman con su familia. Tenía los pies congelados, le castañeteaban los dientes y miraba sin cesar en todas direcciones para asegurarse de que no había soldados alemanes por los alrededores.

Al llegar al hospital se metió en la escalera, que estaba a oscuras, encontró a tientas el camino hasta el sótano y llamó a la puerta. Del interior le llegó el frufrú de unos pasos asustados y un susurro precipitado, pero nadie abrió.

–Estoy buscando al doctor Berman –gritó en polaco, desesperada–. Es muy urgente.

La puerta se abrió, pero el piso estaba más oscuro aún que la escalera. Oyó una voz masculina que le preguntaba desde el interior:

–¿Quién eres?

Escuchar aquella voz familiar la llenó de alegría.

–Soy yo, Gertruda, la niñera de Michael Stolowitzky.

–¡Gertruda! –exclamó el médico, que no acababa de creérselo–. Pasa, pasa, por favor.

–Michael está muy enfermo, doctor –le dijo con la voz quebrada, y se echó a llorar.

–¿Qué le pasa?

Gertruda le describió someramente los síntomas de la enfermedad.

–¿No lo ha visto ningún médico?

–No. Tengo miedo de llamar a un desconocido.

–¿Cómo has llegado hasta aquí?

–Por las alcantarillas.

–¿Te ha visto alguien?

–No.

–Dame un minuto. Cojo el maletín y vamos para allá.

Al observarlo ahora a la débil luz de la lámpara de queroseno, el médico le pareció un esqueleto andante. Tenía el rostro consumido, curtido de padecimientos, y su cuerpo había perdido buena parte de sus carnes.

Se acercó entonces la mujer del doctor.

–Antes de irte toma un poco de té. Debes de estar congelada.

–No hay tiempo, Michael me espera.

–No te imaginas lo mucho que apreciamos tu ayuda –le dijo la mujer–. Con tu comida nos has salvado la vida, de verdad.

La mujer contempló asustada cómo su marido metía el instrumental en el maletín. Sabía que iba a arriesgar su vida y que era probable que los alemanes lo apresaran, pero se limitó a decirle:

–Ten cuidado, por favor.

Cuando estaban a punto de salir, el doctor Berman besó a su mujer en las mejillas.

–Tranquila –le dijo–. Estaré de vuelta antes del amanecer.

Al salir a la calle sintieron el aire frío de la noche en el que parecía palparse un peligro denso y amenazante. Los guardias alemanes hacían la ronda del gueto una y otra vez, con los dedos puestos en el gatillo de sus ametralladoras. Cualquier figura que se moviera de noche era un blanco y los alemanes preferían las balas a las preguntas. Gertruda estaba contentísima de que, a pesar de los riesgos, el doctor Berman no hubiera vacilado en acompañarla.

–¿Cómo les va aquí dentro? –le preguntó en voz baja mientras caminaban por la nieve.

–Podría irnos mejor. La comida escasea, la gente muere como moscas y los alemanes están liquidando el gueto sistemáticamente. Cada día mandan a más gente a lo que ellos llaman «campos de trabajo». Ninguno ha vuelto al gueto.

–¿Puede trabajar?

–Sí. Por desgracia, pacientes no nos faltan. No tienen con qué pagarme, claro, pero trato de ayudarles como mejor puedo. En las condiciones en que viven, sin comida ni calefacción, con las reservas de fármacos a punto de agotarse y sin forma de hospitalizar a nadie, no hay mucho que podamos hacer.

–¿De qué viven?

–De la comida que nos mandas, de lo que sacamos por nuestros objetos de valor, de la esperanza de que llegarán días mejores.

El camino hasta las alcantarillas estuvo erizado de peligros, como era de esperar. Caminaban pegados a las casas y en varias ocasiones se cruzaron con una patrulla y tuvieron que esconderse. Afortunadamente, el acceso estaba despejado. Entraron gateando a las alcantarillas y, con el alma en vilo, salieron al otro lado de la ciudad. Eran conscientes de que el peligro no había pasado. Los judíos que las patrullas alemanas pillaban saliendo clandestinamente del gueto eran ejecutados en el acto.

Por fin llegaron a su casa y Gertruda abrió la puerta. El fuego se había apagado, no quedaba ni el rescoldo, y la lámpara de queroseno sobre la mesa alumbraba el rostro del niño enfermo, que seguía en cama, abrigado de mantas hasta la barbilla.

–Hola, doctor –murmuró.

–Hola, Michael. A ver si la próxima vez que nos vemos estás bueno…

El médico pasó un buen rato auscultándolo.

–Pulmonía –confirmó.

Del maletín sacó unos medicamentos para facilitarle al niño la respiración. Eran los únicos que tenía y podía haber sacado una fortuna por ellos en el mercado negro. Cuando acabó de darle a Gertruda las instrucciones para cuidar de Michael, estaba ya a punto de amanecer.

–Tengo que darme prisa –dijo.

Gertruda le dio las gracias con lágrimas en los ojos, le llenó la bolsa de comida y le dio unos céntimos.

–Cuídese –le dijo.

El médico bajó sigilosamente por la escalera y salió a la calle. La nieve seguía cayendo y aún reinaba la oscuridad. Al rayar el alba llegaba sin incidentes al sótano del hospital, donde su mujer corrió a abrazarlo.

Mientras el niño se reponía, Gertruda no dejó de pasar ni un solo día por la callejuela donde se encontraba con el niño que introducía en el gueto comida de contrabando. Le llevaba fruta, verdura y pan para la familia Berman, y un poco de comida para él por hacerle de recadero.

5.

Joachim Turner entró en las oficinas del banco de Zúrich, habló con uno de los empleados y no tardó en salir con un maletín lleno de billetes. Fue a la estación de ferrocarril, compró un billete a Génova y desde allí fue a Pontremoli, donde pasó varias horas buscando la dirección que Jacob Stolowitzky le había enviado en un telegrama. Turner llamó a la puerta y la abrió Anna, que lo miró con ojos inquisitivos.

–Me llamo Turner –se presentó, con cierta vacilación–. ¿Vive aquí el señor Stolowitzky?

–Sí, sí. Pase, por favor. Soy Anna, su mujer. Mi marido lo espera desde hace un tiempo.

El abogado suizo entró y Jacob Stolowitzky salió a recibirlo. Los dos se fundieron en un abrazo.

Joachim Turner sacó varios fajos de francos suizos del maletín y se los dio a Stolowitzky.

–Cuando necesites más dinero –le dijo el abogado–, envíame un telegrama y volveré.

Mientras tomaban café, Stolowitzky le contó a su agente que se había casado con Anna después de hacerse a la idea de que su mujer y su hijo habían muerto en la guerra. Le pasó a su mujer el brazo por los hombros y Anna le sonrió con afecto.

–Nos instalamos aquí en cuanto nos casamos –dijo, a modo de disculpa–. No hemos tenido tiempo de arreglar la casa.

–Os deseo mucha suerte –le dijo Turner, que no salía aún de su sorpresa al ver a su amigo casado por segunda vez.

–Es una mujer maravillosa –dijo Stolowitzky–, y yo me sentía tan solo... Anna me devolvió la alegría y nos enamoramos.

Turner se sentó en un sofá raído.

–Es un alojamiento temporal, naturalmente –le dijo Jacob–. Cuando termine la guerra nos mudaremos a nuestra propia casa. Si es que sigo con vida, claro.

–No digas tonterías.

–Si los alemanes llegan aquí me voy derecho al campo de concentración –dijo el gran empresario de Varsovia.

–¿No hay ningún otro judío en este pueblo?

–No.

–En ese caso, ¿qué se les ha perdido aquí a los alemanes?

–Gracias por los ánimos, Joachim. Siempre te has portado como un buen amigo. Quería pedirte una cosa, una cosa importantísima.

–Lo que tú digas.

–Quiero hacer mi testamento.

–¿Tu testamento?

–No puedo descartar ninguna posibilidad, ni siquiera la

más funesta. Me gustaría que fueras testigo de mis últimas voluntades.

Joachim Turner asintió en silencio. Stolowitzky cogió entonces la pluma y comenzó a escribir:

> Yo, Jacob Stolowitzky, estando en plenas facultades físicas y mentales, dispongo que a mi muerte todos mis bienes pasen a manos de doña Anna Massini, con quien me casé después de llegar a la conclusión de que mi mujer Lydia y mi hijo Michael habían fallecido. Si mi mujer y mi hijo siguieran con vida, a ellos les lego todos mis bienes y a Anna Massini una pensión vitalicia de 10.000 francos suizos.

Al acabar le pidió a su huésped que diera fe del documento y Turner accedió.

–Brindemos por el fin de la guerra –dijo antes de partir.

Cuando se hubo marchado Anna se volvió hacia su marido.

–Me has sorprendido con el testamento –le dijo–. Espero que sepas que no me casé contigo por tu dinero.

–Lo sé, querida.

6.

En mitad de la noche oyó un golpecito en la puerta y se despertó sobresaltada. A Gertruda las visitas intempestivas le daban miedo. Sabía que la mayor parte de ellas terminaban mal. Vio que Michael dormía profundamente bajo las mantas de su cama de matrimonio, se puso un abrigo sobre el camisón y se acercó a la puerta, angustiada.

–¿Quién es? –preguntó antes de abrir.

–Denka. Abre la puerta, por favor. No te arrepentirás...

Gertruda recordó su último encuentro con Denka en las escaleras, cuando trató de convencerla para espiar al doctor Berman y delatarlo a los rusos. Los vecinos le habían dicho que tras la ocupación se había cambiado de chaqueta y ahora trabajaba para los alemanes, denunciando a la gente que había tenido algún puesto de responsabilidad bajo el dominio soviético. También ganaba una fortuna en el mercado negro comprando joyas a los refugiados a cambio de comida y vendiéndoselas luego a los alemanes a cambio de cigarrillos, pan y comida enlatada. Iba siempre de punta en blanco, hablaba con arrogancia y se había ganado la ojeriza de todo el inquilinato del edificio de su hermana.

–No puedo abrirte –dijo Gertruda, con voz trémula–. Es muy tarde.

Denka no se dio por vencido.

–Es muy importante –dijo.

–Ya hablaremos por la mañana –lo intentó ella una vez más.

–Por la mañana será demasiado tarde.

Su voz se había vuelto agresiva.

No sin cierta vacilación, Gertruda abrió la puerta y Denka entró trastabillando. Apestaba a alcohol y a tabaco.

–¿Qué quieres? –le preguntó, apretándose el abrigo contra el cuerpo.

Denka le acarició el rostro con su mano áspera. Gertruda se estremeció.

–¿Qué quieres? –repitió, exigiendo una respuesta.

–Tranquila –dijo él, sonriente–. Ya sabes que yo te quiero bien.

Denka sacó del bolsillo del abrigo dos latas de sardinas y las puso sobre la mesa.

–Un regalito –dijo con voz ronca.

–Gracias –repuso Gertruda, a regañadientes.

Denka paseó la mirada por el cuchitril donde vivía con Michael.

–Corren tiempos difíciles, ¿eh?

–No me quejo.

–¿Puedo hacer algo por ti?

–No.

–¿Dinero? ¿Comida? ¿Cigarrillos? ¿Golosinas para el chaval? Sólo tienes que pedírmelo, ya lo sabes.

–No necesito nada, Denka. Te agradezco el ofrecimiento. Y ahora vete, por favor.

Denka no parecía dispuesto a marcharse. En lugar de dar media vuelta se arrimó más a Gertruda, que dio un paso atrás. Denka la agarró, le abrió el abrigo y paseó sus manazas por su camisón, estrujándole los pechos.

–No –suplicó Gertruda–. No, por favor.

Pero Denka no le prestaba ya ninguna atención. Le hizo jirones el camisón y Gertruda no supo cómo defenderse. Era demasiado fuerte para ella. No gritó hasta que la tiró al suelo y se echó sobre ella. Pensó que Denka tendría miedo de despertar a los vecinos, aunque sabía que muy pocos se atreverían a acudir en su ayuda. El hermano de la casera los tenía a todos atemorizados.

Denka le tapó la boca con la mano, le abrió las piernas y rugió como una bestia. Con las fuerzas que le quedaban, Gertruda consiguió zafar la mano derecha y le metió un dedo en el ojo. La uña afilada le arañó el cristalino y le dejó aullando de dolor. Por un momento soltó la presa y ella consiguió huir a la otra habitación y sacar la pistola que guardaba bajo el colchón. Denka fue tras ella, pero se detuvo en seco al ver que estaba encañonándolo.

–¡Fuera de aquí! –bramó Gertruda.

Denka permaneció un momento inmóvil, indeciso. Luego soltó una maldición y se marchó. Gertruda le pasó el pestillo a la puerta y se quedó un buen rato en el suelo, temblando por el frío y el miedo de que en cualquier momento aquel gorila arremetiera contra la puerta y la tirase abajo. Pero no fue así.

Al cabo de un rato volvió a la cama y abrazó a Michael, que seguía profundamente dormido. El calor de su cuerpo disipó el frío que le atenazaba las extremidades y el miedo que le oprimía el corazón.

7.

El pequeño contrabandista del gueto paseó la mirada en derredor, temeroso, pero la calle seguía desierta y la noche era negra como la pez. No habían visto a ningún soldado alemán por la zona ni habían oído el paso de ningunas botas militares. Gertruda le dio dos bolsas cargadas de frutas y verduras.

–Es la última vez –le susurró él.

–¿Por qué?

–En el gueto están planeando un alzamiento. No creo que pueda volver por aquí.

Las palabras del niño la asustaron. En el gueto los alzamientos eran batallas perdidas de antemano y temía por la vida del doctor Berman y su familia.

Gertruda regresó a casa sumida en sus pensamientos. Estaba dispuesta a hacer cualquier cosa para echar una mano al puñado de judíos desesperados que, contra todo pronóstico, habían decidido plantar cara a los alemanes, pero no se le ocurría el modo. Fue más tarde, en mitad de la noche, cuando le asaltó la idea. Sí, pensó, había una forma de ayudarlos.

Al día siguiente, por la noche, Gertruda volvió a pasar por la callejuela donde se ocultaba la boca de la alcantarilla. Sabía que el chico no iba a venir, pero aun así le esperó un buen rato. Cuando estuvo segura de que no aparecería, entró en la alcantarilla con decisión y avanzó por ella como pudo hasta llegar al gueto. Salió corriendo de la boca de salida y fue derecha al hospital judío. El doctor Berman la saludó, amedrentado.

–No tendrías que haber venido –le dijo–. Es peligrosísimo.

–Vengo a darle una cosa –dijo Gertruda, sacando del bolso una vieja camisa hecha un rebujo, de la que sobresalía el cañón de una pistola.

Era la pistola que Emil le había robado a Lydia.

–Quédesela –agregó, jadeando de excitación–. Puede que le sea útil.

El doctor Berman agarró la pistola y la apretó contra su pecho.

–No sabes lo mucho que te lo agradezco.

El gueto estaba desierto cuando emprendió el camino de vuelta al barrio cristiano. Cruzó deprisa los grandes y oscuros canales de las alcantarillas, salió a la calle y miró en derredor, por si pasaba alguna patrulla militar nazi. En apenas unos minutos estaría de vuelta en casa. «Michael estará durmiendo», pensó.

Pero sus peores temores se hicieron realidad junto a la boca de la alcantarilla, donde el silencio de la noche fue hendido de pronto por el chasquido de un fusil y un grito estridente en alemán:

–*Halt!*

Gertruda se detuvo, muerta de miedo, y en el adoquinado resonaron las botas militares. Dos soldados alemanes surgieron de la oscuridad del callejón y la encañonaron con sus armas.

–¡Maldita judía! –exclamó uno de ellos–. ¿Qué haces aquí?

–No soy judía.

–¡Mentirosa! ¿Te has escapado del gueto? –le preguntaron.

Gertruda les dio la carta del padre Gedovsky y uno de ellos la leyó con atención.

–Si no eres judía –le dijo–, ¿qué hacías en el gueto?

Desesperada, trató de dar con alguna excusa que los soldados pudieran creer.

–Estaba buscando a un judío que me debe dinero –dijo, tras un momento de vacilación.

–¿Dónde vives?

–En la calle Mala Stefanska.

–¿Cómo has llegado hasta el gueto?

–Por las alcantarillas –dijo–. Pensé que era el único modo de entrar.

–¿Quién te ha mostrado el camino?

–Lo conoce todo el mundo.

Los alemanes se miraron, extrañados. No acababan de despejar sus sospechas.

–Te vienes con nosotros –le ordenó uno de los soldados.

–¿Adónde? Tengo un niño esperándome en casa.

–Pues que espere –zanjó el soldado.

La escoltaron hasta el cuartel general de la Gestapo y la condujeron a un pequeño cuarto del segundo piso del funesto edificio, donde un oficial nervioso anotó sus datos personales.

–Y ahora, dime la verdad –dijo, alzando la voz–. ¿Qué hacías en el gueto? ¿Llevabas armas para la resistencia?

Gertruda se quedó blanca. La acusación no podía ser más certera.

–Fui a cobrar una deuda.

–¿Qué deuda?

–Me gano la vida redactando peticiones oficiales –dijo–. Le escribí una a un judío y aún no me ha pagado.

El alemán le pidió el nombre y la dirección del presunto acreedor. Gertruda le dio una dirección y un nombre inventados.

–¿Tienes contacto con judíos? –le preguntó.

–Tengo contacto con cualquiera que me encargue escribir una carta en alemán. Algunos de mis clientes son judíos.

–¿Y aparte de tus clientes?

–No tengo contacto con ningún otro judío.

–No te creo.

Gertruda le lanzó una mirada suplicante.

–Déjeme marchar, por favor. Mi hijo está solo en casa.

–Si quieres marcharte vas a tener que decirme la verdad –insistió el oficial.

–Ya se la he dicho.

–Arriesgarse a entrar en el gueto para cobrar cuatro céntimos no me parece muy sensato. Estás ocultándome algo.

Gertruda lo negó con convicción.

El oficial alzó la mano y le propinó un bofetón.

–Y esto es sólo una caricia –le dijo–. Te conviene decir la verdad.

Gertruda se acarició la mejilla, que le escocía, y el oficial le propinó un puñetazo en el pecho. Un dolor agudo le recorrió el cuerpo. Su silencio enfureció aún más al alemán, que le dio una patada y le tiró del pelo brutalmente.

Gertruda gimió de dolor pero no dijo una palabra. Si

le decía la verdad, si le confesaba lo que había hecho en el gueto, para ella y para Michael sería el fin. La mera idea de que algo pudiera pasarle a Michael le insufló fuerzas y se le ocurrió que no había en el mundo tortura que pudiera hacerla hablar.

En este punto los alemanes discrepaban. La tortura era siempre una herramienta eficaz para quebrar al sujeto de un interrogatorio. La que le infligieron a Gertruda a continuación no cesó hasta que perdió el conocimiento. Cuando despertó se hallaba tendida en el duro colchón de un calabozo. Podía oír los suspiros y las voces ahogadas de los demás detenidos, pero la oscuridad era absoluta. Sentía un dolor espantoso, pero peor era el miedo que le invadía por la suerte que pudiera correr Michael. Si había sido capaz de sobreponerse a todas las dificultades y salvar cualquier obstáculo desde que estallara la guerra era gracias a su fuerza de voluntad, su amor por el niño y su firme determinación de cumplir la promesa que le había hecho a su madre. Rogó para que esas virtudes la ayudaran también ahora a seguir adelante.

Los minutos parecían horas y las horas días. No tenía ni idea de la hora que era, ni siquiera sabía si era de día o de noche, y se preguntaba qué sería de Michael cuando despertara y no la encontrara en casa. De pronto la puerta se abrió y un carcelero la llamó a gritos.

–Acompáñame –le dijo.

Gertruda se incorporó en el colchón, dolorida. Suponía que era hora de retomar la tortura y que esta vez iba a ser más larga y dolorosa, pero el carcelero la condujo a su despacho, le pidió que estampara una firma en la declaración de descargo y la dejó marchar.

Salió de allí corriendo, sin acabar de creerse aún que la hubieran liberado. Cada paso que daba era un tormento, pero trató de abstraerse del dolor y se apresuró a volver a casa. Al abrir la puerta encontró a Michael sentado en la mesa, llorando. Gertruda extendió los brazos y el niño corrió a abrazarla.

–Estaba muy preocupado –le dijo–. ¿Qué te ha pasado? Tienes la cara ensangrentada.

–He tenido un accidente. Un coche me ha atropellado.

–Ve a acostarte. Yo cuidaré de ti.

La condujo a la cama, empapó una toalla y le limpió la sangre coagulada del rostro.

–Descansa –le dijo–. Ya se te pasará.

* * *

Gertruda guardó cama toda la noche y todo el día siguiente. Cuando anocheció, sintió un vago malestar. Acostó a Michael y se alegró de comprobar que el niño se dormía en el acto. Luego se asomó a la ventana y se quedó allí en pie varias horas, vigilando la calle, sin saber exactamente qué estaba buscando.

La ventana daba a varias casas que habían pertenecido a familias judías pudientes. En aquellos alféizares habían florecido en otro tiempo geranios rojos y blancos, regados a diario. Aquellas mismas ventanas se habían abierto para que la brisa hiciera danzar las cortinas de encaje y de las calles transitadas llegaran las voces de los niños que jugaban al pilla pilla y el verde de los parques por los que paseaban, cogidas del brazo, las parejas de enamorados.

Ya no había flores en los alféizares ni sirvientes atareados por la casa, los niños habían desaparecido y otro tanto habían hecho las parejas de enamorados. Ahora las ventanas daban a las ventanas de otras casas vacías, oscuras como las cuencas vacías de un cadáver. Muchos de los que vivían en aquellas casas habían pasado a mejor vida. Otros libraban ahora una batalla de supervivencia en el gueto.

Gertruda se estremeció.

Un coche avanzaba con los faros apagados por el pavimento de la calle desierta. El coche estacionó en la acera y salieron de él cuatro jóvenes con el pelo rapado e impermeables negros que entraron en su portal.

Gertruda se arrodilló y rezó una oración, cerró la ventana y apagó la lámpara de queroseno. Desde la cama, al fondo de la habitación, oyó la voz suave de Michael que le preguntaba qué pasaba.

–Nada –le dijo–. Vuelve a dormir.

Gertruda pegó la oreja a la puerta para oír lo que sucedía en la escalera. Durante un instante reinó el silencio, luego se oyó el eco de las botas claveteadas que subían por la escalera.

El niño abrió los ojos, saltó de la cama y se acurrucó entre los brazos de Gertruda.

–¿Vienen a por nosotros? –le susurró.

–Esperemos que no.

–Y si vienen aquí, ¿qué?

–No tengas miedo, no nos harán ningún daño. Vuelve a la cama.

Trataba de apaciguar al niño, pero en su fuero interno no se creía ni una palabra de lo que decía. Con el corazón en un puño, esperó a que llamaran a la puerta. Sabía que venían a su casa.

De pronto un puño aporreó la puerta. Gertruda abrazó a Michael y le hizo una seña para que se quedara callado.

La puerta se abrió de un puntapié.

–¡Enciendan la luz! –gritó alguien en alemán.

Gertruda obedeció y vio tres fusiles que los apuntaban.

La mujer y el niño miraron aterrorizados a los soldados y pensaron que ya era demasiado tarde para escapar, para encontrar un lugar seguro, para salvarse. Más que por su propia suerte, el corazón de Gertruda se encogía por la de aquel niño al que primero le habían arrebatado su infancia feliz y ahora podían quitarle la vida.

–¿Dónde está la pistola? –gruñó uno de los alemanes.

–¿Qué pistola? –dijo Gertruda, abriendo la boca en un gesto de simulada sorpresa.

Supuso que se lo habría dicho Denka para vengarse por su rechazo, como le había prometido hacer.

Uno de los rifles disparó e hizo añicos la ventana. Michael se echó a llorar en silencio.

–¡Primer y último aviso! –gritó el hombre.

–No tengo ninguna pistola, nunca he tenido una pistola –insistió Gertruda, dando gracias al cielo por haberse desprendido del arma a tiempo.

Los hombres de los impermeables negros registraron el piso de arriba abajo. Hicieron jirones la ropa de cama, esparcieron por el suelo la ropa del armario, levantaron las tablas de parqué y como no encontraron nada tuvieron que marcharse soltando maldiciones.

8.

En el gueto de Vilna se ultimaban los preparativos del alzamiento. Con gran esfuerzo la resistencia pudo reunir unas cuantas armas y algo de munición. Sus miembros se movilizaron para el combate y se adiestraban clandestinamente. Se ideó un complejo sistema de ataque y defensa, pero un buen día los preparativos se interrumpieron. El puñado de hombres y mujeres que integraban la resistencia decidieron aparcar el alzamiento, comprendiendo que no tenían ninguna posibilidad de éxito contra la movilización militar y armamentística del enemigo. En lugar de atacar decidieron escapar del gueto, esconderse en los bosques de las afueras y unirse a los partisanos para tender emboscadas a los alemanes.

Al doctor Berman le resultó muy doloroso separarse de su familia, pero al final les anunció su decisión de unirse a los partisanos y les prometió volver pronto. Sin embargo, tanto su mujer como sus hijos sabían que seguramente no volverían a verlo.

–No hay otra salida, tenéis que entenderlo –les dijo mientras ocultaba entre sus ropas la pistola de Gertruda–. Hay que combatir. Si no nos enfrentamos a los alemanes, nos matarán a todos.

Su mujer se enjugó las lágrimas y lo besó. Él la abrazó, cubrió a sus hijos de besos y salió a hurtadillas del gueto. Siguiendo un camino que muy pocos lograban atravesar con vida, llegó por fin al bosque de Botovitc, donde encontró a sus amigos de Vilna preparándose para el combate.

Aquella misma noche los partisanos tendieron una emboscada a un convoy de armamento alemán, al que acribillaron a tiros cuando atravesaba el bosque. Algunos de los escoltas nazis murieron en el acto y otros huyeron. Sus armas, sus fusiles, pistolas y morteros cayeron en poder de los partisanos.

Sin embargo, la guerra de guerrillas no siempre se saldaba con éxito. Muchos de los partisanos judíos de Vilna fueron abatidos, heridos o capturados. La vida en el bosque era dura y peligrosa. Escaseaban los víveres, el sueño era fragmentario y atormentado, cambiaban de escondite con frecuencia, pues las patrullas alemanas barrían el bosque sin cesar. El doctor Berman, como el resto de partisanos del gueto, no mantenía ningún contacto con su familia. Temía por la vida de su mujer y sus hijos y de noche le asaltaban pesadillas terribles sobre las dificultades que estarían atravesando.

Un amanecer nevoso de invierno los partisanos tendieron una emboscada a los alemanes junto a la autopista de Vilna. Después de sufrir muchas bajas en varias emboscadas, los nazis estaban mucho más preparados e iban siempre con mucho cuidado, listos para contraatacar. El convoy de media docena de camiones, escoltado por soldados armados, avanzaba a bastante velocidad. Los partisanos abrieron fuego y abatieron a varios soldados, pero sus camaradas saltaron de los camiones y se lanzaron en pos de los atacantes.

Los partisanos se batieron en retirada por el bosque, pero los alemanes iban pisándoles los talones y muchos de ellos murieron acribillados. El doctor Berman fue uno de los primeros en caer.

Una semana más tarde el ejército nazi entró en el hospital judío, sacó a todos los inquilinos del sótano y los envió a las cámaras de gas, donde murieron la esposa y los hijos del doctor Berman.

9.

Cada minuto, cada hora del día y de la noche estaban impregnados de un miedo paralizante. La línea que separaba el silencio y el desastre inevitable era delgada y frágil. Resultaba imposible saber qué iba a suceder al cabo de un instante, quién llamaría a la puerta ni por qué o quién entraría por la fuerza al no recibir respuesta.

Gertruda vivía en una pesadilla permanente y pasaba noches enteras en vela escuchando cada ruido procedente de la calle o la escalera. En aquel momento, la guerra había llegado a su apogeo y corrían rumores sobre las nuevas conquistas alemanas. Nada indicaba que la contienda fuera a tener fin.

Gertruda pasaba mucho tiempo en casa con el niño. Cuando venía un cliente a pedirle que le escribiera una carta, Michael se quedaba jugando en su habitación, con la puerta cerrada. Le encantaba estar con ella. Se pasaban el día leyendo libros y jugando. De tarde en tarde, cuando Gertruda se persuadía de que no había patrullas alemanas por el barrio, lo sacaba a hurtadillas de casa y se iban a dar un paseo.

Un sábado por la mañana los dos salieron a dar una vuelta por las calles desiertas. Al regresar, un *jeep* se detuvo a su lado y una patrulla alemana saltó y les cortó el paso. Eran cuatro, dos soldados, un sargento y un oficial, y no tenían forma de escapar.

–¡Documentación! –les ordenó el sargento.

Gertruda le dio su pasaporte y el sargento se quedó mirando a Michael.

–Es mi hijo –dijo ella.

–¿Cuántos años tiene?

–Seis.

–¿Y tu marido?

–Murió en la guerra.

–¿Cuándo?

–Cuando su ejército invadió Polonia. Mi marido servía en el ejército polaco.

–¡Los documentos del niño!

Gertruda y Michael. Vilna, 1942.

–No los tengo –dijo tratando de conservar la calma–. Me los robaron cuando huimos de Varsovia.

Los alemanes estudiaron minuciosamente el certificado que le había dado el cura, mientras Michael los miraba aterrorizado.

–¿Es tu madre? –le preguntó un soldado.

El niño miró a Gertruda, que le tradujo la pregunta al polaco, y asintió.

–¿Cómo se llama?

–*Mamusha*.

–¿Y tu padre?

–Marek –se apresuró a responder Gertruda, que se maldecía ahora por no haber preparado al niño para un verdadero interrogatorio.

–¡No te lo pregunto a ti! –gritó el sargento alemán–. Ven aquí, chaval.

Gertruda le cogió la mano a Michael y lo acercó al soldado, rezando para que aquel encuentro no acabara mal.

–Bájale los pantalones –le ordenó el alemán.

Gertruda se quedó de piedra.

–¿Para qué? –preguntó desesperada, aunque sabía muy bien por qué.

–Para asegurarnos de que no es judío.

–No le hagáis esto en mitad de la calle –les suplicó–. Es humillante.

La gente que pasaba los miraba con indiferencia. En Vilna aquel era un espectáculo cotidiano, sin ningún interés.

–¡Tú a callar! –bramó el sargento–. ¡Bájale los pantalones al niño o se los bajaré yo!

Gertruda miró al alemán con odio y sintió que la cabeza le daba vueltas. Su cuerpo se desplomó sobre la calzada y perdió el conocimiento.

Cuando volvió en sí, tenía la cara empapada del agua helada que un soldado le echaba con la cantimplora. El oficial se agachó a su lado y le pidió que se levantara, pero ella apenas podía tenerse en pie.

–¿De qué tienes miedo? –le preguntó el oficial.

–De nada –dijo–. Es sólo que llevo varios días sin probar bocado…

El sargento agarró firmemente a Michael por los hombros.

–¡Bájate los pantalones! –le ordenó nuevamente.

El niño miraba a su niñera, desconsolado, y Gertruda callaba. Sabía que todo había terminado, que el juego había acabado. Había llegado la hora de pagar por sus mentiras.

Michael se quedó inmóvil y el sargento alemán, echando chispas, se dispuso a bajarle los pantalones. Michael tiraba de ellos con toda su fuerza, tratando de impedir que el sargento lo desnudara.

El oficial, que llevaba un buen rato a su lado sin decir nada, se acercó entonces al sargento.

–¡Deja al niño tranquilo! –le ordenó.

El sargento lo miró sorprendido y soltó los pantaloncitos de Michael.

–¿De verdad es su hijo? –le preguntó luego a Gertruda.

–Sí.

–¿Seguro que ninguno de los dos es judío?

–Seguro.

–Muy bien, les creo –dijo.

Karl Rink miró a Michael con afecto y pensó en la angustia que estaría pasando. Ojalá hubieran podido sacarle a tiempo de aquel infierno, como él había sacado a su hija de Alemania antes de que sus compañeros de las SS la arrestaran. Con una madre judía no hubiera tenido ninguna posibilidad de sobrevivir en Alemania, y las posibilidades de sobrevivir de aquel niño también eran prácticamente nulas.

–¿Dónde viven? –preguntó el oficial.

–En la calle de al lado.

El oficial la acompañó hasta su casa.

–Vaya con cuidado –le dijo–. Habrá muchas más inspecciones de este tipo. Si no quiere que vuelvan a molestarlos, hágame caso y encuentre un lugar seguro para usted y para el niño.

Gertruda lo miró con lágrimas en los ojos.

–¿Por qué? –le dijo–. ¿Por qué nos ha defendido?

El oficial sonrió.

–Si algún día volvemos a vernos, se lo contaré.

–Dígame al menos cómo se llama –insistió ella.

–Karl Rink –dijo dando media vuelta para volver con la patrulla.

10.

Su primer deber era salvar a Michael, apartarlo del peligro que se cernía sobre él a cada instante, asegurarse de que no iban a recibir una visita sorpresa por la noche. Y si no tomaba una determinación, Gertruda sabía que su suerte terminaría por agotarse.

Tras largas deliberaciones, concluyó que la iglesia era su único refugio posible. Michael se acordaba perfectamente del primer día en que había estado allí. Con una mezcla de miedo y vergüenza, siguió a su niñera por la gran nave de la iglesia de Ostra Brama, mirando anonadado los arcos de cemento que soportaban el techo, los cuadros del Cristo en la cruz y el altar dorado. A Gertruda no le costó mucho hacerle entender por qué tenía que llevarlo allí. Él comprendía que a ojos del mundo debía pasar por el hijo de una madre cristiana y la función que allí representaban era una cuestión de vida o muerte.

Esta vez fue él quien le acarició la mano a Gertruda y dejó mansamente que le condujera hasta una de las estatuas que había en la parte frontal de la iglesia. Allí se dieron un susto de muerte al ver a un grupo de oficiales alemanes arrodillados junto a ellos, rezando. Gertruda los miró con estudiada tranquilidad, se arrodilló a su vez y tiró de Michael para que la imitara. El niño se puso a mover los labios como si rezara, aunque no conocía una sola oración.

En la iglesia se apiñaban los feligreses locales y un grupo de soldados y oficiales alemanes que iban a misa los domingos. El sacerdote, Andras Gedovsky, pasó entre sus fieles, saludando con la cabeza a los que conocía. Michael lo miró con curiosidad, estudió su rostro amable y su casulla blanca mientras avanzaba hacia el altar como un ángel y se sumía en una silenciosa plegaria.

Un oficial alemán alzó los ojos y después de mirarlos un rato con curiosidad se puso en pie y fue hacia ellos. Michael palideció.

–¿Es su hijo? –le preguntó a Gertruda en alemán.

El oficial tenía los ojos azules claros y el pelo rubio bien peinado. En la mano llevaba una gorra de visera. Su uniforme estaba perfectamente planchado y de su cinturón colgaba una pistola.

–Sí, es mi hijo –respondió ella en alemán.

–¿Cómo te llamas, chico? –le preguntó el oficial en polaco.

–Michael –respondió él con timidez.

El oficial le acarició el cabello.

«No hagas ni un movimiento en falso –se dijo Michael–, no le reveles tus miedos.»

–Se parece mucho al niño que me espera en Alemania –le dijo el oficial a Gertruda con tristeza.

–¿Cuántos años tiene? –preguntó ella con aire inocente.

–Seis. ¿Y el suyo?

–Seis también.

–Habla usted muy buen alemán –la felicitó el oficial–. ¿De dónde es?

–Soy polaca, pero aprendí alemán en la escuela.

–¿Y su marido?

–Soy viuda.

El oficial sacó el monedero y le dio a Michael algo de dinero.

–Para que te compres un regalo –le dijo.

El padre Gedovsky subió al púlpito y pronunció un sermón sobre el mandato de ayudar al prójimo sembrado de pasajes del Nuevo Testamento. Al terminar, los niños del coro, con sus vestidos blancos con encajes dorados, entonaron los cánticos dominicales y pasaron entre los bancos, agitando el incensario.

Acabada la misa, el cura se quedó un rato a las puertas de la iglesia, estrechando la mano a sus feligreses e intercambiando palabras amables con todo el mundo. Los tres oficiales alemanes guardaron cola pacientemente para estrecharle la mano, con la mirada altiva, los uniformes resplandecientes y los rostros bien rasurados, rebosantes de confianza. El sacerdote se dirigió a ellos en alemán.

–Hemos disfrutado mucho de sus plegarias –le dijeron los soldados–. Aquí nos sentimos como en casa.

Le desearon al cura buena salud y subieron al *jeep* que los esperaba aparcado en la acera.

Gertruda esperó a que se fuera todo el mundo y fue hacia el sacerdote, que la saludó cordialmente. Desde la muerte de Lydia, Gertruda había ido a misa con Michael casi todos los domingos.

–Padre –murmuró–, ¿podemos hablar en privado?

El cura la miró con afecto.

–Pues claro, hija mía.

Gertruda le pidió a Michael que la esperara en un banco de la iglesia y siguió al sacerdote hasta su despacho. Al llegar, el cura cerró la puerta y contempló el rostro de la mujer, maltratado por el tiempo, el miedo y la angustia. Al otro lado de la ventana el día declinaba y unas sombras alargadas trepaban por las paredes de la habitación.

Gertruda quería hablar, pero tenía un nudo en la garganta. Al final se echó a llorar y su cuerpo se sacudió, presa de sollozos incontrolables. El cura le puso una mano cálida en el hombro.

–¿En qué puedo ayudarte, hija mía?

Su voz la serenó.

–No sé qué hacer, padre –dijo por fin–. No sé a quién acudir.

El cura esperó pacientemente a que le contara sus penas. Todos los días recibía a gente como ella que vertía sobre él toda clase de amarguras. Le hablaban de su pesar por la pareja o el pariente arrestado por los nazis, cuyo rastro habían perdido por completo, o se quejaban de su precaria situación económica. Por lo común, el cura debía conformarse con ofrecerles sus palabras de consuelo. Sabía que no era suficiente, pero era toda la ayuda que podía brindarles.

–Quería hablarle de mi hijo –dijo Gertruda.

–¿Del niño de los ojos azules que está sentado ahí afuera?

–Sí.

A Gertruda la paralizaba el pánico ante la revelación que estaba a punto de hacerle. Temblaba de pies a cabeza, pero ya no podía dar marcha atrás. Además, el cura era la única persona con la que podía confesarse, la única persona en la que podía confiar.

Le contó toda la verdad, pues, dejando al sacerdote con los ojos como platos.

–No sabía que el niño era judío –dijo.

Gertruda se enjugó las lágrimas.

–Me da mucho miedo que los nazis descubran la verdad y se lo lleven –dijo–. Si eso sucediera, me moriría de pena.

–Ve a buscarlo –le dijo.

Gertruda llamó a Michael, que entró al despacho.

–¿Sabes quién fue Jesús? –le preguntó el cura.

–Un hombre al que todo el mundo le reza –repuso el niño, recordando las plegarias que había escuchado en misa.

–¿Y qué es la Sagrada Trinidad?

Michael frunció el ceño y repitió las palabras que Gertruda le había enseñado:

–El Padre, el Hijo y… el Espíritu Santo.

El cura le roció de agua sagrada y pronunció una oración.

–A partir de ahora eres cristiano, como todos nosotros –le dijo–. Mañana por la mañana comenzarás tus clases en la escuela parroquial.

Una ola de felicidad inundó el alma de Gertruda. Era más, mucho más de lo que había esperado.

–Pero, padre –balbuceó–, no tengo dinero para pagarle la escuela.

El padre Andras Gedovsky sonrió.

–Eso no me preocupa –dijo–. El señor me lo pagará.

El sacerdote se sentó a Michael sobre el regazo y le acarició el pelo.

–¿Quieres que te cuente una historia? –le dijo.

–Sí.

–En el segundo capítulo del libro de Daniel se cuenta la historia del rey de Babilonia, Nabucodonosor, que una noche se despertó asustado después de tener una horrible pesadilla. En su sueño, el rey había visto a una estatua con la cabeza dorada sobre la que caía una gran roca que la hacía trizas. El rey convocó a los sabios de Babilonia para que le interpretaran el sueño, pero ninguno de ellos supo a qué atribuirlo. Cuando el sueño llegó a oídos del profeta Daniel, fue a ver al rey y le dio su interpretación. «Esa estatua –le dijo– es tu reino, y la roca simboliza el reino de los cielos, que devolverá tu reino al polvo del que surgió.»

Los labios del cura esbozaron una sonrisa.

–¿Cuál te parece que es el reino de Nabucodonosor? –le preguntó.

Gertruda asintió. La comparación con la Alemania nazi era evidente.

–Confía en mí –continuó el cura–. Los malvados acabarán del mismo modo que la estatua de Nabucodonosor.

Los dos salieron de la iglesia y volvieron corriendo a casa. El niño estaba a salvo, al menos por el momento, y eso era lo esencial. El bautismo cristiano de Michael no le preocupaba. El niño había nacido judío y estaba segura de que al término de la guerra volvería a serlo.

11.

La mañana de su primer día en la escuela parroquial de Ostra Brama, Gertruda vistió a Michael con sus mejores galas, le metió un par de cosas en la cartera y lo acompañó al despacho del padre Gedovsky, donde el cura los recibió calurosamente.

–Deja aquí al niño y ve en paz –le dijo–. Aquí estará a salvo de las fuerzas del mal.

Gertruda besó a Michael, que la miraba con ojos tristones.

–No te preocupes –le dijo–. Vendré a verte a menudo.

El cura acompañó a Michael al edificio contiguo, que albergaba la escuela, le mostró su cama en uno de los dormitorios y lo llevó a la clase. Los niños lo miraron con curiosidad y en el primer recreo lo interrogaron. Él les dijo lo que Gertruda le había enseñado: que su madre era la viuda de un oficial polaco y él era su único hijo.

La primera noche en el internado Michael la pasó llorando contra la almohada. Echaba mucho de menos a su madre adoptiva. En el extraño lugar al que había ido a parar, le pesaba en el alma la soledad y el miedo de que alguien pudiera descubrir su verdadero origen. Los días siguientes fueron difíciles. Le costaba habituarse a las Sagradas Escrituras cristianas, a las plegarias y a la mano dura de los maestros, pero en todo momento tenía presentes las palabras de Gertruda: «Tienes que hacerlo, Michael. La iglesia es el único lugar donde estarás a salvo. Te prometo que en cuanto acabe la guerra te sacaré de allí». Le dijo también que evitara desnudarse, ducharse u orinar enfrente de los demás niños, para que nadie viera que estaba circuncidado.

A pesar de la dureza del estudio y el miedo que lo atenazaba día y noche, la vida en el internado era bastante confortable. Había comida suficiente, tenía su propia cama y el padre Gedovsky no lo perdía de vista. Los niños del internado podían dividirse, como siempre, en dos categorías: los mejores y los peores. Algunos buscaban su amistad. Otros buscaban sus puntos débiles y lo chinchaban como podían. Michael disfrutaba de la amistad de los niños que le caían bien y no respondía a las provocaciones del resto.

* * *

Uno de sus compañeros de clase se llamaba Stephen, tenía once años y venía de una familia católica polaca que había perdido su fortuna durante la guerra. El padre Gedovsky había acabado por ceder a los ruegos de sus padres y lo había aceptado en el internado para que tuvieran una boca menos que alimentar. Stephen era un niño muy malo, alborotador, y no dejaba de contar mentiras. Michael compartía con él los caramelos que le llevaba Gertruda y así logró ganarse su amistad.

–Mírala. ¿Tiene pinta de judía o no? –le susurró Stephen un día, señalando a una niña que había llegado a la escuela hacía un par de días.

–¿Por qué lo dices? –preguntó Michael.

–Mírale los ojos, los tiene más negros que el diablo. Tiene la nariz torcida de los judíos y va como jorobada. Sólo una judía puede tener ese aspecto.

–Se llama Marina. No es un nombre judío.

Michael trataba de defender a la chica. Si era judía nadie debía sospechar que lo era, como tampoco podían sospechar de él. El rumor que su amigo comenzaba a difundir podía ser fatídico para la niña, si es que había adivinado su origen.

–Tonterías –dijo Stephen riendo–. ¿No sabes que los judíos se ponen nombres cristianos para disimular?

–No creo que sea judía –insistió Michael.

–Se lo diré a mi padre. Él conoce a un oficial alemán y cuando venga averiguará la verdad en cuestión de minutos.

–¿Qué le harán?

Stephen se encogió de hombros.

–Lo que les hacen a todos los judíos –dijo haciendo una mueca de asfixia.

Michael entró disimuladamente al despacho del padre Gedovsky y le contó lo que le había dicho Stephen.

–Gracias por avisarme –dijo el cura.

–No sabía que había otros niños judíos aquí –dijo el chico.

–Aquí no hay niños judíos –le dijo, con una sonrisa misteriosa.

Aquel mismo día se abrió la puerta de la clase en mitad de la lección y el padre Gedovsky apareció en el umbral junto a una mujer vestida con sencillez, con un enorme crucifijo colgándole del cuello.

–La madre de Marina quiere hablar con ella un momento –le dijo a la monja que daba la clase.

La niña se puso en pie, atónita. No había visto a aquella mujer en su vida, pero obedeció al cura y salió de clase.

–Ya sé que no es tu madre –le dijo luego el cura–. Pero tenemos que hacer como si lo fuera. Si no, alguien podría sospechar que eres judía y ya no podríamos seguir escondiéndote. A partir de ahora les dirás a quienes te pregunten que tu madre se llama Joanna, tu padre está muerto y naciste católica. ¿Entendido?

–Sí –repuso la niña, agradecida.

A partir de aquel día Stephen no volvió a hablar de la niña y Michael se mordió la lengua para no preguntarle al cura quién era la mujer que pretendía ser su madre.

El secreto se lo reveló Gertruda después de la guerra: se trataba de la hermana del padre Gedovsky.

12.

En el verano de 1942, cuando las peras comenzaban a madurar en los huertos del kibutz Kfar Giladi, eran muy pocos los que creían que lograrían terminar la cosecha. Como en cualquier otro rincón de Palestina, en Kfar Giladi se respiraba el miedo de un desastre inminente. Las noticias del frente decían que el ejército alemán avanzaba rápidamente hacia la Tierra de Israel. Se sabía que Rommel, el legendario general alemán, había ordenado un avance relámpago hacia el este desde Libia y se hallaba ya a las puertas de Alejandría.

En la Tierra de Israel la situación era desesperada. No había lugar adonde huir u ocultarse, ningún refugio estaba a salvo de los alemanes. Los miembros del gobierno británico habían mandado a sus familiares a Irak y comenzaban a hacer las maletas, a la espera de la orden de retirada. No creían que fuera posible contener el ataque del ejército nazi, que se aproximaba a la colonia británica.

En Kfar Giladi se convocó a los miembros del kibutz a una reunión de urgencia. Entre los asistentes se encontraba también Elisheva Rink, que tenía entonces diecisiete años. Docenas de personas se congregaron en el comedor para escuchar las sombrías predicciones de los miembros de la Haganá.

Uno de los asistentes propuso montar puestos de defensa junto a las carreteras principales y recibir a los alemanes con plomo, pero nadie se tomó la propuesta en serio. En los arsenales de Kfar Giladi, como en el resto de depósitos secretos de Palestina, las armas arrebatadas a los británicos eran muy escasas y no podían servir para defender el país de las tropas de ocupación. Como en tantos otros países ocupados, el principal temor de los habitantes de la Tierra de Israel era que el ejército alemán destruyera y quemara sus asentamientos y matara a sus residentes o los enviara a campos de concentración. Uno de los miembros de la Haganá les habló de un plan bautizado como «la masada del Carmelo» por los alemanes, que pensaban concentrar a todos los judíos en la zona del Carmelo, entre Athlit y Beit Oren, para construir fortalezas al pie de las colinas y excavar cuevas en las que alojar a decenas de miles de personas.

Durante la charla Elisheva no podía apartar a su padre de sus pensamientos. Desde su llegada a Palestina había recibido una sola carta suya y no sabía dónde estaba. ¿Estaría herido, preso, muerto? Si no había sido apartado del servicio activo, pensó, había una posibilidad de que llegara a Palestina junto a las fuerzas de ocupación. ¿Que pasaría entonces? ¿La salvaría de la muerte? ¿Trataría de salvar también a sus compañeros?

Con una posible invasión alemana en perspectiva era más importante que nunca ocultarles a los miembros del kibutz la identidad de su padre. Elisheva no hablaba nunca de él, ni siquiera a sus mejores amigos.

13.

Un día de verano de 1942 Kurt Baumer llamó a la puerta del despacho de su amigo Karl Rink en Vilna. Karl se sorprendió de verlo y lo llevó a un restaurante local muy popular entre los oficiales nazis.

Baumer le contó que estaba de paso y se dirigía al nuevo puesto que le habían asignado.

–¿Has oído hablar de Walter Rauff? –le preguntó.

–Sí –asintió Karl.

Rauff era el tristemente célebre inventor de los «camiones de la muerte», donde mataron a millares de judíos envenenándolos con los gases que salían del tubo de escape.

–Voy a incorporarme a su unidad –dijo Baumer–. Rauff quiere crear una unidad especial de veinticuatro hombres de las SS para supervisar el exterminio de los judíos de Palestina cuando nuestro ejército invada el país. Como en otros países donde se ha aplicado el mismo método, cuenta con la población no judía de la zona para que nos ayude en nuestra labor.

Le contó que los alemanes habían desplegado ya unos cuantos agentes en Palestina, que les enviaban informes actualizados dirigidos a poner las bases del proceso de exterminio.

Karl Rink palideció pensando en el peligro que corría su hija.

–¿Cuándo entraremos en Palestina? –preguntó con tacto.

–En cualquier momento. El ejército avanza con rapidez.

Karl bullía en su silla, sin saber cómo confesarle a su amigo sus cuitas, pero sabía que debía hacerlo. Baumer era la única persona en el mundo que podía ayudarlo. Armándose de valor, le habló por fin de Helga.

–No sabía que tenías una hija en Palestina –dijo Baumer, atónito.

Rink le anotó el nombre y la dirección de Yossi Millman, del kibutz Dafna, que sabría dónde se encontraba la chica.

–Quiero que la encuentres y te asegures de que no le sucede nada malo –le dijo.

–No te preocupes –repuso su amigo–. Nadie le hará daño.

–Gracias –dijo Karl, y le preguntó a su amigo si había oído algo sobre la desaparición de su mujer.

La pregunta incomodó a Baumer.

–Ya te dije que lo dejaras correr –gruñó.

–Estás ocultándome algo –dijo Karl mirándolo fijamente a los ojos.

–Si te hubiera dicho la verdad en Berlín –dijo Baumer–, me habrían ejecutado.

–Ya no estás en Berlín, ahora puedes contármelo.

–Te repito que no tiene ningún sentido seguir buscando a tu mujer –dijo Baumer.

–La mataron, ¿verdad?

–Sí.

–¿Quién?

Baumer se estremeció.

–Ya puedes imaginártelo –dijo.

–¿Schreider?

–Él fue quien dio la orden. Fue su gente quien se encargó del trabajo sucio. Lo siento, Karl.

–Me lo temía –dijo Rink exhalando un suspiro.

Se despidieron afligidos y Baumer se incorporó a la unidad de Walter Rauff junto a la frontera egipcia. La nueva unidad se agenció una flota de camiones y se preparó para llevarlos a Palestina.

Pero las cosas no salieron como Rauff había planeado. El Afrika Korps, comandado por el general Erwin Rommel, que había cruzado ya el Canal de Suez, cayó derrotado en 1942. A Kurt Baumer lo mataron en Egipto, en una emboscada de un batallón británico. El ejército alemán se batía en retirada a las puertas de la Tierra de Israel.

14.

Nada parecía poder turbar la paz que reinaba desde siempre en el pueblo de Pontremoli, una reserva natural aislada entre las verdes colinas del norte de Italia. El único indicio de que en algún lugar se libraba una guerra era el rugido de los aviones que de tanto en tanto sobrevolaban las montañas toscanas yendo o viniendo de sus misiones de bombardeo en territorio enemigo. En 1943, pese a la tregua secreta que Italia había firmado ya con los Aliados y a que las tropas alemanas ocupaban las zonas a las que no habían llegado las fuerzas de liberación, el pueblo seguía disfrutando de su paz y tranquilidad, y sus habitantes no parecían muy interesados por lo que sucedía en el mundo exterior. Lo que más les preocupaba a los campesinos locales era la subida de los precios de la fruta y la verdura resultante de la guerra; por lo demás, nunca habían gozado de una situación más holgada.

Sin embargo, los alemanes no tardaron en dejar bien claro que su presencia militar sería constante y ubicua, incluso en la idílica región de Pontremoli. Al principio levantaron un campamento cerca del pueblo y por las carreteras de las afueras empezaron a desfilar vehículos de transporte de soldados, armamento y provisiones. Luego construyeron cerca del pueblo sofisticados campos de tiro y el ruido de los disparos comenzó a turbar la paz de los vecinos a todas horas.

Jacob Stolowitzky seguía el curso de los acontecimientos con inquietud, temeroso de que en cualquier momento los alemanes dieran con él. Radio Londres, que sintonizaba clandestinamente en su casa, informaba de que los Aliados se habían apoderado ya de Sicilia y el sur de Italia. Jacob suponía que la guerra tocaba a su fin, pero prefería obrar con cautela. Dejó de dar sus paseos nocturnos por los alrededores y se encerró a cal y canto en su casa, donde leía un libro tras otro y ayudaba a su mujer con sus labores esperando que llegara el fin de la guerra. Pero aquella vida relativamente apacible tenía los días contados. Los alemanes, decididos a deportar sistemáticamente a todos los judíos italianos a los campos de exterminio, comenzaron a llevar a cabo registros en todos los asentamientos, ciudades y pueblos remotos para localizar a aquellos que hubieran podido escapar de sus redes. Y no pensaban olvidarse de Pontremoli.

Una mañana de septiembre de 1943 cayó en el pueblo un chaparrón que mitigó el rugido de los vehículos alemanes que llegaban allí por primera vez. Pelotones de soldados armados fueron entrando en todas las casas y registraron los monasterios y graneros del pueblo en busca de judíos. Finalmente llegaron a la casa donde vivían Stolowitzky y su mujer y les pidieron sus documentos de identidad. Anna les dio su pasaporte y su certificado de matrimonio. Cuando se enteraron de que él era polaco les dijeron que tenían que arrestarlo. Anna les suplicó que lo dejaran quedarse en casa, les dijo que estaba enfermo y que su salud era demasiado frágil para salir. Llegó a ofrecerles dinero para que lo dejaran en paz. Los soldados aceptaron el dinero pero se mostraron inflexibles. En el interrogatorio al que sometieron a Jacob Stolowitzky a continuación determinaron sin lugar a dudas que era judío.

Anna movilizó al alcalde, que fue a hablar con los alemanes para que liberaran a su marido, pero no sirvió de nada. Jacob Stolowitzky acabó subiendo a un camión donde se encontró con otros judíos igual de asustados que él que habían sido capturados en los pueblos vecinos. El camión los llevó a la estación, donde los subieron a un tren con destino a Auschwitz.

Anna no volvió a ver a su marido.

15.

La orden de liquidar el gueto de Vilna llegó a mediados de septiembre de 1943. Karl Rink, que debía participar en las maniobras para sitiar a los judíos en sus casas, no se vio capaz. El día en que debían entrar en el gueto fingió estar enfermo y se quedó en la cama.

Varias unidades armadas con refuerzos de las SS arrestaron a multitud de judíos. Algunos de ellos fueron trasladados a los bosques vecinos y ejecutados en el acto, otros fueron trasladados a los campos de exterminio. Muy pocos consiguieron ponerse a salvo y escapar de la muerte.

Dos días después del pogromo del gueto de Vilna, Karl Rink fue convocado al despacho de su comandante, Albert Shrek, que lo miró un rato en silencio y fue directamente al grano.

–¿Qué le ha pasado, Rink? –preguntó.

–¿Qué quiere decir?

–Me han dicho que estaba enfermo.

–Sí.

–¿Enfermo de verdad?

–Por supuesto.

–Hace un tiempo que le vengo observando, Rink, y ha perdido usted el entusiasmo. Está encerrado en sí mismo, le falta concentración y trabaja mecánicamente. ¿Qué le ha pasado?

–No sé a qué se refiere, comandante –dijo, escurriendo el bulto.

–¿Está ocultándome algo, Rink?

–No, señor.

Shrek exhaló un suspiro.

–Más le vale. De todas maneras, le hemos destinado a otro puesto. A lo mejor así se anima un poco.

Shrek firmó un documento en su escritorio, lo introdujo en un sobre y se lo tendió a Rink.

–Es un traslado –aclaró–. Parte hoy mismo hacia Kovno, donde estará a las órdenes de Wilhelm Goecke, el comandante del gueto local, que necesita refuerzos.

Rink cogió la orden de traslado y se fue. Hizo las maletas a toda prisa y en el tren, de camino a Kovno, trató de adivinar qué podía saber Shrek sobre él. ¿Sospechaba que no estaba cumpliendo con su deber?

Al llegar a Kovno no tardó en comprobar que el mando alemán estaba integrado por oficiales sumamente crueles y despiadados. Wilhelm Goecke, gran amante de la música clásica, la literatura y la filosofía, había perpetrado ya el asesinato de decenas de miles de prisioneros judíos y rusos en el campo de concentración de Mauthausen cuando estaba a su cuidado. También había participado en las maniobras para sofocar el alzamiento del gueto de Varsovia y aniquilar a su población. Las órdenes que Rink recibió de Berlín al llegar a Kovno eran inequívocas: liquidar el gueto, matar a mujeres y niños y dejar con vida únicamente a los hombres que pudieran trabajar para la industria bélica alemana.

Karl Rink se hizo cargo de varios talleres que empleaban a miles de judíos, entre los que había muchos niños vestidos con ropas de adulto para conservar sus puestos y no acabar en los campos de exterminio. A los judíos del gueto no les costó mucho figurarse el tipo de persona que era Goecke, pero no alcanzaban a descubrir qué se escondía detrás del semblante impasible de Karl Rink. Lo único que sabían es que los trataba dignamente, no buscaba cualquier excusa para maltratarlos y solía hacer la vista gorda ante la falta de productividad de algún que otro trabajador, demasiado débil para cumplir con su cuota.

Moshe Segelson, el director judío del taller, se hizo tan amigo de Rink como permitían las circunstancias. A menudo charlaban de música clásica y literatura alemana, que los dos adoraban, y nunca mencionaban la guerra. Muchos de los que asistían a los conciertos de la orquesta del gueto, que tocaba piezas de compositores judíos, se sorprendían al ver a Rink sentado siempre en primera fila. Después de los conciertos aplaudía a la orquesta y expresaba su admiración personal por la interpretación de los solistas.

El día de Año Nuevo, Moshe Segelson le llevó a Rink un regalo.

–Para expresarle nuestro agradecimiento –le dijo–. Por tratarnos dignamente.

–No nos está permitido aceptar regalos –dijo Rink–. Pero puede estar tranquilo. Con o sin regalos, le prometo que el trato que les dispenso no va a cambiar.

Karl Rink vivía en un piso espacioso de un edificio ocupado por otros oficiales de las SS. En la pared de su dormitorio, frente a la cama, había colgado las fotos de su mujer y su hija. Una mañana, al salir de casa para ir al taller, vio a tres hombres de las SS que habían atrapado a un niño judío acobardado y se disponían a hacerlo subir a un camión militar. El secuestro infantil era una práctica habitual en el gueto y todos conocían el destino de las víctimas.

Rink se acercó a los hombres de las SS y les ordenó que soltaran al niño.

–Lo conozco –mintió Rink–. Su padre es colaborador nuestro.

Los soldados soltaron al chico inmediatamente.

Al cabo de un tiempo un ucraniano de las SS llegó a mediodía al taller de calzado con la orden de encontrar a los niños que se escondían en el edificio. Segelson sabía que Rink era el único hombre capaz de evitar la cruel sentencia. Fue corriendo a su despacho y le dijo que en el desván se escondían varios niños, entre ellos su hija. Rink se acercó al ucraniano y le preguntó qué hacía.

–Tenemos información de que en el desván se esconden

docenas de niños –dijo el hombre de las SS–. Nos han dicho que se oyen ruidos sospechosos.

–Aquí no hay ningún niño –zanjó Rink y le ordenó que se fuera.

Poco después el ucraniano regresó con un oficial de alto rango de las SS.

Rink les dijo que había registrado el desván a fondo y no había encontrado nada.

–¿Está seguro? –insistió el oficial.

–Absolutamente.

Cuando los dos hombres se marcharon, Segelson le dio las gracias con lágrimas en los ojos.

–Nunca olvidaré lo que ha hecho –le dijo.

Aquella noche Rink le ordenó a Segelson que lo acompañara a su casa para revisar las reparaciones que estaban haciéndole al piso unos empleados del taller. Rink pasó a recogerlo en su coche, pero en lugar de tomar la dirección de su casa lo llevó a dar vueltas por las calles del gueto en completo silencio. Luego lo dejó en su casa. A la mañana siguiente Segelson descubrió que en su ausencia se habían producido varios arrestos entre los directores del taller. Estaba convencido de que Rink estaba al tanto y había acudido nuevamente en su ayuda.

16.

Las halagüeñas noticias sobre el avance del Ejército Rojo se propagaban entre susurros por el gueto de Kovno. Radio

Londres fue la primera en informar del retroceso de los nazis y la transmisión fue sintonizada en varias radios clandestinas del gueto. Los judíos se cuidaban mucho de expresar su alegría ante los alemanes, claro, pero estaban todos contentísimos.

El cambio de actitud era también patente entre los soldados alemanes y los altos mandos, que parecían asustados y nerviosos. Por las calles de Kovno circulaban unidades del ejército alemán que se dirigían hacia las nuevas líneas del frente y muchas de ellas caían en las emboscadas de los partisanos. Los aviones soviéticos bombardeaban la ciudad con frecuencia y de noche el horizonte se iluminaba del fuego de los morteros que atacaban al ejército alemán.

En los talleres del gueto los obreros seguían trabajando a su ritmo y Rink seguía acudiendo a su despacho cada mañana, aunque estaba inquieto y no lograba concentrarse. Moshe Segelson lo entendía y lo dejaba tranquilo, limitándose a tratar con él temas de trabajo. Hasta que un día Rink lo llamó a su despacho y cerró la puerta con llave.

–Hoy no quiero hablarte como a un subordinado, hoy quiero charlar de hombre a hombre –le dijo para su sorpresa, en voz baja e insegura.

Segelson escuchó con atención.

–La guerra está a punto de terminar –dijo Rink–. Nuestro ejército está en las últimas y no tardará en rendirse. Quiero que sepas que yo nunca he odiado a los judíos. Mi mujer era judía y en el último momento me las arreglé para sacar a mi hija de Alemania. Desde entonces he salvado a tantos judíos como he podido y me he negado a cumplir las órdenes de matarlos o mandarlos a los campos de la muerte. Lo he hecho a conciencia y me alegro de haber puesto mi granito de arena.

–Lo sé –dijo Segelson.

Karl Rink se secó las gotas de sudor que le caían por la frente.

–No sé si saldré de esta con vida –prosiguió–, pero tú ahora mismo tienes muchas posibilidades de librarte. Tengo un secreto y quiero contártelo a ti. Prométeme que no se lo contarás a nadie hasta que la guerra haya terminado.

–Prometido.

–Sé que mi hija vive en un kibutz, pero no sé en cuál. Cuando esto acabe es probable que tú vayas a Palestina. Si es así, te ruego que busques a mi hija, que le digas que la quiero y le hables de mí. Me gustaría que supiera toda la verdad sobre su padre, sobre lo que hizo en la guerra.

Segelson no ocultó su sorpresa.

–¿Está seguro de que está en Palestina?

–La mandé para allá con un grupo de jóvenes de Berlín justo antes de estallar la guerra. Su guía se llamaba Yossi Millman y vivía en el kibutz Dafna. Él te dirá dónde se encuentra mi hija.

–Si sobrevivo –dijo Segelson–, te prometo que la buscaré.

Rink le estrechó la mano y el corazón de Segelson dio un vuelco. Era extraño que un oficial nazi le estrechara la mano a un judío, pero no era la primera cosa fuera de lo común que hacía Karl Rink.

–Me alegro de haberlo conocido –dijo Segelson.

–Yo también me alegro.

Dicho esto, Karl Rink se puso el abrigo y salió del taller. Segelson no volvió a verlo nunca más.

17.

Aunque Michael estuviera relativamente a salvo en la iglesia, los temores de Gertruda no acababan de disiparse. Algo inesperado podía suceder que sacara su secreto a la luz. Esperaba el fin de la guerra con impaciencia, pero cuando el bombardeo de Vilna llegó a su apogeo pensó que el peligro que corrían era mayor si se quedaban en la ciudad. El fuego de mortero caía sin cesar y cada día había un sinfín de nuevos muertos y heridos. Los que seguían ilesos temían que también a ellos les llegara el turno. Y, por encima de todo, Gertruda tenía miedo de que la iglesia fuera bombardeada.

En el punto culminante del bombardeo, Gertruda metió sus escasas pertenencias en una maleta, se fue corriendo a la iglesia y se llevó a Michael.

–¿Adónde vamos? –le preguntó el niño.

–A un lugar seguro –repuso ella.

Esperaron a que cayera la noche y caminaron durante horas por carreteras secundarias hasta llegar a un pueblecito. Con los pies doloridos y las tripas rugientes, se resguardaron entre los escombros de una casa abandonada. Durmieron hasta el amanecer y se pusieron en camino hacia una gran casa que había sobre una colina. Gertruda llamó a la puerta y abrió una vieja sirvienta que miró a los visitantes con curiosidad.

Gertruda se presentó.

–Pase –dijo la mujer–. Llamaré al señor.

El pasillo era cálido y agradable y de la cocina llegaban buenos olores. Un hombre joven con barba llegó enseguida y los miró a los dos.

–Me alegro de verla –le dijo a ella–. ¿Es su hijo?

Gertruda asintió.

–Les he preparado una habitación –dijo, y los condujo a un pequeño cuarto en la mansarda–. Espero que estén cómodos.

–Estaremos comodísimos.

–Acompáñeme, le presentaré a mi mujer.

Gertruda siguió al hombre hasta una gran sala. En el centro se erigía una cama con dosel muy ornamentada, sobre la que reposaba una joven de tez pálida. En la mesita de noche vio los frascos de diversos medicamentos.

–Karla –le dijo el hombre con educación–, te presento a Gertruda. Ella se encargará de cuidar de ti hasta que te repongas.

Gertruda se acercó a la mujer, que la miró con ojos inexpresivos, le tendió una mano lánguida y se esforzó en sonreír.

–La ayudaré en lo que haga falta –dijo Gertruda.

La mujer del señor de la casa llevaba varios años enferma de tuberculosis. Su marido la había llevado a la consulta del doctor Berman, que había comenzado su tratamiento y había logrado frenar el desarrollo de la enfermedad. En la clínica de Vilna su marido había conocido a Gertruda y le había ofrecido trabajo como enfermera de su mujer. Gertruda le advirtió que tenía un hijo y que si aceptaba la oferta tendría que ir con él. El hombre accedió de inmediato. Se trataba de un rico terrateniente y el sueldo que le prometió era más alto del que cobraba con el doctor Berman. La idea de trabajar en aquel pueblo remoto le atraía, sobre todo porque estaba lejos de Vilna, pero era consciente de que corría un gran riesgo. La tuberculosis era una enfermedad contagiosa y rara vez lograba curarse. Aun así, Gertruda suponía que viviendo en la granja Michael tenía más posibilidades de salvarse. No podía contar con el oficial Karl Rink de las SS para que lo salvara milagrosamente una vez más. Los milagros no se repetían, eso lo sabía, y si los nazis la detenían a ella y al niño por la calle o llegaban por sorpresa a su casa, era muy probable que descubrieran la verdad. Tenía que llevárselo lo más lejos que pudiera y era una suerte que entretanto la mujer tuberculosa no hubiera fallecido.

Al marido de la enferma le entristecía que el doctor Berman hubiera sido deportado al gueto y no pudiera seguir tratando a su mujer. Había llamado a otros médicos de distintos lugares para que trataran de curarla. Algunos venían dos o tres veces por semana, examinaban largo rato a su mujer y le recetaban una variedad de nuevos medicamentos, pero aunque en ocasiones su estado parecía mejorar, siempre acababa por recaer.

Gertruda se sentaba junto a la cama de la enferma durante horas, le daba de comer, se aseguraba de que tomara su medicina a la hora, le leía libros y charlaba con ella cuando la mujer se sentía capaz de mantener una conversación. Unos meses después de su llegada el estado de la enferma empeoró. Gertruda se quedó a su lado casi todo el tiempo, rezando para que se repusiera. Si la mujer moría, tendría que exponer nuevamente a Michael a los terribles peligros de la guerra.

La enferma murió al cabo de unos días. La guerra aún no había terminado y Gertruda suponía que su marido tendría que despedirla, forzándola a regresar a Vilna. Sin embargo, el hombre tenía otros planes. Tras el funeral la llamó a su despacho, le agradeció los cuidados que le había dispensado a su mujer y le propuso quedarse en la casa.

–Me gustas mucho –le dijo–. Cuando termine el duelo podríamos casarnos.

Gertruda lo miró sin dar crédito. Era un hombre tosco y torpe, pero a ella y a Michael los trataba como si fueran de la familia. Y sabía que si se negaba tendrían que marcharse.

–No me lo esperaba... –balbució–. Tendría que pensarlo.

La indecisión de Gertruda alimentó sus esperanzas.

–Aún soy joven –le dijo–. Mi mujer y yo no tuvimos hijos, pero contigo voy a quererlos. Muchos hijos. Lamento tener que decírtelo, pero si me aceptas como esposo tendremos que mandar a tu hijo a un hospicio o darlo en adopción. Michael no tiene sitio en mi familia.

Gertruda se quedó de piedra.

–Pagaré generosamente a cualquier hospicio que quiera admitirlo o a quien se avenga a adoptarlo –agregó.

–Lo siento –replicó Gertruda con firmeza–. Es mi hijo y se quedará conmigo hasta el día que me muera.

Dicho esto, se puso en pie, se fue a su habitación a hacer las maletas, fue a buscar a Michael y se marcharon de la casa de la colina.

Por el camino se cruzaron con soldados alemanes que se preparaban para batirse en retirada y abandonaban el pueblo. Al cabo de un rato se internaron en el bosque. Estaban los dos solos y estaba a punto de anochecer. Con la última luz del ocaso Gertruda descubrió un búnker abandonado y se cobijaron en su interior.

El niño se acurrucó entre sus brazos, muerto de miedo, y ninguno de los dos pegó ojo en toda la noche. El fragor de las explosiones se aproximaba y un denso olor a incendio llegaba de los pueblos vecinos.

–Tengo hambre –murmuró Michael.

Gertruda lo miró angustiada. Ver a Michael hambriento le rompía el corazón. Se maldijo por haberse olvidado de llevar un poco de agua y de comida, pero ya no podían volver atrás. Al alba salió del bosque y recorrió los campos vecinos, donde cogió unas coles que llevó de vuelta al búnker. Al día siguiente encontró otras verduras.

Pasaron más de una semana permaneciendo ocultos en aquel búnker, durmiendo en un lecho de hierba y comiendo las pocas verduras que Gertruda iba encontrando en los campos.

Una mañana oyeron pasos fuera del búnker, pero se cuidaron mucho de pronunciar una palabra. Los pasos se acercaron más y en el umbral apareció la figura de un hombre cuyo uniforme Gertruda no conocía. El soldado los apuntó con una metralleta. Michael cerró los ojos, aterrorizado, y Gertruda chilló:

–¡No dispare! ¡Somos polacos!

El soldado bajó el arma y sonrió. Era ruso.

18.

En el cuartel general alemán de Kovno el ambiente no podía ser más derrotista. Desojados por la falta de sueño, los comandantes miraban un mapa extendido sobre la mesa. Las líneas rojas indicaban el avance incesante de las unidades del Ejército Rojo y las líneas de defensa alemana se habían reducido considerablemente.

Los informes del frente eran terribles. Había miles de muertos, decenas de miles de heridos, gran cantidad de prisioneros. La entrega inmediata de las posiciones y la retirada precipitada eran las dos maniobras más comunes de aquella fase de la guerra. La derrota alemana era inevitable.

El silbido estremecedor de las salvas de mortero hendió el aire al tiempo que las luces se apagaban y un gran estallido ensordecía a los oficiales del cuartel general. Los muros se desmoronaron, se levantó una nube de polvo asfixiante y se oyeron los gritos dispersos de los heridos. Karl Rink perdió el conocimiento. Cuando abrió los ojos, al cabo de un rato, se palpó los miembros y comprobó aliviado que había salido ileso. Se escurrió deprisa entre los cuerpos muertos y heridos y salió del edificio un minuto antes de que otro proyectil más preciso destruyera lo poco que quedaba del cuartel general.

Rink ya no tenía ningún motivo para quedarse en Kovno a esperar a las fuerzas soviéticas. Unos días antes había salvado a treinta y siete jóvenes judíos que se escondían en el sótano de uno de los edificios del gueto, pero no podía esperar que ninguno de ellos testificara en su favor ante el enemigo. Cuando llegaran los soldados rusos, Rink sabía que dispararían a todos los alemanes que encontraran por el camino, sin hacer preguntas, y tenía miedo de quedarse. Por lo que a él respectaba, la guerra había terminado y sólo tenía un objetivo: volver a casa.

En el patio del cuartel general vio que había unas cuantas motocicletas intactas y se montó en una. El depósito estaba lleno y el motor arrancó. Sin vacilar, enfiló la carretera a toda velocidad entre columnas de soldados alemanes que se alejaban encorvados y abatidos, escapando del enemigo que se aproximaba. Condujo todo el día y cuando la moto se quedó sin gasolina la dejó tirada y siguió varias horas a pie hasta que consiguió subir a un tren de carga que avanzaba pesadamente hacia la frontera alemana. Al cabo de dos días, sin haber dormido ni comido nada, llegó a un pueblo alemán medio en ruinas. Una pareja de granjeros le dieron un poco de comida y ropas de civil. Quemaron su uniforme de las SS y le ofrecieron un lugar para ocultarse en su granero. Rink se quedó allí a descansar unos días, hasta que el estruendo de la artillería aliada se aproximó al pueblo. Se despidió entonces de los granjeros y emprendió a pie el camino a Berlín. Vagó por carreteras secundarias durante semanas, viviendo de las frutas y verduras que encontraba en los campos y de las cenas furtivas que le ofrecían en su casa los campesinos que encontraba por el camino. Al cabo de unos días se unió a un grupo de soldados alemanes que habían desertado de sus unidades y, como él, volvían a su casa en Berlín. Caminaban casi siempre de noche, por delante del avance del Ejército Rojo, escondiéndose en los bosques cuando veían que era demasiado peligroso seguir por la carretera. Habían pasado ocho largos meses desde su huida de Kovno cuando llegó por fin a los arrabales de Berlín. La ciudad llevaba una temporada bajo el fuego enemigo constante. La mayor parte de los edificios estaban derruidos y por las calles se veía a muy poca gente. Todo el mundo sabía que los rusos se acercaban y que la ciudad se rendiría en cuestión de días.

Karl Rink buscó su casa. Caminó entre los escombros de los edificios que tan bien conocía y cuando llegó a su portal encontró un montón de piedras y vestigios de muebles chamuscados. Una mujer harapienta salió de entre las ruinas y le dijo que la mayoría de los inquilinos estaban muertos o se habían marchado.

Desde allí se dirigió al cuartel general de las SS. El último piso del edificio estaba completamente destruido y en los pisos inferiores varios hombres enloquecidos se dedicaban a sus febriles preparativos. Nadie lo vio llegar. Sus pies lo condujeron hasta el despacho de Reinhard Schreider. Entró sin llamar, pero en la habitación no encontró a nadie.

Volvió a salir a la calle y caminó entre el silbido de los obuses y el fragor de la destrucción, entre nubes de polvo y esquirlas de piedra de casas que en un instante se convertían en un montón de ruinas. Supuso que el enemigo llegaría al centro de la ciudad en cualquier momento y sintió pavor. Se abrió camino entre los escombros y buscó algo que comer. Con su navaja del ejército abrió neveras y armarios de cocina cubiertos de polvo. No encontró nada.

19.

El soldado sólo hablaba ruso y Gertruda hablaba polaco y alemán, pero el ruso comprendió que se trataba de una mujer y un niño en apuros y les hizo señas para que lo siguieran. Por todas partes había grupos de soldados, tanques y camiones rusos. Unos soldados les llevaron a Gertruda y Michael unas latas de carne y mientras se las comían encontraron a un intérprete que les dijo que la víspera Vilna había sido ocupada por el Ejército Rojo y los alemanes que no habían sido hechos prisioneros se batían en retirada. Gertruda gritó de alegría y respiró de alivio. Por lo que a ella respectaba, aquella noticia era el fin de cinco años de miedo, padecimientos y denodados esfuerzos por sobrevivir.

–¿Adónde quiere ir? –le preguntó el intérprete.

Gertruda no supo qué responder. Aún no tenía ningún plan.

–Les enviaré a Vilna con el primer camión que salga para allá –decidió por ella el intérprete.

–Gracias –dijo, y abrazó a Michael.

Las raciones que les dieron saciaron su hambre. Los metieron en un camión y no tardaron en llegar al centro de Vilna, que hervía ahora de soldados rusos en lugar de alemanes, y andaban todos saqueando casas y en busca de mujeres. Del gueto judío no quedaba más que un montón de escombros. Los refugiados que habían sobrevivido a los combates corrían por la ciudad, buscando sus casas y sus familias.

Gertruda y Michael fueron a la iglesia Ostra Brama a visitar al padre Gedovsky. Al verlos llegar al sacerdote se le iluminó la cara.

–Y podéis dar gracias a Dios, que vela por vosotros –dijo, y le dio a Michael un caluroso abrazo–. ¿Y qué vais a hacer ahora?

Gertruda recordó entonces la promesa que le había hecho a Lydia Stolowitzky en su lecho de muerte. Sí, debía llevar a Michael a Palestina. Pero antes tenía que hacer otra cosa.

–Quizá vayamos a ver a mis padres a Starogard –dijo–. No he tenido noticias suyas desde que comenzó la guerra y estoy muy preocupada.

–Eso no va a ser tan sencillo, querida –dijo el cura sacudiendo la cabeza–. Polonia aún no ha sido liberada.

Gertruda mudó el semblante. La derrota de los alemanes en Polonia era sólo cuestión de tiempo, pero entretanto tenía que buscar un lugar para ella y para el niño.

–¿Sabe dónde puedo encontrar trabajo? –preguntó.

–Aquí necesitamos una mujer de la limpieza –dijo el cura–. No tengo dinero para pagarte un sueldo, pero puedo ofrecerte comida y alojamiento. Y Michael podrá seguir asistiendo a clase.

En aquella ciudad derruida, con las heridas de guerra aún abiertas, era el mejor trato que podía encontrar.

–Muchísimas gracias –dijo–. Acepto encantada.

Aquel mismo día les asignaron una habitación. Gertruda comenzó a trabajar inmediatamente y Michael regresó a la escuela parroquial.

–¿Cuánto tiempo tendremos que quedarnos? –le preguntó Michael al cabo de unos días.

–Un par de semanas, no más –calculó.

Pero al Ejército Rojo le llevó más de seis meses entrar en Varsovia, liberar Polonia y reestablecer el servicio de ferrocarriles.

20.

Gertruda y Michael fueron a despedirse del padre Gedovsky. Ella le agradeció una y otra vez su amabilidad y su afecto, él sacó unos billetes de su cartera y se los puso en la mano. Les deseó suerte y se quedó en el umbral hasta que se perdieron de vista, caminando de la mano hacia la estación.

El andén de la estación de Vilna hervía de civiles y soldados rusos. Cuando el primer tren de la posguerra con destino a Polonia partió, los pasajeros invadieron los vagones de carga. Gertruda y Michael se estrujaron en un vagón mugriento entre otros centenares de hombres y mujeres y tuvieron que esperar varias horas con un calor sofocante hasta que el tren se puso en marcha. Estuvieron varios días sin probar bocado. Compartieron una botella de agua y pasaron la mayor parte del trayecto de pie, pues no había sitio para sentarse ni estirarse un poco.

Los pasajeros, extenuados, con toda la carga de penurias de la guerra a cuestas, enfermos muchos de ellos, ni siquiera osaban bajarse del tren cuando se detenía en otras estaciones camino de Polonia. Casi todos soportaron el viaje en silencio. Una de las pocas personas que sí hablaba era una mujer judía de rostro ajado que había sobrevivido a Auschwitz y volvía ahora a Varsovia para buscar a los pocos familiares que le quedaran. Fue ella quien le dijo a Gertruda que en Alemania habían levantado campos para los judíos desplazados que desearan irse a Palestina.

El tren llegó a Varsovia una mañana gris y lluviosa, muy temprano. Gertruda contempló las ruinas de la ciudad en torno a la estación y se le encogió el corazón al pensar en los años felices que había pasado allí.

–Ven –le dijo a Michael con decisión, tirándole de la mano–. Bajamos aquí.

–¿Adónde vamos? –preguntó el niño.

–A tu casa.

Una legión de harapientos deambulaban sin rumbo por la ciudad asolada por las bombas, escarbando entre los cascotes, entre las puertas rotas y las tuberías retorcidas esparcidas en montañas de ruinas, como si esperaran encontrar allí algo de valor. Gertruda y Michael caminaban por senderos flanqueados de montones de escombros. No quedaba en pie una sola referencia para saber dónde estaban y Gertruda decidió que sería fácil encontrar la casa si bordeaban el río.

Para sorpresa de Gertruda, la avenida Ujazdowska estaba intacta. Las mansiones seguían en el mismo lugar que el lejano día en que huyera con Michael y su madre ante el avance del ejército nazi. Se acercaron al número 9 y vieron sobre el portal una placa metálica con el águila alemana y la esvástica. La puerta estaba abierta de par en par. En el interior, los suelos estaban cubiertos de pedazos de documentos quemados con prisa. Había escritorios, máquinas de escribir abandonadas y algunos viejos muebles de la familia, descalabrados todos y patas arriba. De las paredes seguían colgando los retratos de Hitler.

Michael se quedó un momento inmóvil, desorientado, hasta que se acordó de dónde estaba su habitación y subió corriendo, donde encontró pedazos de juguetes que le recordaron a su infancia.

–¿Volveremos a vivir en esta casa? –preguntó.

–No vale la pena –respondió Gertruda–. Tu madre me pidió que te llevara a Palestina y eso es lo que voy a hacer.

–¿Y aquí quién va a vivir?

–Ni idea. Ahora mismo esto está inhabitable, pero tienes que recordar que esta casa te pertenece. Seguramente algún día la recuperarás.

Pasaron un buen rato inspeccionando la casa. Las estatuas, los cuadros, los libros antiguos y el resto de objetos de valor habían desaparecido. Lo único que quedaba era un montón de porquería y el leve olor a chamusquina de los documentos nazis destruidos.

Los árboles del jardín estaban mustios y de los parterres de flores no quedaba ni rastro. En el garaje yacía el esqueleto de un Mercedes militar descapotable con el motor destripado y una motocicleta militar.

Gertruda y Michael salieron a la calle y se encaminaron hacia la estación. Las casas vecinas tampoco estaban dañadas, pero parecían todas abandonadas. La avenida Ujazdowska parecía una ciudad fantasma. Los soldados rusos se echaban por las aceras a descansar o a comer, en la ribera del río yacían baterías de ametralladoras alemanas inservibles y en el parque Chopin los pavos reales habían desaparecido del estanque, se había transformado en un lodazal.

–¿En Palestina viviremos en una casa como la de aquí? –preguntó Michael.

Gertruda sacudió la cabeza.

–Tendremos nuestra propia casa. Puede que no sea tan grande, pero será nuestra.

El tren al que se subieron traqueteó toda la noche hasta detenerse en la pequeña estación de Starogard. Al llegar se apearon y caminaron hasta la casa de los padres de Gertruda. Por el camino no reconoció a ninguno de los vecinos con los que se cruzó y al llegar vio que la casa necesitaba reparaciones urgentes. El jardín de flores que rodeaba la casa y el huerto estaba plagado de malas hierbas. Gertruda entró en la casa temiéndose lo peor. Sus padres no eran jóvenes al comienzo de la guerra y cabía la posibilidad de que hubieran muerto.

Afortunadamente los dos seguían con vida, aunque habían envejecido muchísimo y vivían en una casa más pequeña y humilde de lo que ella recordaba. Encontró a su madre en la cama, con fiebre, cubierta con una manta hecha jirones. Al reconocer a su hija se le quebró la voz y se le llenaron los ojos de lágrimas.

–Pensaba que te habrían matado –le dijo.

Su padre le dijo que su madre había enfermado hacía unas semanas y el médico le había diagnosticado una pulmonía. Les recomendó que la hospitalizaran, pero el hospital estaba lleno de refugiados heridos y enfermos y no había más sitio.

–Me alegro de tenerte aquí –le dijo su padre–. A lo mejor mamá se recupera para ti.

Gertruda no pensaba pasar más de unos días en Starogard, pero el estado de su madre la obligó a quedarse más tiempo. A sus padres les costaba encontrar su propio sustento para tener que dar de comer a dos visitas inesperadas. Su padre le dijo que durante la guerra se había alimentado de lo que encontraba por el campo y que los dos solían irse a la cama con hambre. Muchos de sus vecinos los detestaban. Decían que Gertruda se había vendido a los judíos y se había marchado con ellos.

Gertruda encontró trabajo de maestra suplente en una escuela vecina por un sueldo miserable que apenas le alcanzaba para comprar algo de comida. Michael solía quedarse en casa, pues los vecinos no lo dejaban jugar con sus niños.

Al cabo de unos meses la salud de la madre de Gertruda mejoró. Se levantó de la cama, recobró el apetito y su cara recuperó el color. Un domingo, al volver de misa, se reunieron en torno a la mesa del comedor.

–Ahora que estoy mejor –le dijo su madre– todo volverá a la normalidad. Tú encontrarás un trabajo de verdad y tu padre y yo cuidaremos de Michael con devoción y amor, puedes estar tranquila.

Gertruda sacudió la cabeza.

–No creo que nos quedemos.

Sus padres la miraron atónitos, sin comprender.

–Le prometí a su madre que lo llevaría a Palestina –dijo–, y no quiero faltar a mi palabra.

–Pero tú naciste aquí –protestó su madre–. Esta es tu casa y también puede ser la de Michael.

–Ya lo sé –dijo Gertruda–, pero le prometí a su madre que le daría una educación judía.

–Pues mira de mandarlo a Palestina por su cuenta. ¿Qué vas a hacer tú allí, en un país extranjero, rodeada de judíos? ¿No te das cuenta de que tú eres católica? Allí no te aceptarán.

–A Michael sí le aceptarán. Con eso me basta.

Sus padres se pasaron varios días tratando de persuadirla de que lo dejara correr. Gertruda aguantó como pudo hasta que un día les dijo que se marchaba.

–Me voy con Michael a un campo de refugiados judíos, desde donde nos llevarán a Palestina –dijo con firmeza.

Gertruda metió en una maleta la poca ropa que tenían, les agradeció a sus padres su hospitalidad, les dio una parte de su última paga y se despidió de ellos con lágrimas en los ojos. Los cuatro esperaban que algún día volverían a reunirse, pero las probabilidades de otro encuentro eran más bien escasas.

Gertruda y Michael. Campamento de desplazados, Berlín, julio de 1947.

Gertruda compró un par de billetes a Múnich, adonde llegaron tras un largo viaje en tren. Alquilaron una habitación en un hotel destartalado que había junto a la estación y comenzaron a buscar a alguien que pudiera indicarles el camino al campo de personas desplazadas. Unos soldados americanos les hablaron de un campamento que había a las afueras y los dos partieron hacia allá.

El campamento estaba en la linde de un bosque. Detrás de una verja vieron unos cuantos barracones y multitud de gente sentada a su entrada o paseando por los alrededores. La colada colgaba de cuerdas y los niños jugaban con pelotas de trapo. En el despacho del director le pidieron a Gertruda que rellenara un formulario y le asignaron uno de los barracones. En el barracón había muy poco sitio, las camas se separaban con sábanas colgadas a modo de biombos y en el aire flotaba un olor permanente a sudor y mugre.

–¿Cuánto tiempo vamos a quedarnos aquí? –le preguntó Michael.

–No mucho, espero.

–¿De aquí nos iremos a Palestina?

–Sí, hijo mío.

–¿Y allí encontraremos a papá?

–Puede.

9. El crucero

1.

Mientras Gertruda y Michael llegaban al campamento de desplazados de Múnich para ser trasladados a la Tierra de Israel, los organizadores del traslado se consagraban a una búsqueda frenética de cualquier barco que pudiera transportar a miles de supervivientes del Holocausto hasta las costas de su nueva patria.

La búsqueda se realizó bajo los auspicios del Mossad le'Aliyah Bet, la organización dependiente de la Haganá que se encargaba de la inmigración ilegal de judíos al mandato británico de Palestina. Después de varias tentativas, los oteadores de Aliyah Bet dieron con un montón de chatarra muy prometedor que llevaba varios años oxidándose en un muelle del puerto de Baltimore, en Maryland. En la proa del barco, a través de la espesa capa de óxido, se podía distinguir aún el nombre con el que había sido conocido en sus años dorados: *President Warfield.*

Su construcción había costado más de un millón de dólares en 1928. El *President Warfield* comenzó su andadura como un barco fluvial de lujo que ofrecía cruceros a quienes pudieran pagarlos. En sus cubiertas tocaban cada noche las mejores bandas de música, acompañadas de los mejores cantantes americanos.

Al estallar la Segunda Guerra Mundial la demanda de cruceros cayó en picado y el *President Warfield* hizo varios trayectos casi vacío. Al cabo de un tiempo fue requisado por la Armada británica, que lo transformó en un buque de transporte. Los ingleses acorazaron las cubiertas, fijaron cañones a la proa y destruyeron los camarotes de maderas nobles para hacer sitio al cargamento militar.

Los marineros veteranos afirman que hay barcos malditos. El *President Warfield* era uno de estos barcos, y para protegerse contra la maldición sus marineros colgaron un gran crucifijo en la proa y alojaron a tres gatos con amuletos en la tercera cubierta. No sirvió de nada. En el apogeo de la guerra el barco fue alcanzado por el torpedo de un submarino alemán y pasaron varios meses hasta que consiguieron repararlo y traspasarlo a la Armada norteamericana, que lo usó para transportar soldados durante el desembarco de Normandía. En 1946 la Armada retiró el barco y lo remolcó hasta el muelle de chatarra del puerto de Baltimore, donde lo vendieron por cincuenta mil dólares a la naviera secreta fundada por Aliyah Bet.

2.

Varios tanques reptaban por los alrededores del búnker de Hitler en Berlín, los camiones descargaban soldados y los *jeeps* transitaban por la gran plaza que daba a la iglesia del Káiser Wilhelm, parcialmente destruida durante los bombardeos. En la ciudad reinaba un extraño silencio. Ya no se oía el fragor de los cañones, el silbido de los obuses de mortero o el zumbido de los aviones. Hitler y sus colaboradores más próximos se habían suicidado. Muchos de los oficiales nazis de alto rango habían sido arrestados y encarcelados. La guerra había terminado.

En el centro de Berlín los Aliados habían levantado barricadas para controlar la documentación de los transeúntes. Karl Rink trató de alejarse de ellos todo lo que pudo. Aunque vestía ropas de civil, tenía miedo de que los Aliados lo arrestaran y descubrieran el tatuaje de las SS que llevaba bajo el brazo. Caminó un buen rato por las calles más estrechas, tratando de eludir a los grupos de soldados, hasta llegar al prestigioso barrio de Wilmersdorf, donde quedaban aún muchas casas intactas. Por la zona no se veía ningún soldado ni vehículo militar, y pensó que tal vez encontrara allí algún lugar seguro donde ocultarse. Por la calle había muy pocos peatones y caminaban todos cabizbajos. Las tiendas estaban cerradas y las persianas de las casas bajadas. Durante varios días no encontró nada que comer o beber y se dedicó a hurgar en los cubos de basura para encontrar restos de comida inexistentes. Cuando el hambre y la sed se hicieron intolerables, Rink pensó incluso en mendigar unos céntimos para comprar un poco de pan.

En un portal vio un día a un anciano en una silla de ruedas con una manta a cuadros sobre el regazo. Vacilante, se acercó a él.

–Disculpe –le dijo–. Tengo hambre. ¿Podría ayudarme?

El viejo lo miró con curiosidad.

–¿Quién es usted? –dijo.

–Un exsoldado.

–¿Tiene familia?

–Mi mujer murió y mi hija huyó de Alemania.

–Acompáñeme –le dijo el viejo–, pero no se haga muchas ilusiones.

Karl empujó la silla de ruedas hasta llegar a un espacioso apartamento del primer piso. El viejo le indicó el camino de la cocina. Sobre la mesa encontró una hogaza de pan y sobre el fogón un cazo de agua caliente.

–Es todo lo que tengo –dijo–. Sírvase un té y un par de rebanadas.

–Muy amable –dijo Karl con gratitud.

El viejo vio cómo devoraba la comida y le preguntó:

–¿Dónde vive?

–En ninguna parte.

–Puede quedarse conmigo un tiempo –le dijo el hombre de la silla de ruedas–. Mi mujer murió hace un par de días y necesito ayuda. ¿Qué dice?

* * *

A principios de agosto de 1945 Helga-Elisheva Rink recibió una nueva carta de su padre:

Querida Helga:

La guerra ha terminado, por fin. Por suerte, sigo con vida y no me han encarcelado. Al parecer, Dios se ha apiadado de mí. Hace unos días conocí a un anciano en silla de ruedas que me da comida y alojamiento por cuidar de él. Vivimos en el barrio de Wilmersdorf, en un piso bonito y confortable que no sufrió daños durante la guerra. El anciano fabricaba medias y durante la guerra él y su mujer sobrevivieron vendiendo sus objetos de valor en el mercado negro. De vez en cuando me da alguno de los pocos objetos valiosos que le quedan y yo lo vendo para comprarle comida y medicinas.

Tengo mi propio cuarto, comemos platos sencillos y de tanto en tanto me da un poco de calderilla. Tendría que encontrar un trabajo más estable, pero de momento no tengo muchas posibilidades. Berlín es un caos. Las fábricas y muchos de los comercios están destruidos o han cerrado, y aún no ha abierto ningún negocio nuevo. Por la ciudad circulan las tropas de cuatro ejércitos, arrestando a miembros de la Gestapo y las SS y recluyéndolos en campos de prisioneros. Yo espero librarme.

Dispongo de mucho tiempo para pensar en ti y en mamá. Os echo mucho de menos, pero para reunirme con mamá creo que tendré que esperar a la otra vida. Ardo de impaciencia por abrazarte de nuevo.

Te quiere,

Papá

3.

–¿Stolowitzky? –preguntó sorprendido uno de los dos jóvenes, deteniéndose junto a los catres de Gertruda y Michael en el campamento de desplazados, mirando el nombre garabateado en las maletas que Gertruda guardaba en la cabecera de su cama.

Gertruda los había visto por primera vez hacía unos minutos, mientras el director del barracón les asignaba sus catres. Los hermanos Zvi y Joseph Yakobovitch habían perdido a toda su familia en Auschwitz. Sus padres habían muerto en las cámaras de gas, pero los dos hermanos se habían librado milagrosamente. Joseph tenía diecisiete años y Zvi quince y los dos habían escapado del campo de la muerte aprovechando la confusión de los alemanes cuando se enteraron de que se aproximaba el Ejército Rojo. Se escondieron en el bosque hasta que unos soldados rusos los encontraron y los llevaron a un hospital militar, donde les curaron las heridas y les dieron algo de comer.

–¿Es usted la señora Stolowitzky? –le preguntó Joseph.

–Stolowitzky es el niño –repuso Gertruda señalando a Michael, que dormía plácidamente–. Yo soy su madre adoptiva.

–En Auschwitz conocimos a un Stolowitzky –agregó el chico–. Estaba en nuestro barracón.

–¿Recuerdas su nombre de pila?

–Jacob. Era un hombre encantador. Nos cuidó como un padre hasta que los alemanes se lo llevaron a la cámara de gas.

La funesta noticia estremeció a Gertruda, que no había perdido la esperanza de que el padre de Michael se hubiera librado de los horrores de la guerra. Ahora estaba segura de que sólo quedaban ella y Michael.

–¿Os contó algo de su familia? –preguntó.

–Nos dijo que tenía una mansión en Varsovia y una fábrica de vías de ferrocarril. No sabía qué había sido de su mujer y de su hijo.

–No le contéis nada al niño –les suplicó Gertruda–. Jacob era su padre y él cree que sigue vivo.

Los chicos le prometieron no decir nada y ella decidió ocultarle a Michael la verdad hasta que llegaran a la Tierra de Israel.

Como muchos otros refugiados del campo, los hermanos Yakobovitch seguían inmersos en los horrores que habían vivido en el campo de exterminio. De noche se metían a hurtadillas en la cocina del campo y robaban hogazas de pan que escondían debajo de la almohada y de día se dedicaban a acumular cualquier objeto que juzgaran remotamente útil: cajas de cartón vacías, harapos y libros deshojados que el resto de refugiados tiraba a la basura, cuchillos romos y vendajes usados. Gertruda era la única persona en quien confiaban y sólo a ella le abrían su pecho. Tenían una foto descolorida de sus padres en su casa de Polonia. Era el único recuerdo que conservaban de ellos y se deshacían en lágrimas cada vez que la miraban, tratando de aferrarse a los días felices de su infancia. A los dos les encantaba la música. Zvi le contó que de pequeño había aprendido a tocar el violín. Un día encontró un viejo violín sobre su catre, dio un grito de alegría y abrazó a Gertruda cuando se enteró de que era ella quien se lo había comprado a otro refugiado por unos céntimos.

Con los ojos bañados en lágrimas Zvi se puso a tocar y muchos de los habitantes del barracón se congregaron alrededor suyo para escucharlo. Al cabo de un tiempo crearon en el campo una orquesta compuesta por un acordeón, una flauta, un piano y un violín. La administración les asignó una esquina del comedor para ensayar y se encargó de organizar los conciertos. Zvi nunca se olvidaba de reservarles a Gertruda y Michael dos asientos de primera fila.

Los hermanos Yakobovitch pensaban irse a vivir a un kibutz. Zvi soñaba con montar allí una orquesta y Joseph quería trabajar en el campo. Les apenaba profundamente que sus padres no pudieran acompañarlos. Su padre, que era maestro, hacía tiempo que planeaba emigrar a la Tierra de Israel, pero para él ya era demasiado tarde. Zvi compuso en su memoria una canción en *yiddish* que decía así:

> Mi padre sabía de todo,
> de Tora y de mates, de Rashi y de Talmud,
> hubo sólo una cosa que no supo y fue
> partir a tiempo de la tierra hollada por las botas militares…

4.

Una semana después de comenzar a cuidar al anciano, Karl Rink se tomó su primer día libre. Se levantó temprano, lavó y vistió al anciano, le hizo comida suficiente para todo el día, salió de la casa y se dirigió al este de la ciudad. La mayoría de los edificios de los barrios orientales estaban destruidos, los nombres de las calles habían desaparecido y tuvo que dar vueltas un buen rato hasta reconocer el edificio donde vivía Reinhard Schreider. La casa de su comandante había sido alcanzada por las bombas. Una de las alas se había desmoronado, pero el resto seguía en pie.

Karl Rink recordó cuál era el piso de Schreider y llamó a su puerta de la planta baja, que quedaba en el ala habitable del edificio. No hubo respuesta. Volvió a llamar varias veces, pero fue en vano. Resignado, fue hasta el final del pasillo y llamó a otra puerta.

–¿Quién es? –contestó una voz de mujer.

Karl le dijo que buscaba a Schreider y que le quedaría muy agradecido si podía darle algún dato para poder localizarlo.

–¿Para qué lo busca? –preguntó la mujer, desconfiada.

–Soy un viejo amigo suyo.

La puerta se abrió y apareció en el umbral una mujer de unos cincuenta años. Tras ella se ocultaba un hombre cuyo rostro se iluminó al reconocer al visitante.

–¡Karl! –exclamó con alegría–. Pasa, pasa, por favor.

Karl Rink lo reconoció de inmediato. Antes de la guerra

habían trabajado muchos meses juntos en el cuartel general de las SS en Berlín.

–Oí decir que te habían matado –le dijo.

El hombre insistió en ofrecerle una taza de té y un pedazo del modesto pastel que su mujer acababa de preparar.

–¿Por qué buscas a Schreider? –le preguntó.

–Por nada en especial. Me apetecía saludarlo, eso es todo. Al fin y al cabo era mi comandante, y siempre se portó muy bien conmigo.

–Schreider tuvo mala suerte –dijo el hombre, afligido–. Cuando todo terminó la mayoría de nosotros quemamos los uniformes, nos vestimos de civil y nos escondimos en nuestras casas, pero los americanos atraparon a Schreider en cuanto llegaron a Berlín y se lo llevaron a una base militar para interrogarlo.

–¿Sigue allí?

–Sí, y no creo que vayan a soltarlo en una buena temporada.

5.

La chica se paseaba como un espectro por los senderos del campo de personas desplazadas. Tenía dieciséis años, el cuerpo delgado como una estaca, la cara larga y los ojos tristes. Bajo la blusa descolorida llevaba escrita la palabra que le habían tatuado en el pecho en el campo de Treblinka: «PUTA». Era la denominación que se les daba a las chicas y mujeres destinadas a saciar el apetito sexual de la soldadesca alemana. A las prostitutas forzadas se les concedía un indulto provisional, una suerte de visado para el humillante país de la supervivencia, del que volvían llevando en el alma cicatrices indelebles. Nunca podrían olvidar ya a aquellos soldados groseros y casi siempre borrachos que las trataban como no se hubieran atrevido a tratar a las mujeres que habían dejado en sus hogares.

Como la mayoría de los refugiados del campo, la chica había perdido a toda su familia en las cámaras de gas. Cuando los alemanes huyeron para no caer en manos del Ejército Rojo, se encontraba entre la ola de supervivientes que cruzó la puerta abierta, se dispersó por el campo y respiró el aire de la libertad. La chica tenía los lagrimales secos y el corazón insensibilizado y le temblaban las piernas de pura desnutrición. De camino al campo de personas desplazadas vio impasible cómo ardían los camiones alemanes y los granjeros locales se encerraban en sus casas a cal y canto. No sabía qué iba a ser de ella, pero le daba lo mismo mientras no tuviera que regresar a aquel infierno.

En el campo de personas desplazadas le dieron ropa limpia y le asignaron un catre en uno de los barracones, pero los espacios cerrados le producían pavor. La chica se negaba a pisar el barracón o el comedor y no se relacionaba con las demás chicas de su edad. Se pasaba el día vagando ociosa por el campo y por la noche se echaba a dormir en un banco junto a uno de los senderos y tenía pesadillas.

Varios equipos de psicólogos trabajaban sin descanso con

los múltiples jóvenes y adultos del campo que precisaban su asistencia. Algunos de ellos se encontraban en un estado mental tan preocupante que debían hospitalizarlos. La chica de Treblinka fue convocada a una reunión con un psicólogo, pero huyó a esconderse en una arboleda que había en un extremo del campo.

La administración no sabía qué hacer. Todas las tentativas de acercarse a ella, hablar con ella o ponerla en contacto con otros jóvenes habían fracasado. Una noche, Gertruda se la encontró dormida en el banco, le llevó una manta del barracón y la arropó con ternura. La chica despertó sobresaltada, tiró la manta al suelo y miró a la extraña con desconfianza.

–Lo siento –se disculpó Gertruda en voz queda–. Sólo quería ayudarte.

–No necesito su ayuda –dijo la chica, que también hablaba polaco.

–Todos necesitamos ayuda –dijo Gertruda–. Aquí estamos todos heridos y desanimados. Tenemos que ayudarnos los unos a los otros.

La chica guardó silencio.

–Me llamo Gertruda.

Se sentó en el banco y con afecto le habló de su vida, de Michael y de las penurias por las que habían tenido que pasar.

La chica la escuchó sin pronunciar palabra.

–Vivo con Michael en el barracón 23. Tenemos al lado un catre desocupado. Si quieres puedes instalarte allí. Estarás más cómoda.

A la noche siguiente volvió a pasar junto al banco acompañada de Michael. La chica estaba despierta, como si hubiera estado esperándola. Tenía la manta a su lado, bien doblada.

–Vengo con Michael –dijo Gertruda–. Quería presentártelo.

La chica miró al niño con ojos opacos.

–Gertruda me ha hablado de ti –le dijo Michael y partiendo una chocolatina en dos le dio la mitad–. Te he traído esto.

La chica ni siquiera parpadeó.

–Come, anda –le suplicó el niño–. Está buena.

Al ver que no le tendía la mano, el chico le dejó la chocolatina en el banco.

–Ven –insistió Gertruda–, el catre del barracón aún está libre.

La chica sacudió la cabeza.

–Si te animas –dijo Gertruda–, recuerda que estamos en el número 23. Buenas noches.

Cogió a Michael de la mano y volvió con él al barracón, donde los recibió un concierto de ronquidos. Aquí y allá alumbraba una vela a cuya luz algún refugiado leía cartas o periódicos.

Al día siguiente Gertruda volvió al banco. La chica ya no estaba, pero la manta seguía en su sitio. Le pareció un mal augurio y fue a informar a la administración del campo de su desaparición. Una cuadrilla salió a buscarla por el campo y, al no encontrar su rastro, pidió ayuda a la policía.

Gertruda pasó varios días buscándola en los pueblos vecinos junto a Zvi y Joseph Yakobovitch. Viajaban en autostop, se subían a carros de campesinos y a camiones cargados de verduras y preguntaban a los transeúntes y los tenderos con los que se cruzaban si habían visto a la chica desaparecida, pero no encontraron ni rastro de ella.

Después de probar en los pueblos, Gertruda fue a Múnich con los chicos y recorrió con ellos las callejuelas vecinas a la estación, donde trabajaban las prostitutas, los cambistas y los estraperlistas, preguntando a todo el mundo por la chica. Nadie la había visto ni había oído hablar de ella.

Dos días después sacaron su cuerpo del fondo de un lago vecino. La chica no había dejado ninguna nota y cuando la enterraron en el cementerio judío del pueblo los únicos dolientes presentes fueron Gertruda y Michael.

6.

Aliyah Bet les ofreció el mando del *President Warfield* a varios oficiales navales experimentados, pero todos se negaron, aduciendo que la aventura era demasiado arriesgada, que el barco no estaba preparado para tamaña travesía o que los ingleses los atraparían. La Haganá les ofreció grandes sumas de dinero, pero ninguno de ellos se dejó tentar.

Los líderes de Aliyah Bet organizaron una reunión de emergencia en Marsella para discutir la situación. Alguien mencionó entonces a Isaac (Ike) Aaronovitch, que acababa de licenciarse como oficial de marina en la facultad inglesa de Richmond.

–Es un chico muy preparado –dijo–. Démosle una oportunidad.

La propuesta fue aceptada con reservas. Nadie estaba muy convencido, pero no había ninguna alternativa y el tiempo jugaba en su contra. Tenían que ofrecerle el puesto a Ike.

Aaronovitch tenía sólo veintidós años y no tenía ninguna experiencia real como capitán de barco. Era muy probable que el puesto le fuera muy grande.

–Nunca he estado al mando de un barco –se excusó el joven cuando le propusieron el puesto.

–No importa. Hemos estudiado a fondo tu trayectoria y cumples con todos los requisitos.

Isaac (Ike) Aaronovitch
al mando del *Exodus*. Julio de 1947.

–Yo en su lugar buscaría a un capitán en condiciones –insistió Ike–. Sólo aceptaré el puesto si no queda más remedio.

–Sería una pérdida de tiempo, Ike. No tenemos alternativa.

–De acuerdo –se avino por fin–. Espero no defraudarlos.

7.

El oficial de las SS Reinhard Schreider pasó seis semanas en los calabozos de la base militar americana, donde le sometieron a largos interrogatorios en los que afirmó con coherencia que su puesto era el de oficial administrativo y que no había tomado parte activa en ningún crimen de guerra. Sus interrogadores no lograron encontrarle ni una grieta a su coartada y tuvieron que dejarlo marchar sin llevarlo a juicio.

Karl Rink se acercaba a su casa en sus días libres y la encontraba siempre vacía. Se llevó una sorpresa mayúscula cuando un día le abrió la puerta el propio Schreider, vestido con camiseta y tirantes. Los dos se miraron un rato en silencio. Rink encontró que Schreider no había cambiado mucho: la misma cara ancha y huesuda, la misma expresión firme, los mismos ojos pérfidos.

–Te veo cambiado, Karl –dijo Schreider–. Has debido de pasarlas canutas. Y aún tienes suerte de seguir con vida.

–Sí, mucha suerte –murmuró Rink–. ¿Tienes un minuto?

–Claro –dijo Schreider, disimulando su sorpresa y preguntándose qué podría querer aquel tipo.

Pasaron al gran salón, que Karl recordaba repleto de muebles antiguos. De las paredes colgaban ahora unos cuantos cuadros de paisajes desvaídos. Las ventanas estaban cerradas, sobre la mesa había una botella de vino mediada y en el aire flotaba el humo de un cigarrillo.

–¿En qué puedo ayudarte?

–Hay una cosa que hace años que me tortura, Schreider.

–¿El qué?

–¿Recuerdas la conversación que tuvimos cuando mi mujer desapareció?

–No –dijo Schreider escurriendo el bulto.

–Te pregunté entonces si sabías lo que le había sucedido.

–De eso hace ya mucho tiempo. No esperarás que me acuerde de todas las conversaciones de aquella época.

–Me dijiste que no tenías ni idea.

–Si tú lo dices...

–Me mentiste.

El rostro de Schreider enrojeció de cólera.

–Quiero que me digas si mataste a mi mujer –le exhortó Rink.

–Yo no la maté, Karl. Si eso es lo que has venido a averiguar, ya puedes marcharte –le dijo, señalándole la puerta.

Karl Rink ardía de rabia. Durante años había abrigado una frustración terrible y se había despreciado a sí mismo por no tener valor de dimitir y dejar de trabajar para los asesinos de su mujer. Ahora se encontraba ante el responsable de la muerte de Mira. Schreider se había librado de los americanos, pensó Karl, pero de él no tendría forma de librarse.

Sacó la navaja del bolsillo y paseó la cuchilla ante los ojos biliosos de Schreider.

–¿Te has vuelto loco? –exclamó el oficial de las SS.

–Ahora vas a pagar por lo que hiciste –dijo Karl muy despacio.

–Pero ¿qué hice? –gritó Schreider–. Yo me limitaba a cumplir órdenes. ¿Por qué te preocupas tanto por una judía?

–Era mi mujer, la amaba, y tú la mataste.

–No se merecía un marido en las SS. Tú debías saberlo mejor que nadie.

–Ella no tenía ninguna culpa.

Schreider miraba fijamente la cuchilla de la navaja, como hipnotizado.

–Queríamos darte la oportunidad de consagrarte por completo a las SS –dijo–. Y tu mujer era un estorbo.

–¿Cómo la matasteis? Quiero saberlo.

–No le dolió nada, Karl. Fue cuestión de segundos.

Al oír aquello se abalanzó sobre Schreider. Rink era más bajo y no tenía la fuerza de su antiguo comandante, pero su rabia le confería un poder sobrehumano. Schreider trató de defenderse, pero Rink le hincó la cuchilla en la garganta, de la que manó un chorro de sangre. Con un breve estertor terminó la vida de Schreider.

Al acabar no sintió nada, ni rabia ni satisfacción, tan sólo la conciencia de haber saldado una cuenta pendiente. Dio media vuelta, salió a la calle y se apoderó de él una sensación de soledad, pero se consoló pensando que había conseguido vengar la muerte de su mujer y salvar a su única hija a tiempo.

8.

El campo de personas desplazadas no era más que una parada, un breve alto en el largo camino de los supervivientes del Holocausto hacia su destino definitivo. Casi todo lo que llevaban consigo en maletas y fardos tuvieron que dejarlo allí. No podían cargar más que lo estrictamente necesario: un par de mudas y un neceser.

A los refugiados les asaltaban muchas preguntas sin respuesta: ¿qué les depararía el futuro en su nueva patria? ¿Lograrían dar con sus familiares? ¿Encontrarían trabajo y un lugar donde vivir? ¿Se adaptarían ellos y sus hijos a una sociedad, un entorno y un idioma que a la mayoría les eran extraños? ¿Llegarían a olvidar algún día la pesadilla que habían vivido?

Tenían muchas horas de ocio y muy poco que hacer. Asistían a conferencias sobre la Tierra de Israel, cantaban canciones y discutían de política. Como muchos otros niños del campo, Michael comenzó allí a aprender hebreo. La primera frase que pudo leer en la nueva lengua fue: «Me dirijo a la Tierra de Israel».

Cada día que pasaba aumentaba la tensión. Todos tenían puesta su atención en la travesía esperada, que se adueñó de casi todas sus conversaciones. Los rumores se propagaban con rapidez para levantar o abatir los ánimos. En cierta ocasión corrió la voz de que partirían en una semana, pero cuando llegó el día alguien dijo que el barco necesitaba más reparaciones y no sabían cuándo podría zarpar. La administración del campo corroboró otro rumor y confirmó que el número de solicitantes excedía la capacidad del barco y un comité especial de la Haganá se encargaría de decir quién embarcaba y quién no. La noticia propagó el miedo entre los ancianos y los enfermos. Para que no los dejaran en tierra, muchos ancianos se quitaron años y los enfermos y las mujeres embarazadas se acercaron a las consultas médicas de los pueblos vecinos y consiguieron certificados médicos falsos a cambio de comida enlatada y cigarrillos.

Nadie se llamaba a engaño, el viaje no iba a ser fácil y era posible que el barco no pudiera atracar en Palestina. Los periódicos de Israel que llegaban al campo hablaban de destructores británicos que detenían a los barcos de inmigrantes ilegales antes de que llegaran a la colonia y enviaban a sus ocupantes a campos de tránsito en Chipre. Gertruda se estremecía cada vez que pensaba en lo que la vidente le había dicho en el tren a Vilna sobre su futuro y el de Michael: les esperaba una travesía complicada, una letanía de sangre y muerte. Trataba de apartar aquellos pensamientos, pero la profecía no dejaba de volver a sus mientes a diario, azuzando sus temores.

10. Ataque marítimo

1.

En el gran comedor del campo de personas desplazadas, Yossi Hamburger, un joven de veinticinco años natural de Jerusalén elegido para comandar el barco junto a Ike Aaronovitch, se presentó a los inmigrantes ilegales y les anunció:

–Se acerca el día, es posible que zarpemos esta semana.

Un clamor de júbilo se dejó oír entre el público.

–Debéis tener muy presente que no será un crucero de placer –agregó–. El barco estará abarrotado y en la bodega el calor será sofocante. Los niños, las mujeres embarazadas y los ancianos serán los que más padecerán. No podemos descartar el contagio de enfermedades. Y eso no es todo. Ahora mismo no es seguro que podamos llegar a Palestina. Los ingleses harán todo lo que puedan para impedir que lleguéis a la Tierra de Israel. Ya han deportado a otros inmigrantes ilegales a campos de tránsito en Chipre y es posible que vuelvan a intentarlo.

–¡Resistiremos! –gritó alguien entre el público–. ¡No nos deportarán!

–No será fácil. Tendremos que defendernos y extremar las precauciones. Los ingleses tienen mucho más armamento que nosotros y pueden abordarnos y hacerse con el barco en cualquier momento.

–Entonces, ¿vale la pena intentarlo? –preguntó una mujer encinta.

–Sí –dijo Hamburger–. En primer lugar, porque creemos en la posibilidad de romper el bloqueo británico y llevaros a la Tierra de Israel. Otros barcos de inmigrantes ilegales lo han conseguido. Además, queremos poner de nuestra parte a la opinión pública mundial y presionar al Gobierno británico para que permita el acceso a Palestina a los supervivientes del Holocausto. Nunca hemos llevado tantos inmigrantes de golpe y es un modo de despertar el interés de la prensa y movilizar a la opinión pública a favor de nuestra lucha. Con todo, si alguien no quiere navegar, de momento puede quedarse en el campo. Los que prefieran quedarse, que levanten la mano.

No hubo una sola mano alzada.

–En ese caso –dijo Hamburger sonriente–, sólo me queda desearos buen viaje.

Los asistentes se fueron dispersando y Gertruda volvió pensativa a su barracón, sin dejar de pensar en las palabras de la adivina: «El barco está maldito. Veo mucha sangre, mucha violencia, muchos muertos». Gertruda no descartaba aún la posibilidad de quedarse en tierra y esperar hasta que pudieran llegar sin riesgos a la Tierra de Israel. Pero en el fondo sabía que no podía quedarse. Tenía más esperanzas puestas en aquella travesía que en ninguna otra cosa. Había que encontrarle a Michael un verdadero hogar de una vez por todas.

Al día siguiente los residentes del campo fueron informados de que los pasajeros tenían que dejar en tierra la mayoría de sus posesiones, pues sólo se les permitía llevar diez kilos de equipaje. La noticia transformó el campo de refugiados en un hervidero de protestas. Por insignificantes que pudieran ser, sus objetos personales eran una parte importante de sus vidas. Los refugiados estaban íntimamente ligados a las cosas que habían tenido ellos o sus seres queridos y no les era nada fácil dejarlas atrás. Muchos de los supervivientes del Holocausto cargaban con sus recuerdos y los de las familias que habían perecido en los campos: ropas, cubiertos, diarios secretos. Y desde su liberación habían acumulado aún más cosas a las que les habían cogido cariño. Los había que hacían acopio de alimentos obsesivamente, por miedo a nuevas hambrunas. Fueron muchos los que protestaron, suplicaron y trataron de explicarse ante la administración del campo, pero la decisión era irrevocable: en el barco sólo había lugar para las personas, no para las mercancías.

Gertruda acogió la noticia con pesadumbre, como el resto. Tenía muchas cosas que había ido guardando y Michael poseía también varios recuerdos personales muy queridos. Ella no quería desprenderse de los utensilios de cocina y otros objetos domésticos que podría usar en su nuevo hogar, ni de los libros que había ido coleccionando durante años, pero tuvo que renunciar a la mayor parte de sus cosas. Michael se llevó únicamente el álbum de fotos de sus padres y un Nuevo Testamento que le había regalado el padre Gedovsky.

2.

Los administradores del campo tenían los ojos rojos por la falta de sueño y las caras pálidas de cansancio. Trabajaban día y noche para ultimar la lista de candidatos para embarcar y se confirmaban sus peores temores: en el barco no había plazas suficientes para todos los que querían zarpar. La conclusión inevitable era que varias decenas de refugiados tendrían que quedarse en tierra.

Decidir quién embarcaría y quién se quedaría era una labor muy desagradecida. Los israelíes que habían sido destinados al campo para administrarlo y llevar a sus ocupantes a Palestina eran militantes de diversos movimientos políticos y cada uno tenía sus prioridades. Los representantes de Ha-Shomer Ha-Tza'ir querían llevar a aquellos que pudieran fundar nuevos kibutz y los integrantes del movimiento He-Chalutz preferían llevar a los suyos, al igual que otros movimientos, cuyos representantes se veían ahora en la obligación de decidir quién iba a embarcar.

Se hizo una lista aparte con los candidatos para quedarse en tierra: hombres y mujeres solteros, padres de recién nacidos… y Gertruda, que era la única aspirante no judía. Un día la citaron para una entrevista en una sala, donde encontró a los miembros de la administración esperándola sentados a una larga mesa de madera.

Los administradores revisaron su ficha.

–Veo que no es usted judía –dijo uno de ellos.

–Soy católica.

–Pero el niño que tiene a su cargo es judío, ¿no es así?

–Sí.

–Hemos leído su informe y huelga decir que le estamos sumamente agradecidos por haber protegido al niño durante la guerra. No nos cabe duda de que si sigue con vida es gracias a usted.

–Sin mí no tendría a nadie en este mundo –dijo Gertruda–. Sus padres están muertos.

–Lo sabemos –dijo uno de los miembros de la administración, un joven con una chaqueta de cuero raída–. ¿Tiene usted familia?

–Sí. Mis padres viven en Starogard.

–¿Por qué no vuelve con ellos?

–Porque le prometí a la madre de Michael en su lecho de muerte que llevaría a su hijo a la Tierra de Israel. Ella quería que creciera allí, como un judío.

–Michael llegará a la Tierra de Israel –repuso el joven–. Puede confiar en nosotros.

Gertruda comprendió entonces para qué la habían convocado. Aquellos hombres no la querían en su barco.

–He tenido que soportar todas las miserias de la guerra junto a Michael –dijo emocionada–. Lo he salvado de una muerte segura y por él he arriesgado mi vida a diario. No tienen derecho de impedirme ahora cumplir con la promesa que le hice a su madre.

Los hombres la miraron incómodos.

–Entiéndanos –dijo uno de ellos–, en el barco no hay sitio para todos los que quieren inmigrar a Palestina. Mucha gente va a tener que quedarse en Europa. Tenemos que dar prioridad a los judíos que quieren construir un futuro común en la Tierra de Israel y, por mal que nos sepa, no podemos permitirle embarcar. Michael sí, por supuesto.

El rostro de Gertruda se inflamó de ira.

–Me parece inaceptable –dijo ultrajada.

–Está usted muy unida al niño, es comprensible –dijo el hombre, bajando la voz–. Se merece usted todo el reconocimiento del mundo por su sacrificio, pero tiene que hacerse a la idea de que su labor ha terminado.

Gertruda lo atravesó con la mirada.

–Mi labor terminará cuando Michael no me quiera a su lado –dijo.

–Michael es un niño. No acaba de entender lo que le ha pasado.

–Precisamente por eso tengo que quedarme a su lado.

–Lo siento –dijo–. Por mucha pena que nos dé, señora, no tenemos alternativa. Le recomiendo que se prepare para separarse de Michael. Por su bien y por el del niño.

–Por su bien no será –protestó Gertruda–. Michael no embarcará a menos que yo vaya con él. Eso no lo permitiré.

–Nuestra decisión es irrevocable –dijo el hombre–. No podemos embarcar a nadie que no sea judío.

–Mi decisión es igualmente irrevocable –dijo Gertruda. Se puso en pie y abandonó la sala con la cabeza alta.

3.

Gertruda volvió tambaleándose a su barracón, se derrumbó en su catre y enterró la cabeza en la almohada. Su cuerpo se estremecía entre sollozos y Michael la miraba atónito. En los años que llevaban juntos habían pasado infinidad de penurias, pero Gertruda apenas había derramado una lágrima. Se esforzaba siempre por irradiar confianza y energía, por transmitirle al niño seguridad y ofrecerle un pilar sólido en el que apoyarse. De pronto el pilar se había desmoronado.

Michael le acarició la espalda hasta que dejó de llorar y se volvió hacia él. Le preguntó entonces qué había sucedido y ella se lo contó.

–Qué malas personas –dijo él enfurecido.

–No, Michael, no lo son. No entienden que le prometí a tu madre que nunca te abandonaría, eso es todo.

–Iré a hablar con ellos.

La firmeza de su resolución le confirmó a Gertruda algo que intuía desde hacía mucho tiempo: pese a su corta edad, Michael ya no era un niño. La guerra le había conferido la sabiduría y la amplitud de miras de un adulto; le había enseñado a resistir, a superar las dificultades y a no darse nunca por vencido.

Gertruda le besó la frente con amor.

–No te harán caso –le dijo–. Tenemos que encontrar una solución más eficaz para hacerlos cambiar de parecer.

Se acordó entonces de que un grupo de periodistas iba a llegar al campo aquella semana para escuchar las terribles historias de los supervivientes del Holocausto. A los residentes del campo los avisaron con antelación de su llegada y les pidieron que en sus entrevistas con los corresponsales recalcaran su firme deseo de emigrar a la Tierra de Israel, su verdadera patria. El nombre de Gertruda se encontraba en la lista de los refugiados que los periodistas querían entrevistar.

* * *

La mañana en que esperaban a los representantes de los medios Gertruda llamó a la puerta de la administración.

–Señores –dijo–, ¿han cambiado de parecer?

–Por desgracia no –le respondieron.

–¿Puedo apelar?

–No.

Los miembros de la administración estaban impacientes y querían que les dejara trabajar, pero Gertruda no tenía intención de marcharse.

–Hoy llegan los periodistas –dijo con calma–. Ya pueden imaginarse lo que ocurrirá cuando se enteren de que no van a permitir a una católica llevar a la Tierra de Israel a un niño judío por el que arriesgó su propia vida, como le prometió a su madre.

Los administradores se volvieron hacia ella disgustados.

–Tengo que pedirle que no hable de eso con los periodistas –dijo uno de ellos.

–Y yo tengo que pedirles que recapaciten sobre su decisión.

Los hombres bullían en sus sillas, nerviosos.

–Eso es chantaje –le dijo uno, enfurecido.

–Exacto –dijo Gertruda con frialdad.

–De acuerdo –dijo el director del campo–. Transmitiremos su caso a Aliyah Bet para que ellos tomen la decisión. Ellos son los responsables del transporte clandestino de las personas desplazadas a Israel y lo que ellos decidan tendremos que acatarlo, tanto nosotros como usted.

–Discútanlo con quien les parezca, pero tengan en cuenta que no aceptaré una negativa. Díganles a sus superiores que no acataré ninguna decisión que se oponga a los intereses de Michael.

–Les transmitiremos su postura –le prometieron–. Entretanto, por favor no comente su caso con los medios.

4.

A los responsables de la operación, que ya tenían más problemas para que el barco zarpara de los que hubieran deseado, el caso de Gertruda Babilinska los irritó. Precisamente el día que debían celebrar una larga serie de reuniones para organizar la defensa del barco ante los más que probables ataques británicos, la dirección de Aliyah Bet en París se veía obligada ahora a discutir una cuestión que les parecía más bien baladí: permitir o no a la niñera de un chico judío zarpar con él hacia la Tierra de Israel.

Mordechai Rozman, un joven chaparro, delgado y nervioso que formaba parte del comité, les planteó el asunto a sus cuatro colaboradores. Estos trataron de posponer la discusión, pero Rozman insistió, aduciendo que habían prometido a la mujer discutir su caso en aquella reunión. A continuación, les expuso el problema. La mayoría de los asistentes opinaba que debían conceder prioridad a los judíos, con lo que Michael habría de viajar solo.

Rozman, que discrepaba, empleó toda su fuerza argumentativa para que Gertruda pudiera viajar.

–Quien salva una vida salva a toda la humanidad –citó–. No podemos ser tan estrictos, tan insensibles. Esa mujer ha sacrificado su vida para que el niño pueda vivir, y no hay mayor sacrificio que ese. Yo creo que merece embarcar junto al niño.

Les habló de un caso parecido del campo, el de una mujer estéril que había salvado a un niño huérfano en Auschwitz y ahora embarcaría con él hacia la Tierra de Israel para criarlo como a su hijo.

–¿Qué diferencia hay? –preguntó.

–Esa mujer es judía y Babilinska no –le respondieron.

Rozman no conseguía que dieran su brazo a torcer.

–¿Y si le ofrecemos dinero para que vuelva a Polonia? –le propusieron.

–No lo aceptará.

–Podemos embarcarla dentro de unos meses –dijo uno de los presentes–. No le importará esperar un poco.

–Sabéis tan bien como yo que no tenemos ni idea de lo que tardaremos en organizar otra expedición –repuso Rozman–. Después de todos los sufrimientos que han tenido que soportar, esa mujer y ese niño quieren y necesitan vivir juntos en Palestina.

–¿Quizá deberían convencer al niño?

–Ya han hablado con él y tampoco está dispuesto a ceder. La quiere como a su madre.

Rozman no acababa de convencer a sus colegas.

–Gertruda Babilinska pasará a la historia como una de las figuras más prominentes de los Justos entre las Naciones –dijo por fin–. No tenemos autoridad moral para dejarla en tierra. Que tengamos que discutirlo ya me incomoda.

–Esa mujer ha amenazado con quejarse a la prensa –dijo alguien.

–Parece que es tenaz, sí –dijo Rozman–. Si la guerra no logró quebrar su voluntad, tampoco lo haremos nosotros. Esa mujer hizo todo lo que pudo para salvar al niño de la muerte y hará cualquier cosa por permanecer a su lado. Hablará con los medios, organizará manifestaciones… Para el movimiento puede ser muy perjudicial.

Los miembros de Aliyah Bet siguieron deliberando largo rato. No querían cambiar de parecer, pero no les quedaba más remedio. Al final, el miedo a las críticas de Gertruda en los medios inclinó la balanza a su favor.

Rozman se encargó personalmente de comunicarle su decisión.

Gertruda no se mostró sorprendida. Sabía que no les quedaba otra alternativa.

5.

El anuncio de prepararse para partir aquel mismo día se propagó como la pólvora por el campo. Gritos de júbilo resonaron en los barracones y los refugiados se abrazaron emocionados.

Al anochecer entró en el campo un largo convoy de camiones. Algunos los habían escamoteado de garajes británicos y otros habían sido alquilados a diversas empresas de transporte. Los residentes del campo se apretujaron en los camiones y el convoy se puso en marcha. En la frontera francesa les preguntaron cuál era el motivo de su viaje, revisaron sus documentos de tránsito y tras una generosa donación de cigarrillos a los guardias fronterizos, los camiones obtuvieron el permiso para continuar su trayecto hacia un campo cercano a Marsella donde los inmigrantes ilegales recibieron visados colombianos y la orden de decir a quien se lo preguntara que eran refugiados judíos que emigraban a Colombia. Los visados se los había procurado Aliyah Bet en el consulado colombiano de Marsella a cambio de cincuenta dólares por documento y la promesa de que ninguno de los refugiados iría a Colombia.

Tras varios días de enervante espera, los pasajeros fueron conducidos al puerto de Sette, no muy lejos de Marsella, donde los esperaba el barco. Cuando llegaron, los funcionarios del puerto seguían reunidos en el camarote del capitán, poniéndose las botas de salchichas, champán, chocolate, vinos selectos y toda clase de manjares que no habían probado en toda la guerra. Al terminar, satisfechos y cansados, los funcionarios se situaron junto a la pasarela, revisaron apresuradamente los visados colombianos y dejaron embarcar a sus titulares. Más de un miembro del Gobierno francés sospechaba que el barco iba a zarpar hacia la Tierra de Israel, pero todos ellos prefirieron hacer la vista gorda. Por lo demás, no tenían ningún motivo legal para impedir que los pasajeros embarcaran: todos llevaban visados colombianos en regla y el barco tenía el permiso de navegación del Gobierno de Honduras. Los ingleses también sabían que no tenían ningún motivo de peso para presionar al Gobierno francés y retrasar su partida, pero no se quedaron de brazos cruzados. Mientras los supervivientes embarcaban en el *President Warfield*, un avión de reconocimiento británico sobrevolaba el puerto sacando fotos para mandarlas al cuartel general de sus servicios de inteligencia.

La tarde del 11 de julio de 1947 las autoridades portuarias expidieron el permiso oficial de navegación. En lo alto del mástil ondeaba la bandera hondureña (cinco estrellas azules sobre fondo blanco) y miles de pasajeros se pusieron a rezar, rogando al Creador que los condujera sanos y salvos a su destino.

Cuando todos estaban a bordo, impacientes por zarpar, comenzaron las averías. Ike dio orden de encender los motores y cortar las amarras y al cabo de un momento veía consternado que las amarras se enganchaban en las hélices. Bill Bernstein, el primero de a bordo, se zambulló bajo el barco y desenredó las hélices. El *President Warfield* se ponía por fin en camino, pensaron los pasajeros. Sin embargo, los problemas no habían hecho más que empezar. Antes de cruzar la bahía el barco encalló en un banco de arena. Nervioso y empapado en sudor, Ike decidió no pedir auxilio y dio orden de encender los motores a máxima potencia. Cuando el barco comenzó a moverse suspiró aliviado.

Los pasajeros no cabían en sí de alegría al ver aquella expansión de agua que llegaba hasta el horizonte y la estela blanca que el barco dejaba a su paso. El *President Warfield* avanzaba a toda máquina. El monótono rugido de los motores indicaba que la sala de máquinas funcionaba con normalidad. Ike abrió una botella de vino, les sirvió un vaso a todos los ocupantes del camarote y propuso un brindis.

El buen humor se adueñó del barco y los pasajeros en cubierta comenzaron a cantar el himno nacional, «Ha-Tikvah».

–No sé por qué se alegran tanto –dijo Bill Bernstein señalando hacia el oeste, donde el destructor británico *Mermaid* se acercaba a la estela del *President Warfield*. El *Mermaid* formaba parte de la flota que debía impedir al barco de inmigrantes ilegales llegar a las costas de Palestina.

6.

Los miles de pasajeros del barco, jóvenes y viejos, niños y mujeres embarazadas, avistaron entonces el destructor británico y rogaron al cielo que los liberara de él. Ni los más optimistas de entre ellos dejaron de comprender que el viaje no sería un camino de rosas.

Un grupo de hombres subieron a la cubierta principal y colgaron un cartel gigantesco con el nuevo nombre del barco en hebreo e inglés: «HAGANAH SHIP EXODUS, 1947». Arriaron luego la bandera de Honduras e izaron la bandera blanca y azul del estado judío. Flotaba en el ambiente un sentimiento de misión histórica.

El primer sabbat en la cubierta del barco reavivó dolorosos recuerdos en la memoria de Gertruda. Se acordó de su primer sabbat en el gran comedor de la mansión de la avenida Ujazdowska, la noche en que Lydia insistió en que los acompañara aunque no fuera judía. Gertruda se sabía de memoria todos los cánticos y todas las bendiciones.

Como eran tantos tenían que comer en distintas salas, pero en todas reinaba el entusiasmo. Miles de pasajeros se juntaban para comer en torno a las mesas, de pie o sentados. Las mujeres bendecían las velas del sabbat y los labios de Gertruda susurraban las mismas oraciones.

Después de cenar entonaron los cánticos del sabbat y otros cantos de Israel y se pusieron a bailar en la cubierta al

El *President Warfield* (*Exodus*). Puerto de Haifa, Israel, 1949.

son de los acordeones y los violines. Gertruda y Michael se dejaron arrastrar hacia los corros de bailarines. En el exterior de uno de los corros se encontraba el pastor John Grauel, que se había prestado voluntariamente a ir con el barco y se preguntaba si debía bailar con los demás.

–¡Venga! –le dijo Gertruda–. No es tan difícil.

Grauel la cogió de la mano e imitó sus movimientos.

–No es tan complicado, ya lo ve –dijo ella entre risas.

Cuando terminó el baile, Gertruda se sentó con Michael en unos fardos apilados al final de la cubierta y el pastor se acercó a ellos.

–Me llamo Gertruda –se presentó ella–. Él es Michael.

–Gertruda, un nombre judío muy común, si no voy errado –dijo el hombre en alemán, con un fuerte acento americano.

Gertruda se echó a reír.

–De judío no tiene nada –dijo–. Soy católica.

–Qué curioso –dijo él–. Cuénteme entonces qué hace aquí.

Ella le contó su historia con toda suerte de detalles.

–Es usted una mujer extraordinaria –le dijo Grauel impresionado–. Aquí son todos ustedes gente extraordinaria, no sabe cuánto me alegro de haber tenido ocasión de echarles una mano.

Gertruda admiró discretamente su altura, su cuerpo fornido y su rostro expresivo, y en su corazón resucitó un sentimiento viejo, casi olvidado, que se había ido apagando con los años: aquel hombre le gustaba.

Gertruda le pidió que le contara su vida. Grauel le dijo que había nacido en Alemania y ya en su infancia había sentido la llamada del señor. De pequeño se había mudado a Estados Unidos con sus padres y a los veintiocho años se había ordenado pastor protestante en una pequeña ciudad de provincias americana.

–¿Volverá a su iglesia cuando acabe el viaje?

–Puede –repuso él.

–¿No tiene otros planes?

–Ahora mismo no tengo ninguno.

En los días que siguieron Gertruda se percató de que Grauel pasaba mucho tiempo con ella. Comían juntos en la cantina y hablaban largo y tendido en la cubierta cuando el calor de la tarde cedía y el sol comenzaba a ponerse. Michael advirtió que desde el día que habían conocido al pastor, Gertruda cuidaba más de su aspecto y hasta se pintaba los labios. Grauel era muy cariñoso con el niño. Encontró una caña y pasaba muchas horas pescando con él, aunque no picaron ni una vez.

Por las noches la cubierta se llenaba de pasajeros que salían de la bodega a respirar un poco de aire fresco. Algunos se estiraban en las duras tablas de madera, los bebés lloraban y los niños trataban en vano de encontrar un sitio para jugar. Zvi Yakobovitch tocaba el violín. A pesar de la aglomeración, Grauel, Gertruda y Michael siempre encontraban un rincón donde instalarse. Grauel les hablaba de su infancia y Gertruda traducía para Michael. El niño escuchaba al pastor con los ojos muy abiertos. Una de aquellas historias se le quedó grabada a Michael por muchos años.

El padre John Grauel, 1984.

–Mi padre –les dijo Grauel con su voz profunda– llegó a América procedente de Alemania a principios de los años veinte y encontró trabajo como obrero en una planta metalúrgica. Trabajó allí con devoción durante años. No ganaba mucho dinero, apenas si lo suficiente para mantenernos a mi madre, a mí y a mi hermano pequeño. Hasta que llegó la depresión de 1929. A mi padre lo despidieron entonces de la fábrica y tuvimos que vagar por Estados Unidos en busca de algún trabajo para él. Recuerdo que fuimos a Washington y la ciudad estaba inundada de millares de desempleados que vivían en un gigantesco campo de barracones en medio de la ciudad. Mi padre estaba deprimido. Cada día se sentaba durante horas en el banco de un parque público a compadecerse de sí mismo. Pensaba que no tenía la menor posibilidad de encontrar trabajo. El poco dinero que teníamos se acabó y sabíamos que en cuestión de días se nos acabaría también la comida.

Yo no soportaba ver a mi padre hundirse cada vez más en su depresión y un día decidí hacer algo un poco loco. Me fui a la Casa Blanca, donde vivía el presidente, y me colé sin que me vieran los guardias. Caminé por los pasillos buscando alguna puerta que dijera PRESIDENTE. Al final un hombre trajeado me paró y me preguntó qué hacía yo allí. Le dije que venía a pedirle al presidente que le diera trabajo a mi padre porque sino íbamos a morirnos de hambre. El hombre sonrió. «Me caes bien –me dijo–. Tienes arrojo y originalidad.» Fue a buscarme un bocadillo de queso y un refresco y me pidió que le mandara a mi padre a la mañana siguiente.

Al volver a casa se lo conté a mi padre, que me apretó entre sus brazotes y se puso tan contento que no pegó ojo en toda la noche. Por la mañana fue a la Casa Blanca, se reunió con aquel hombre y le encontraron un trabajo en las obras de un edificio que el Gobierno estaba construyendo en la capital. Estábamos salvados.

Grauel le acarició el pelo a Michael.

–Querías mucho a tu padre, ¿verdad? –le dijo el niño en polaco.

Gertruda le tradujo la pregunta.

–Muchísimo.

–Yo también. Hace mucho que no lo veo.

La amistad de Gertruda con el pastor engendró en ella sentimientos que fueron ganando fuerza. El hombre la había conquistado con sus encantos y quería creer que él sentía lo mismo por ella. Una noche, en la cubierta, entablaron una larga conversación. Ella le dijo que pensaba acompañar al niño a la Tierra de Israel, asegurarse de que lo aceptaban y, si era posible, quedarse a su lado hasta el día de su muerte.

–Yo también estoy planteándome quedarme a vivir en Palestina –dijo Grauel.

–¿Alguna vez has pensado en formar una familia junto a una mujer a la que ames? –preguntó ella con cautela.

–No –murmuró él.

–Si tú quisieras, yo estaría dispuesta a convertirme al protestantismo... Me encantaría, vamos, si es que tú...

Gertruda se interrumpió, ruborizada, y él le dio unas palmadas cariñosas en la mano.

–Eres una mujer encantadora, Gertruda, y te mereces a un hombre mejor –le dijo el pastor con ternura, tratando de explicarse–. No me siento atraído por las mujeres: por eso no me he casado hasta ahora.

A Gertruda se le rompió el corazón. Todos los sueños que abrigaba de pasar la vida a su lado se evaporaron.

–¿No te encuentras bien? –le preguntó Grauel al verla tan pálida.

–Me recuperaré –dijo ella apartando la mirada para ocultarle sus lágrimas.

7.

La flota británica que seguía al *Exodus* se incrementaba a diario. Al cuarto día de navegación tenían ya a seis destructores en su estela. El *Ajax*, que en la guerra había asestado el golpe definitivo al buque insignia alemán *Graf Spee*, se aproximó al barco y preguntó por megafonía: «¿Transportan inmigrantes ilegales hacia Palestina?». El *Exodus* no respondió y la voz inglesa volvió a resonar: «Sabemos perfectamente quiénes son y adónde se dirigen. No llegaran a su destino. Nuestra Armada es invencible y no pasarán. No pongan en peligro en vano a sus mujeres y sus niños. En nombre de la humanidad, les rogamos que se opongan a sus líderes, que quieren romper el bloqueo británico. Cambien de rumbo antes de que sea demasiado tarde».

Por toda respuesta el *Exodus* volvió sus altavoces hacia los barcos ingleses e hizo sonar cánticos en hebreo.

Los destructores ingleses se situaron a muy poca distancia del *Exodus* y comenzaron a manipular sus baterías de cañones. En las cubiertas comenzaron a maniobrar pelotones de comandos armados que llevaban máscaras de gas.

La aglomeración en las bodegas y las cubiertas del *Exodus*, el calor que aplastaba y asfixiaba a los millares de inmigrantes, la absoluta falta de intimidad, la imposibilidad de encontrar un rincón tranquilo y, por encima de todo, la tensión y el miedo que les causaban los buques británicos: todo hacía de la vida a bordo del *Exodus* una prueba de resistencia casi insoportable. Muchos de los cuatro mil quinientos hombres, mujeres y niños del barco llevaban en sus cuerpos y en sus corazones heridas que aún no habían cicatrizado, y en los campos habían adoptado costumbres de las que les era difícil desprenderse. También allí, en el barco, se produjeron escenas brutales. La gente se empujaba en las colas del rancho y el agua y se abalanzaba sobre las puertas de la enfermería para obtener tratamiento antes que el resto, algunos hacían acopio de víveres, a pesar de la abundancia, y otros trataban de hacerse con las literas situadas junto a las ventanas y las escotillas. Los grupos organizados casi siempre conseguían lo que se proponían a costa de los que no abusaban del resto. Las peleas a puñetazo limpio se convirtieron en algo cotidiano.

Sola y demasiado débil para pelear, Gertruda tenía que levantarse cada día muy temprano para ponerse a la cola antes del amanecer y conseguir el rancho y el agua cuando comenzaba la distribución matinal. A menudo encontraba a otra gente que había llegado antes, y a veces las largas esperas eran inútiles, pues cuando llegaba al punto de distribución apenas quedaba nada para ella y Michael. Pero estaba acostumbrada a las frustraciones y los desengaños. Los había experimentado con frecuencia durante la guerra y sabía cómo sobreponerse a ellos.

Michael solía insistir en hacer cola a su lado y pasaba allí hora tras hora, viendo con impotencia cómo algunos conseguían todo lo que querían por la fuerza. Como le pasaba ya durante la guerra, lo que más lo apenaba era ver la expresión de Gertruda.

Un día, después de volver con las manos vacías de la cola, el niño fue a ver a Yossi Hamburger y le exigió que la tripulación pusiera un poco de orden en cubierta. Sin embargo, los esfuerzos del comandante por garantizar que todos los pasajeros obtenían su ración no sirvieron de nada. La ley de la selva podía más que sus órdenes.

El padre Grauel solía ofrecerles a Gertruda y Michael parte de su comida. Ellos la rechazaban, pero él insistía hasta que cedían. Casi siempre comían los tres juntos.

–No puedes culpar a esta gente –le decía a Gertruda–. Sobrevivieron al infierno porque pelearon por cada migaja de pan. Y van a seguir peleando por pura costumbre. Les llevará mucho tiempo reencontrarse a sí mismos.

8.

Aunque era un barco torpe y pesado, el *Exodus* tenía ciertas ventajas sobre los destructores británicos que debían impedirle alcanzar las costas de la Tierra Prometida. Era más alto que los barcos ingleses y estaba forrado de varias capas de acero, lo que lo hacía más sólido que otros navíos de inmigrantes ilegales. Los ingleses calculaban que sólo en los puentes de mando, situados en el punto más alto de sus buques de guerra, podían alcanzar la altura de las cubiertas del *Exodus*. Era, por lo tanto, el único lugar, si bien no el más conveniente, desde el que podían abordar el barco de inmigrantes ilegales. Los ingenieros navales británicos habían estudiado el problema a tiempo y habían construido en secreto atalayas de elevación en cada destructor para facilitar el abordaje de sus soldados. A fin de mantener aquellas plataformas ocultas, los destructores navegaban siempre en la cola del *Exodus*, manteniendo un ángulo de aproximación preciso.

La noche del viernes 18 de julio de 1947 los pasajeros del *Exodus* comieron su magra cena asustados y pesarosos. El barco navegaba a toda máquina hacia las costas de Palestina, que estaban ya a menos de quince millas, y llevaba en su estela a ocho buques de guerra ingleses con las luces apagadas, siguiéndolo como obstinados perros de presa. Tanto los soldados británicos como los inmigrantes sabían que la confrontación era inevitable e inminente.

A esa misma hora, al abrigo de la noche, dos unidades de Palmaj llegaban a la costa de Tel Aviv para sacar a los inmigrantes de allí en cuanto hubieran desembarcado. Alrededor de veinte gabarras y barcos pesqueros esperaban en el puerto de Tel Aviv la orden de acercarse al barco y comenzar a trasladar a los inmigrantes a la costa. Si la operación se realizaba deprisa, suponían que muchos de los pasajeros del barco podrían llegar a Tel Aviv antes de que los ingleses bloquearan la zona. Pero aquella noche todos sus planes y esperanzas se fueron al traste.

Los preparativos para el ataque inglés al *Exodus* comenzaron al anochecer. En los buques británicos se decretó el estado de máxima alerta, los soldados comieron la cena a toda prisa y recibieron órdenes de equiparse para la batalla, cargar las armas y aguardar órdenes. Al comienzo de la operación los destructores debían acelerar. Dos de ellos se situarían a ambos flancos del *Exodus* y lanzarían las atalayas sobre la cubierta del barco de inmigrantes ilegales para que pudieran abordarlo las tropas, que pararían los motores y tomarían el control de la nave. Los demás barcos debían navegar muy cerca y estar listos para mandar refuerzos y evitar que los inmigrantes ilegales pudieran llegar a la costa en los botes salvavidas.

En el *Exodus* se respiraba una tensión insoportable. El barco avanzaba en silencio y con la mayor parte de las luces apagadas. Aunque ninguno de los pasajeros supiera a ciencia cierta de qué eran capaces los ingleses, estaban seguros de que no permitirían que los inmigrantes ilegales desembarcaran. Muchos de ellos se tendieron en sus camas, pero no pudieron conciliar el sueño. Sólo dormían los niños. De la panza del barco llegaba el rugido sordo y monótono de los motores, una luna lúgubre cruzaba el cielo despejado y la cálida brisa deshilachaba el humo de la chimenea.

A la 1.52 de la mañana se dio la orden de atacar. Los marinos británicos aceleraron y los destructores acortaron distancias. Varios focos barrieron las cubiertas del *Exodus*, inundando el barco de una luz deslumbrante. El fragor de los altavoces escindió el aire, apagando el rumor de las olas: «¡Deténganse inmediatamente! –resonó la advertencia en inglés–. Acaban de entrar sin permiso en aguas territoriales palestinas».

Al oír aquellas palabras Ike Aaronovitch enrojeció de ira.

–Pero ¡qué dicen! –exclamó–. Están mintiendo, seguimos en aguas internacionales. ¡No tienen ningún derecho a abordarnos!

Detener a un barco que no se encuentra en aguas territoriales es un delito, eso lo sabe cualquier marino, pero a los ingleses les daba lo mismo. Estaban decididos a detener el *Exodus* a cualquier precio.

En el puesto de mando Ike asía con furia el timón. Yossi Hamburger estaba a su lado, igual de furioso que él. Estaba seguro de que los ingleses iban a hacer cualquier cosa para detenerlos, aunque no los amparase el derecho internacional.

«Si no se detienen –siguieron clamando los altavoces–, nos veremos forzados a abordar la embarcación, arrestarlos a todos y llevar el barco a Haifa.»

Hamburger corrió al puesto de radio y le ordenó al operador que transmitiera su respuesta al comandante Gregson, que estaba al mando de las tropas británicas:

> En las cubiertas del *Exodus 47* tenemos más de 4.500 hombres, mujeres y niños cuyo único crimen, por lo visto, consiste en haber nacido judíos. Estamos llegando a nuestra tierra por nuestros propios medios, no por la gracia de nadie. No tenemos nada contra sus marinos y oficiales, pero por desgracia han sido escogidos para llevar a cabo una política que no les atañe directamente. Nunca reconoceremos ninguna ley que impida a los judíos regresar a su patria. Nosotros somos los últimos que deseamos el derramamiento de sangre, pero han de saber que no volveremos voluntariamente a un campo de concentración, aunque sea británico. Les advierto que serán responsables de cualquier incidente que pueda suceder si se les ocurre abrir fuego sobre una masa de personas y niños desarmados e indefensos.

La respuesta del comandante Gregson fue breve:

> Nos limitamos a cumplir órdenes. Una unidad de asalto está a punto de abordar su barco. Dejen que los remolquen hasta Haifa. No opongan resistencia. Repito: por su propio bien, no opongan resistencia.

Ike hizo rodar el timón y puso proa a mar abierto para despejar cualquier duda de que el *Exodus* se encontraba en aguas internacionales. El padre John Grauel encendió la sirena y entre los miles de pasajeros cundió el pánico.

El aullido de la sirena estremeció a Gertruda, que se incorporó en su cama y miró angustiada a Michael. El niño dormía profundamente. Los pasajeros comenzaron a desfilar hacia la cubierta y Gertruda vaciló entre quedarse con el niño y salir con los demás. La madre de la cama vecina le dijo:

–Yo cuidaré de él. Vaya.

–Gracias –dijo Gertruda, corrió hacia cubierta.

Dos destructores se aproximaban al *Exodus* entre el aullido ensordecedor de las sirenas. A la luz de las bengalas que los ingleses lanzaban sin cesar se podían distinguir los rostros de los soldados, listos para el abordaje. Al frente iban los comandos con uniformes verdes, cascos blancos, máscaras de gas, guantes de cuero y chalecos salvavidas. Llevaban metralletas en bandolera y pistolas y bayonetas prendidas al cinturón. Detrás de ellos iban los soldados, con uniformes caqui, cascos y metralletas.

Cientos de supervivientes se congregaron en la cubierta, dispuestos a repeler el ataque. Lanzaron latas de conserva, botellas y pedazos de metal a los soldados, que respondieron con gélidos chorros de agua a presión.

De pronto los destructores se batieron en retirada. Por un instante pareció que la escaramuza había dado resultado y habían repelido el ataque. En la cubierta del *Exodus* resonaron los vítores, pero la alegría de los pasajeros era prematura. La retirada de los destructores estaba planeada. Se separaban del *Exodus* para coger velocidad y embestir con más fuerza. Con gritos de pánico, los pasajeros del *Exodus* vieron cómo los gigantescos monstruos de metal se abalanzaban sobre el barco. Al cabo de un momento las proas de acero de los destructores hicieron temblar el casco y la sacudida abatió a cientos de personas sobre las cubiertas. La madera y el metal se quebraban con estrépito. En la bodega del navío se abrieron vías de agua y el barco comenzó a inundarse.

Entretanto, los soldados ingleses trataban de tender redes sobre la cubierta del barco de inmigrantes ilegales con el fin de abordarlo. Los pasajeros lograron repeler cuatro intentos, lanzando al mar las redes junto a las decenas de soldados que trepaban por ellas. En el agua comenzaron a destellar las balizas de emergencia de los ingleses, que se balanceaban entre las olas hasta que los recogían los botes salvavidas.

Uno de los destructores consiguió tender una rampa hasta la cubierta del *Exodus* y varios comandos se encaramaron al barco. Dos destructores más trataron de engancharse. El primero no lo consiguió. El segundo sí, pero sólo al cabo de dos horas de tentativas. Sobre las atalayas, los soldados ingleses lanzaban granadas de humo y gases lacrimógenos a las cubiertas atestadas de pasajeros y disparaban al aire ráfagas con sus metralletas.

Como ordenara Aliyah Bet la víspera de la partida, no había en todo el barco una sola arma de fuego. Se suponía que la resistencia de los inmigrantes debía ser pacífica, pero nadie podía garantizar que los ingleses no abrieran fuego. Así pues, se prepararon cócteles molotov y bombas de humo y se confiaba en la eficacia de la manguera para rociar de vapor hirviendo a los soldados británicos.

Cuando estos comenzaron a lanzar granadas de humo y gases lacrimógenos, los pasajeros se pusieron furiosos y contraatacaron, lanzando a los ingleses cócteles molotov y bombas de humo. Trataron de abrasarlos luego con el vapor hirviendo, pero la manguera no funcionó. Trajeron cubos llenos de aceite hirviendo para rociar con ellos las cubiertas de los destructores anclados al barco, pero con el viento el aceite acabó cayendo en el *Exodus* y convirtió las cubiertas en pistas de patinaje. Muchos pasajeros resbalaron y acabaron revolcados en el residuo negro del aceite. Gertruda dio varios traspiés pero consiguió mantenerse en pie. Al lado tenía a dos pasajeros armados con pértigas de hierro. Uno de ellos le tendió la suya.

Había ya alrededor de cuarenta soldados ingleses en la cubierta del *Exodus*. Ike aceleró los motores y navegó en zigzag para librarse de los destructores e impedir que otros soldados abordaran el barco.

Un pelotón de ingleses corrió hasta la sala de máquinas para detener los motores, pero no pudieron franquear las puertas de hierro candadas. Cuatro soldados se abrieron paso hacia el puesto de mando entre la multitud de inmigrantes, aporreando a cualquiera que se pusiera en su camino. Algunos pasajeros resultaron heridos. Uno de los comandos gritó: «¡Apártense o disparo!». Tres de ellos consiguieron llegar a la cabina de mando y se ensañaron con Bill Bernstein, el primero de a bordo del capitán. Ike tuvo que arrastrarlo afuera para darle los primeros auxilios. El resto de la tripulación salió de la cabina tras él y candó la puerta por fuera, encerrando allí a los tres comandos. Sobre la cubierta, heridos, aporreados y comenzando a dudar de sus posibilidades para hacerse con el control del navío, los ingleses retiraron los seguros de sus armas y comenzaron a disparar en todas direcciones. Zvi Yakobovitch fue herido en la cabeza por una salva de ametralladora cuando agitaba una bandera azul y blanca. El chico de quince años perdió el conocimiento y su sangre manchó la bandera. Docenas de heridos cayeron tras él sobre la cubierta.

Los destructores seguían arremetiendo contra el barco y en la bodega de la cubierta inferior varios niños se cayeron de sus camas tras una embestida lateral. El agua empezó a colarse en su interior y se oyeron gritos de pánico por todas partes. La sala de máquinas se inundaba y docenas de pasajeros tuvieron que acudir con cubos para achicar el agua.

Los inmigrantes se resistían con más arrojo de lo que los ingleses habían imaginado. Cuando se les acabaron los cócteles molotov y las bombas de humo, los obsequiaron con una lluvia de desechos metálicos, clavijas, tornillos, clavos, botellas, latas de conserva y patatas. Perseguían a los soldados por la cubierta, tratando de arrebatarles las armas. Gertruda tomó parte activa en la defensa del barco cerrando el paso hacia los botes salvavidas, donde un grupo de soldados trataba de tomar el control de la cubierta. Uno de ellos la apartó de un empujón. Gertruda trastabilló y se lastimó el tobillo. Con un grito ahogado de dolor cayó al suelo y miró impotente cómo la sangre manaba de la herida. Los equipos de primeros auxilios atendían a los heridos de mayor gravedad y ella no quería pedir ayuda. Al cabo de un rato alguien se acercó a ella y Gertruda alzó la cabeza.

–Tranquila –le dijo el padre Grauel–. Yo cuidaré de ti.

Sin darle tiempo a responder, el pastor hizo jirones la falda de su camisa y le vendó el tobillo. La batalla se recrudecía por todas partes, los soldados se abrían paso a disparo limpio, los inmigrantes seguían lanzándoles objetos y restos de comida, los heridos gemían de dolor.

–Tengo que ir a ayudar a los demás –dijo el pastor poniéndose en pie–. Ten cuidado. Luego vendré a ver cómo estás.

Cuatro soldados ingleses consiguieron llegar a los botes salvavidas y uno de ellos comenzó a disparar en todas direcciones. Un pasajero se acercó entonces a la carrera y cortó las amarras que sujetaban los botes a las grúas. Estos cayeron sobre un grupo de soldados que acababan de saltar a la cubierta inferior. Seis de ellos resultaron heridos y pidieron auxilio a voces.

Entretanto, los pasajeros furiosos que rodeaban la cabina de mando exigían linchar a los soldados encerrados. Grauel acudió corriendo, con el torso envuelto en una bandera americana. El grupo, que respetaba al pastor, lo dejó pasar. Grauel sacó a los soldados de la cabina, lanzó sus armas al agua y les pidió que abandonaran el barco.

En la bodega, donde se hacinaban las mujeres y los niños, el miedo crecía, avivado por el estruendo de las embestidas, el estallido de los disparos y los gritos estridentes de los heridos. Al ver a estos últimos las mujeres se ponían histéricas y alguna llegó al extremo de agitar la bandera blanca de la rendición.

Michael corrió a cubierta en busca de Gertruda. Uno de los pasajeros lo vio a tiempo y le obligó a volver a los camarotes, donde se acurrucó en su cama y rogó para que la batalla terminara y Gertruda volviera sana y salva.

Varias horas después de que comenzara el ataque, poco antes del amanecer, los comandantes de la operación se reunieron en el cuartel general de la Armada británica. A juzgar por los informes, la operación había fracasado. Muy pocos efectivos habían logrado abordar el barco de inmigrantes ilegales. Algunos habían sido capturados por la turba enfurecida; otros, encerrados en la panza del barco, ya no podían comunicarse con la comandancia. Las rampas de abordaje tendidas desde los destructores estaban dañadas y no era probable que resistieran el peso de un nuevo contingente de tropas de asalto.

Lo que los ingleses no sabían era que al otro lado, en la cubierta del *Exodus*, la mayoría de los pasajeros creían que los ingleses habían ganado la batalla, al menos de momento. El barco se encontraba en un estado lamentable y los soldados ingleses que habían tomado la cabina de mando, la sala de mapas y el equipamiento adicional de navegación impedían al capitán gobernar el barco. También temían que las vías de agua abiertas en los flancos del casco pudieran mandarlos a todos a pique. Ike fue a la sala de mando de popa y ordenó avanzar a toda máquina. El barco aceleró y Ike lo pilotó en zigzag para impedir que se acercaran otros destructores británicos.

Las condiciones en el *Exodus* se hicieron aún más precarias. Después de la larga y extenuante contienda, la cubierta quedó sembrada de pasajeros abatidos, algunos heridos y ensangrentados. No quedaba ni una treintena en pie. La salud de los heridos empeoraba y se necesitaban transfusiones de sangre urgentes para salvar la vida de unos cuantos. El doctor Joshua Cohen, un joven médico escocés enrolado voluntariamente, cuidaba infatigablemente de sus pacientes con la ayuda de un equipo de enfermeros reclutados entre los pasajeros. Cuando reparó en la gravedad de la situación corrió a ver a Yossi Hamburger, que en aquel momento se encontraba con Ike en el puesto de mando. A lo lejos, en la planicie costera, titilaban las luces de los asentamientos. La Tierra Prometida estaba a tiro de piedra.

El doctor Cohen se enjugó el sudor de la frente y les dijo, con aire sombrío:

–Uno de los más graves es Zvi Yakobovitch, un chico de quince años que sobrevivió al Holocausto y fue herido mientras repelía el ataque. Su hermano mayor está a su lado, histérico. Sus padres murieron en Auschwitz y Zvi es lo único que le queda en el mundo. Si no lo hospitalizamos de inmediato morirá aquí, en el barco.

En el puesto de mando todos sabían lo que eso significaba. Los ingleses eran los únicos que podían trasladar al herido al hospital. Si el capitán del *Exodus* se veía forzado a solicitar la evacuación de los heridos, el mando británico interpretaría la solicitud como una señal de rendición y la lucha habría terminado.

–¿Cuántos heridos tenemos en estado crítico? –preguntó Yossi Hamburger.

–Tres, por lo menos.

Hamburger miró a Ike. El capitán, pálido, se encogió de hombros.

–Esa gente no sobrevivió al Holocausto para morir ahora –dijo el comandante con voz sombría–. Hablaré con los ingleses.

Nadie se opuso.

Al rayar el alba el oficial de comunicaciones de cubierta del *Charity* le tendió al comandante de la flota inglesa un cable del barco de inmigrantes ilegales. El comandante Gregson estaba desanimado, sabía que el fracaso del ataque iba a ser difícil de justificar ante sus superiores, pero al leer el cable de Yossi Hamburger vio aliviado que se habían vuelto las tornas. Por primera vez desde el inicio del ataque el comandante británico respiró tranquilo. El *Exodus* se rendía, por fin.

En su respuesta, Gregson exigía al barco de inmigrantes ilegales que se detuviera. Con lágrimas en los ojos, Ike apagó los motores. A las cinco y cuarto de la mañana un bote británico se acercó al barco y subió por la escalera de cuerda un equipo médico que se quedó de piedra ante el espectáculo. La cubierta estaba llena de latas de conserva y otros alimentos que los pasajeros habían usado horas antes a modo de armas arrojadizas. Los enfermeros hicieron acopio de todas las latas que pudieron. En Inglaterra había entonces un racionamiento estricto y por aquellas conservas podía sacarse un dineral.

El doctor Cohen los llevó a la zona de la cubierta reservada para los heridos. Había tres en estado crítico y otros 270 en diversos estados de gravedad. El médico jefe inglés solicitó más efectivos y dos barcos trasladaron nuevos equipos médicos al *Exodus*. Con ellos embarcó también una veintena de soldados para garantizar que el pasaje no volvía a rebelarse.

Por orden de la comandancia de la flota inglesa, el *Exodus* puso rumbo a Haifa. Aquella misma noche el barco mandó un cable a la UNSCOP, el comité creado por la ONU para estudiar la cuestión de la Tierra de Israel, cuyos miembros se encontraban en Palestina aquellos días:

> Muy señores míos:
>
> Acudimos a ustedes para que recojan el testimonio de los 4.500 refugiados del *Exodus*, para que vean con sus propios ojos el estado del barco y atestigüen el esfuerzo y sufrimiento del pasaje y la tripulación por arribar a las costas de nuestra patria, y para que den fe de la crueldad del Gobierno británico, que trata de alejarnos de Palestina y recluirnos en campos cuyo alambre de espino nos recuerda a los campos de concentración donde nos recluyeron los nazis.

A las siete y media de la mañana, tras una noche en blanco de lamentos y pesares, el barco envió al *Yishuv* de la Tierra de Israel el siguiente comunicado:

> A consecuencia de las bajas hemos tenido que poner rumbo a Haifa para desembarcar a los heridos de gravedad. El casco se encuentra además en muy mal estado y tiene varias vías de agua. Nos vemos, pues, obligados a cambiar el rumbo previsto, ya que el barco corre peligro de hundirse con los 4.500 pasajeros que lleva a bordo.

A las cuatro de la tarde del 19 de julio de 1947 el barco de inmigrantes llegó maltrecho al puerto de Haifa, escoltado por ocho buques de guerra británicos. En la cubierta se encontraba Gertruda, llorando amargamente mientras hacía ondear la bandera ensangrentada de Zvi Yakobovitch.

9.

El *Exodus* llegó lentamente, como una ballena herida. Los buques británicos y las patrulleras siguieron escoltándolo después de entrar por la boca del puerto. Por orden de la Armada británica, los pasajeros del barco debían quedarse en la bodega sin salir a cubierta hasta nuevo aviso. Docenas de soldados patrullaban por el barco para asegurarse de que el pasaje respetaba la orden. Bloquearon las escotillas y amenazaron con armas a la tripulación, pero eran muy pocos para contener a la marabunta de pasajeros que subió a las cubiertas, haciendo ondear banderas blanquiazules, cantando el «Ha-Tikvah» a voz en grito y llorando lágrimas amargas.

Ante ellos, en las laderas del monte Carmelo, las casas blancas de Haifa relucían al sol estival de la tarde. Los supervivientes contemplaron la ciudad que debía ser su puerta de entrada a Palestina, conscientes de que sólo llegarían a verla de lejos. En los tejados de las casas y en la cima de la colina miles de judíos de Haifa asistieron expectantes a la llegada del barco. Muchos de ellos tenían amigos y parientes a bordo, pero la esperanza de volver a verlos se había esfumado. Aquí y allá se veían pancartas contra Inglaterra y se oían gritos de protesta. Entre la multitud que esperaba en tierra también había mucha gente que lloraba.

Los remolcadores del puerto amarraron el *Exodus* y lo arrastraron hasta el muelle. No muy lejos estaba anclada la lúgubre flota de barcos de inmigrantes ilegales que los ingleses habían capturado previamente, con las chimeneas frías, las ventanas polvorientas y las amarras flojas. En cuanto el *Exodus* fuera evacuado se uniría a sus predecesores.

A las cuatro y media de la tarde el *Exodus* atracó en el muelle principal del puerto. A su lado anclaron los tres buques de evacuación encargados de transportar a los inmigrantes: el *Empire Rival*, el *Runnymede Park* y el *Ocean Vigour*. Entre el muelle y el puerto se extendían unas alambradas. Varias unidades de guardias y soldados de la Legión Transjordana vigilaban la zona para impedir la fuga de refugiados. Cientos de «anémonas» (como llamaban a los paracaidistas del ejército británico tocados con gorras coloradas, que habían luchado heroicamente tras las líneas alemanas) subieron a bordo, bloquearon los pasillos y sellaron las letrinas. Entre los pasajeros del *Exodus* se distribuyeron folletos en cuatro lenguas para pedirles que abandonaran el barco sin oponer resistencia:

> Nos disponemos a llevarlos a Chipre. Los soldados se encargarán de recoger su equipaje, que les será devuelto al llegar a su destino. Pueden quedarse con las cámaras, pero los rollos de película serán confiscados. Si tienen cartas que enviar a sus amigos y parientes en Palestina, pueden dárselas a los soldados. Les garantizamos que llegarán a su destinatario.

En el *Exodus* reinaba el desánimo. Los pasajeros esperaban la evacuación con caras largas. Las parejas se abrazaban, los padres abrazaban a sus niños y Gertruda trataba de apaciguar a Michael, que estaba furioso.

–No te preocupes. Chipre es sólo un alto en el camino hacia la Tierra de Israel. Ten un poco de paciencia, ya verás que acabaremos por llegar a Tel Aviv.

Primero desalojaron a los muertos, entre los que se encontraba el joven Zvi Yakobovitch, de quince años, que no había sobrevivido a sus heridas, y el primero de a bordo del capitán, Bill Bernstein. Los sacaron en camillas, cubiertos sólo a medias para dar la impresión de que eran heridos y no llamar la atención de los reporteros que cubrían la evacuación. Pero no pudieron engañar a los miles de pasajeros del barco, entre los que se alzaron voces de protesta. «¡Esos hombres han sido asesinados! –les gritaban a los periodistas–. ¡No dejen que los escondan!» Los ingleses se apresuraron a cubrir los cuerpos.

Después de las víctimas les llegó el turno a los heridos y los enfermos, que salieron en camillas o apoyándose en los médicos y enfermeros de la tripulación o del ejército inglés para ser trasladados a los hospitales militares de Haifa y del campo de internamiento de Athlit. Luego, a la voz de mando de oficiales ingleses en uniformes almidonados con porras de madera bruñida bajo el brazo, comenzó la operación de desembarco del resto de refugiados. La mayoría se resistió y los ingleses tuvieron que emplear la fuerza, aunque a los fornidos soldados no les costó mucho evacuar a los desfallecidos supervivientes del Holocausto.

Los inmigrantes se estremecieron de emoción al poner los pies en el muelle y pisar por fin la anhelada tierra. Muchos se arrodillaron y besaron el suelo.

Yossi Hamburger y Ike Aaronovitch se escondieron tras las puertas candadas de varios camarotes de la cubierta inferior, junto a otros miembros de la Haganá que habían cumplido funciones de peso en el *Exodus*. Se quedaron allí por temor a ser arrestados al desembarcar. Los ingleses los buscaron por todas partes pero no dieron con ellos.

De pronto se oyeron varias explosiones sordas bajo el barco. Desde las cubiertas de los barcos que patrullaban junto al *Exodus* los soldados lanzaban al agua del puerto cargas de profundidad para impedir que los hombres rana del Palmaj intentaran sabotear la operación averiando los buques de evacuación británicos.

Junto a dos grandes tiendas de campaña serpenteaban largas filas de inmigrantes, que iban entrando de diez en diez. En una de las tiendas se los cacheaba a conciencia y en la otra se los rociaba con DDT. Luego los embarcaban a empujones en los buques de evacuación. Cuando uno se llenaba, izaba la rampa y la bajaba el siguiente.

El sol se puso en el mar, cayó la noche y los haces de varios reflectores iluminaron el muelle. El padre Grauel se encontraba en una de las filas, junto a Gertruda y Michael. Un oficial examinó la documentación de Gertruda y la miró con severidad.

–¿Qué hace aquí, si no es judía?

El hombre quería una explicación y ella se la dio.

–En ese caso, puede quedarse en Palestina –le dijo.

–¿Y Michael?

–El niño será evacuado a Chipre junto al resto de judíos. No se preocupe, cuidaremos bien de él.

Ella sacudió la cabeza.

–De eso ni hablar –zanjó–. Me quedaré a su lado.

–Como quiera –dijo el oficial, encogiéndose de hombros.

Le llegó luego el turno al padre Grauel. Después de hojear su pasaporte estadounidense, el oficial le preguntó qué hacía en el barco.

–Me presenté voluntario para ayudar –dijo el pastor.

–Lo que ha hecho usted es tomar parte en un delito –afirmó el oficial.

–Ayudar a los pobres no es delito.

–Pero sí lo es entrar sin permiso en aguas territoriales británicas. Tendré que arrestarlo.

El padre Grauel se despidió de Gertruda emocionado y abrazó con cariño a Michael.

–Nunca os olvidaré –les dijo.

Llamaron a la tienda a dos guardias que confiscaron la documentación de Grauel y le comunicaron que permanecería bajo custodia en un hotel de Haifa hasta que se decidiera si lo juzgaban o lo deportaban.

Lo subieron a un *jeep* que cruzó las barricadas, salió del puerto, subió por la carretera a la montaña y se detuvo a la entrada del hotel Savoy, donde enviaron a Grauel a la recepción escoltado por dos guardias.

El recepcionista le tendió a Grauel el formulario de registro. En la línea reservada a la dirección, el pastor escribió: «*Exodus*». El recepcionista lo miró con curiosidad.

–¿Viene usted del barco? –susurró.

–Sí.

–El bar del hotel está lleno de periodistas. Han venido a escribir sobre el *Exodus* pero los ingleses no los dejan acercarse al barco. Me parece que les gustaría conocerlo.

Grauel tomó la llave y les dijo a sus escoltas:

–Estaré en mi habitación.

–De acuerdo, pero no se le ocurra abandonar el hotel. Tenemos órdenes de vigilarle mientras esté hospedado aquí.

–Estoy agotado –dijo el pastor–. Me voy a dormir.

Grauel se dirigió a la escalera, pero en lugar de subir a su habitación bajó al bar, donde encontró al grupo de periodistas. Grauel se acercó a ellos y les dijo:

–Vengo del *Exodus*.

Los reporteros se abalanzaron sobre él con sus cámaras y sus cuadernos de notas. Grauel descubrió que allí estaban los corresponsales de los periódicos más importantes del mundo y les habló de las penurias de la travesía, el bloqueo en alta mar, la resistencia feroz de los refugiados, los heridos y los muertos. Los periodistas anotaban sus palabras con avidez: era el material que andaban buscando.

–Tiene que contarle todo eso al comité de la ONU –le dijeron dos reporteros americanos.

El comité, compuesto por los representantes de once países para supervisar la situación de la Tierra de Israel y proponer soluciones posibles a la ONU, se hospedaba en el hotel Edén de Jerusalén. Grauel les explicó que estaba arrestado y que en el vestíbulo había dos guardias con la misión de custodiarlo. Así las cosas, no creía que pudiera llegar hasta Jerusalén. Sin embargo, los periodistas americanos, que se olían una buena historia, le dijeron que encontrarían el modo de sacarlo de allí. Los tres salieron del hotel por la puerta trasera y se metieron en un coche. De camino a Jerusalén, los ingleses los detuvieron en varios controles de carretera, pero los americanos les enseñaron sus credenciales de prensa y los soldados los dejaron pasar.

Después de sesenta horas sin dormir, Grauel estaba exhausto y apenas se tenía derecho, pero sabía que no era momento para descansar. Tenía que darles toda la información que pudiera a los miembros del comité. Los comisarios de la ONU se sorprendieron de verlo, le trajeron algo de cenar y por espacio de tres horas lo sometieron a un minucioso interrogatorio sobre su infausta travesía. Cuando acabó, le confesaron que su testimonio los había impresionado.

11. Una promesa cumplida

1.

Maltrecho y abandonado, el *Exodus* se quedó en el muelle y un equipo de limpieza subió a bordo con permiso de los ingleses para limpiar la basura y eliminar los restos de la contienda. Los miembros de la Haganá que se habían escondido en el barco les pidieron a los integrantes de la cuadrilla de limpieza que los sacaran a escondidas del puerto. Parte de la cuadrilla desembarcó y se dirigió a las oficinas de la empresa, de donde volvió con nuevos uniformes de trabajo de Ogen con los que vistieron a los miembros de la Haganá para ir sacándolos del barco uno a uno, cargados de basura, como el resto de sus compañeros, en las mismas narices de los ingleses. Al cabo de un rato el puerto quedó desierto.

Los tres buques de evacuación ingleses salieron a mar abierto cargados hasta los topes de inmigrantes ilegales. Los millares de evacuados se juntaron en las cubiertas para mirar desconsolados la costa de Haifa, que se perdía en la distancia. Luego se volvieron hacia los guardias ingleses y les preguntaron por las condiciones que les esperaban en los campos de tránsito chipriotas.

–Estaréis muy cómodos –les dijeron.

–¿Cuánto tiempo tendremos que quedarnos?

–No más de unas semanas.

Los barcos surcaban las aguas. Hacía buen tiempo y el mar estaba en calma. Durante unas horas los barcos de evacuación pusieron rumbo al norte, hacia Chipre, pero luego llegó por la radio una orden inesperada:

Cambien de rumbo. Diríjanse a Francia, no a Chipre.

Los capitanes de los barcos rectificaron el rumbo de inmediato y viraron hacia el oeste.

Hacía unos días se había decidido en absoluto secreto devolver a los inmigrantes ilegales a su puerto de origen. Al retornarlos a Francia, los ingleses querían sentar un precedente para futuros inmigrantes ilegales: no se los internaría ya en campos de Chipre, se los mandaría por donde habían venido.

Los tres barcos de evacuación pusieron rumbo a Francia. A bordo, las condiciones eran sumamente duras. En el *Exodus* los pasajeros habían tenido que soportar condiciones difíciles pero tolerables; allí eran mucho peores: tenían que dormir sobre planchas de hierro y cada uno disponía de una sola manta y la ropa que llevaban puesta, pues habían tenido que dejar en Haifa el resto de sus pertenencias. Además, las raciones de comida eran irrisorias. Para protestar, los pasajeros de uno de los buques se declararon en huelga de hambre.

2.

A medida que los barcos se acercaban a Porte-de-Boque, en la costa francesa, llegaban a la ciudad por tierra miles de judíos, miembros de distintas organizaciones y movimientos, para agitar sus pancartas en hebreo y *yiddish* ante los barcos: «¡NO DESEMBARQUÉIS!». También llevaban pancartas en francés dirigidas a los objetivos de las cámaras.

Los inmigrantes de los tres barcos ingleses, que habían oído que los franceses los invitaban a desembarcar y quedarse en Francia, prepararon unas pancartas gigantes que desplegaron sobre las cubiertas al aproximarse al puerto: «GRACIAS, FRANCIA, PERO PREFERIMOS LA TIERRA DE ISRAEL».

Cientos de periodistas se apretujaban en el puerto de la pequeña ciudad y nutridos grupos de movimientos juveniles judíos bailaban danzas folclóricas y cantaban en la plaza mayor. Legiones de curiosos procedentes de toda la región se acercaron a la ciudad para ver a los inmigrantes del *Exodus* con sus propios ojos. Los cafés y los restaurantes que daban al puerto estaban hasta la bandera.

Funcionarios gubernamentales franceses subieron a los tres barcos y ofrecieron a cualquier pasajero que se aviniera a desembarcar el permiso de residencia en Francia ilimitado y la promesa de un trámite expeditivo para obtener la ciudadanía francesa. «Si quieren ayudarnos, traigan comida y medicamentos», les dijo un vocal de los supervivientes, después de declinar la oferta.

El tiempo pasaba con lentitud en plena canícula de Port-de-Boque. Los esfuerzos del Gobierno francés para convencer a los pasajeros de que desembarcaran se habían saldado con un fracaso estrepitoso. No se habían avenido a desembarcar y quedarse en Francia más que ciento treinta pasajeros, muchos de ellos enfermos.

Los ingleses sabían que no podían dejar allí sus barcos de evacuación indefinidamente y, tras sopesar las alternativas, decidieron trasladar a los inmigrantes a un campo alemán de la zona ocupada por Gran Bretaña, sin reparar en la sensibilidad de los refugiados que habían visto cómo asesinaban a muchos de sus familiares en aquel país.

La orden de zarpar hacia Alemania llegó la noche del viernes 28 de julio, y a los inmigrantes no les quedó más remedio que protestar y ponerse a cantar el «Ha-Tikvah». Los ingleses no parecían muy conmovidos.

3.

En Alemania, los evacuados fueron trasladados a los campos de Pependorf y Amstau, junto a Lübeck, y los lugareños los recibieron con manifiesta aversión. Como si no hubiera pasado el tiempo desde la época nazi, el odio a los judíos volvía a brotar con fuerza e inquietaba a los refugiados del campo, que cada día tenían que enfrentarse al rechazo y los insultos de la población local. En los cafés y restaurantes de los pueblos vecinos se les negaba el servicio y a todas horas estallaban peleas con tintes antisemitas. En la ciudad balneario de Reichenhall, los empleados de un hotel compusieron una canción que comenzaba: «Lástima que no matáramos suficientes judíos».

A mediados de marzo de 1948, dos meses antes de que el ejército británico abandonara la Tierra de Israel, las fronteras seguían cerradas a los inmigrantes ilegales. Los evacuados del *Exodus*, que detestaban los campos alemanes y no podían soportar los recuerdos que les traían, acabaron por perder la paciencia y exigir a los agentes de la Haganá que hicieran algo para llevarlos a Palestina. A fin de aliviar la opresión de los refugiados, la Haganá decidió llevar a cabo una operación para que al menos unos cuantos llegaran a la Tierra de Israel. Cerca de mil refugiados, entre los que se contaban Gertruda y Michael, fueron escogidos para hurtarse a la vigilancia inglesa y llegar a Palestina de incógnito. La organización les dio llamativas ropas veraniegas, cámaras y montones de chicles, les enseñaron un par de frases en inglés y les consiguieron papeles falsos. En el puerto de Hamburgo los embarcaron en el *Transylvania*, un transatlántico con rumbo al Mediterráneo, y les dijeron que se comportaran como turistas. Ninguno de los pasajeros que ya había embarcado se dio cuenta de que en aquel ruidoso grupo de turistas no había ni un solo americano. Después de cuatro días de crucero, el barco atracó en el puerto de Haifa, donde esperaban varios autobuses para llevar a los inmigrantes disfrazados de turistas a una visita guiada de los Lugares Santos. En el muelle, los soldados británicos los miraron con indiferencia. Entre ellos, Gertruda reconoció a algunos de los oficiales que habían llevado a cabo la evacuación del *Exodus* hacía tan solo unos meses. Ninguno de ellos la reconoció.

En lugar de ir a los Lugares Santos, los autobuses enfilaron hacia el Carmelo y los inmigrantes se distribuyeron en diversos hoteles. El *Transylvania* retrasó su partida varias horas para esperar al grupo de turistas americanos y al final zarpó sin ellos.

4.

Isaac Trubovitch, primo lejano de Michael Stolowitzky, apenas pudo contener las lágrimas cuando Gertruda lo llamó para decirle que Michael estaba en Palestina. Fue a buscarlos al hotel de Haifa donde se hospedaban, los abrazó a los dos calurosamente y se los llevó a Tel Aviv en su Ford.

Trubovitch era un empresario acaudalado que poseía una fábrica de aceite de cocina. Tenía una gran casa en la calle Weisel 6 de Tel Aviv y les cedió el piso superior a la niñera y al chico, que tenía ya once años. Finalmente, después de tantos años de miserias y andanzas, los peregrinos tenían un hogar: un piso espacioso con ropa de cama limpia, comida abundante y calefacción.

En su segunda noche en la Tierra de Israel, Gertruda le contó a Michael que su padre había muerto. El chico se echó a llorar, abrazó a su niñera y le dijo:

–No me abandones.

–Nunca –repuso ella, y rompió a llorar.

Al día siguiente Gertruda y Michael salieron a explorar Tel Aviv. Caminaron de la mano por el paseo marítimo, comieron *falafel* en el barrio yemení y degustaron un helado en el café Whitman de la calle Allenby. A Michael le interesaba todo lo que lo rodeaba y aprovechaba cualquier ocasión para abrazar a Gertruda, que no cabía en sí de alegría al comprobar que el miedo había desaparecido de los ojos de su niño.

Por la noche, Michael se sentó en su escritorio y le escribió esta carta:

Abril de 1948

Mamusha querida:

Tengo el corazón lleno de amor y agradecimiento por todo lo que has hecho por mí. Sé que necesitaste mucha fuerza y mucha fe para soportar los horrores de la guerra conmigo. De ti he aprendido infinidad de cosas que me acompañarán el resto de mi vida. Me has enseñado que si uno cree, hay esperanza. Has sido mi madre, mi amiga y mi ángel de la guarda, y espero que te quedes siempre conmigo y estar siempre a tu lado, como hasta ahora.

No sé si podré pagarte todo lo que has hecho por mí, pero voy a intentarlo. Ahora me toca a mí cuidar de ti, velar por tu felicidad, pese a las dificultades que nos aguardan.

Nunca te olvidaré.

Con todo mi amor,
Michael

Apenas había transcurrido una semana cuando Sonya, la mujer del tío de Michael, llamó a Gertruda para hablar con ella en privado. Las dos pasaron a su habitación y cerraron la puerta.

–Ya sabes lo mucho que te agradecemos que cuidaras de Michael –le dijo–. A partir de ahora esta también es tu casa. ¿Qué planes tienes?

–Quiero mandar a Michael a la escuela para que aprenda hebreo, haga amigos y sea un niño israelí como los demás.

–¿Y tú?

–Yo me quedo a su lado, por supuesto –dijo Gertruda.

–¿Seguro que vas a estar a gusto aquí? Al fin y al cabo tú no eres judía, como el resto. Además, Michael ya tiene una familia y cuando se haga mayor ya no te necesitará.

–No sé si te entiendo –dijo Gertruda.

–Lo que quería decirte –dijo Sonya– es que tal vez deberías pensar en volver a tu casa, con tus padres. Te pagaremos el billete, por supuesto, y los gastos de la mudanza. Es lo mejor para ti.

Gertruda se quedó mirando un buen rato a aquella mujer, tratando de digerir lo que acababa de decirle.

–No sé si Michael va a querer que desaparezca de su vida así, de repente –dijo.

–Michael es un niño, no sabe lo que quiere.

Gertruda se puso en pie.

–Se lo agradezco, señora Trubovitch –dijo–, pero es posible que haya pasado por alto un detalle. Desde que la madre de Michael murió, yo he sido su madre. No lo he abandonado nunca y no pienso hacerlo ahora.

Gertruda no abandonaría al niño hasta el día de su muerte, no le cabía la menor duda.

5.

Hacía tiempo que Gertruda quería localizar al oficial de las SS Karl Rink y enviarle una carta de agradecimiento por salvarles la vida. A lo largo de varios meses se reunió con los supervivientes de los guetos de Vilna y Kovno y escuchó sus testimonios sobre las múltiples buenas obras de Rink durante aquellos años. Gracias a uno de ellos, un hombre llamado Moshe Segelson, se enteró de que Rink se había casado con una judía y su hija vivía en un kibutz de Galilea.

Mientras trataba de localizar a Elisheva-Helga Rink, Gertruda envió a los representantes diplomáticos de Estados Unidos, Francia, Gran Bretaña y la Unión Soviética la misma carta:

Muy señores míos:

Yo, Gertruda Babilinska, residente en la calle Weisel 6 de Tel Aviv, doy fe de que durante la guerra mundial cuidé de Michael Stolowitzky, un niño judío de Varsovia, y conseguí salvarlo del infierno y llevarlo a la Tierra de Israel. Los dos nos libramos milagrosamente de la muerte a manos de los alemanes cuando el señor Karl Rink, oficial de rango de las SS destacado en Vilna, impidió a sus soldados descubrir que Michael era judío y arrestarnos a los dos. No me cabe duda de que al protegernos de aquel modo puso en peligro su propia vida.

He sabido que el señor Rink se casó con una mujer judía y tiene una hija que reside en la Tierra de Israel.

No sé dónde se encuentra ahora mismo el señor Rink, pero me veo obligada a informarles de estos hechos con la esperanza de que remitan la información a quien corresponda y reduzcan su condena por haber servido en las SS durante la guerra.

Atentamente,
Gertruda Babilinska

6.

Una mañana estival de 1949, después de pasar cuatro meses buscando su paradero, Gertruda y Michael cogieron un autobús hacia Kfar Giladi para reunirse con la hija del oficial de las SS Karl Rink. Elisheva era entonces una encantadora mujer de veinticuatro años y estaba casada con Mendel Bernson, un miliciano de Palmaj del kibutz Ashdot Ya'akov. Trabajaba de enfermera en la maternidad del kibutz, donde ella misma acababa de tener un hijo. En Kfar Giladi nadie sabía nada acerca de sus padres, pues nunca hablaba de ellos. Las cicatrices de la guerra seguían frescas y temía que a los residentes del kibutz les costara aceptar que su padre había militado en las SS. Así pues, recibió a Gertruda y a Michael con gran secretismo.

Cuando terminó el turno en la maternidad los tres se sentaron en su habitación. Una fresca brisa traía el aroma de las flores y en la distancia se oían los gritos joviales de los niños.

Elisheva les dijo que la correspondencia con su padre se había interrumpido al terminar la guerra y no se había reanudado hasta hacía bien poco. Les leyó una carta de su padre que le había llegado de Suiza poco antes del fin de la guerra, en febrero de 1944.

> Las últimas semanas han sido muy duras para nosotros. El enemigo es cada día más numeroso y las derrotas se suceden una tras otra. Si esto sigue así, la guerra terminará en cuestión de meses y no seremos nosotros quien ganemos. Esta ha sido una guerra brutal que nos ha convertido en animales. No dejo de avergonzarme de lo que han hecho mis camaradas. Hace poco he participado en redadas para buscar a judíos fugitivos. Me he presentado voluntario, aunque no estaba obligado a tomar parte. Me propongo salvar a tantos judíos como sea capaz del cruel destino que les aguarda en los campos de concentración, y me alegro de comunicarte que he podido salvar a alguno ya.

Elisheva les habló largo y tendido de su padre, de su buen talante y su devoción por la familia. Les explicó luego la desaparición de su madre y sus propias desventuras hasta llegar al kibutz.

Tras la rendición, les dijo, su padre comenzó a escribirle con regularidad. Karl Rink había logrado evitar que lo arrestaran y lo juzgaran, trabajaba en una tintorería industrial de Berlín y vivía solo en un piso de una pieza.

En una de sus últimas cartas le decía:

> Si hay algo que tiña todos mis pensamientos es la esperanza de volver a verte algún día. He enmarcado la foto de familia que me enviaste y la he colgado sobre la cama, junto a la de tu madre, y sueño contigo casi todas las noches. Me gustaría ir a verte al kibutz, pero supongo que en cuanto bajara del avión me llevarían a juicio por haber militado en las SS. Si hubiera judíos que se avinieran a testificar que les salvé la vida y tu Gobierno prometiera no arrestarme, estaría encantado de ir a verte.

Gertruda le dio a Elisheva una copia de la carta que había enviado a la diplomacia israelí.

–Estoy dispuesta a declarar en su defensa –le dijo, emocionada–. Me gustaría mucho que tu padre pudiera venir para que Michael y yo pudiéramos darle las gracias en persona.

–Le escribiré para contárselo –dijo Elisheva–. Se pondrá contentísimo.

7.

No satisfecha con bombardear a las embajadas con cartas sobre Karl Rink, Gertruda fue al Ministerio de Justicia en Jerusalén para asegurarse personalmente de que la visita del antiguo oficial de las SS Karl Rink podría tener lugar sin imprevistos. Los funcionarios escucharon su historia atónitos, pusieron su testimonio por escrito y le confirmaron que Karl Rink que sería bien recibido en Israel y podría ir y venir a su antojo.

Elisheva escribió a su padre y no tardó en recibir una carta de respuesta:

> Mi querida hija:
>
> Gracias por tus esperanzadoras noticias. Al leer tu carta he conseguido recordar a Gertruda Babilinska y al niño que la acompañaba. Me alegro de que haya hecho tantas gestiones para eliminar los obstáculos que se interponían en mi visita a Israel. Vendré a verte al kibutz en cuanto me den vacaciones, seguramente las próximas Navidades.

Gertruda se entusiasmó al enterarse por Elisheva de que su padre iba a ir a verla, y le prometió cocinar una tarta y visitarlos con Michael.

Elisheva esperaba que cuando su padre llegara al kibutz pudiera contarles a sus miembros lo que había hecho durante la guerra y especialmente lo que había hecho para salvar judíos. Aun así, salvo a su marido, prefirió no contarle a nadie que esperaba su visita.

En la carta siguiente que escribió a su hija el 4 de noviembre, Karl Rink le contaba que había reservado un vuelo a Israel y tenía previsto llegar el 24 de diciembre. «No puedes imaginarte la ilusión que me hace volver a verte –le decía–. Estoy contando las horas para mi vuelo.»

Elisheva le escribió para informarlo de que iría a buscarlo al aeropuerto junto a su marido y su hija pequeña.

El 20 de diciembre le llegó un telegrama de Alemania:

Lamentamos informarla de que el señor Karl Rink ha fallecido en el hospital a causa de un ataque al corazón y ha sido enterrado en el cementerio berlinés de Schöneberg. Le rogamos que acepte nuestras sinceras condolencias.

Atentamente,
Johan Reichtat, secretario
del Ayuntamiento de Berlín

8.

La vida en casa de los Trubovitch era confortable, pero Gertruda quería tener más independencia, encontrar un piso y mantener a Michael. Al cabo de algún tiempo se mudó con el niño a un pequeño piso en Jaffa. De día trabajaba como mujer de la limpieza para costearse sus gastos y la educación del chico. Poco después lo mandó a un internado en la colonia juvenil de Ben Shemen. Michael era la única luz que alumbraba su vida, y cada sábado iba a verlo y le llevaba el chocolate que más le gustaba. Se sentaba a su lado y escuchaba con interés sus historias escolares. En la colonia, donde lo llamaban Mike, el director y los profesores trataban a Gertruda como si fuera su madre, la llamaban a las reuniones de la asociación de padres y la informaban de sus progresos académicos. No se perdió una sola fiesta escolar o de graduación, y los amigos de Michael estaban convencidos de que se trataba de su madre.

Cada domingo Gertruda iba a misa en Jaffa y se encontraba con los amigos que había hecho en Israel para tomar

Gertruda y Michael. Ben Shemen, Israel, 1949.

café. Hablaban todos alemán o polaco, como ella, y no necesitó aprender hebreo en toda su vida. Gertruda tenía un pretendiente viudo que una amiga le había presentado, un empleado pobre, cultivado y atento. Ella disfrutaba de su compañía, pero cuando le propuso matrimonio lo rechazó. Se había acostumbrado a la soltería y en su vida ya no cabía nadie más que el niño al que había salvado de la muerte.

Aun así, a Gertruda le preocupaba el futuro de Michael. Sabía que a ella le sería cada vez más difícil mantener el mismo ritmo de trabajo, que sus ingresos disminuirían y no podría seguir manteniendo al chico. La obsesionaba la idea de que en Polonia o en Suiza podía haber una fortuna esperándolo, la herencia millonaria de su padre. Le hubiera gustado acudir a un abogado para que reivindicara los derechos de Michael, pero no tenía dinero para pagarle. Hasta que un buen día se acordó de Isaac Geller, el marchante de diamantes y antiguo vecino de la familia Stolowitzky en Polonia. Rogando al cielo que siguiera con vida, le escribió a su antigua dirección de Varsovia, en la avenida Ujazdowska 15.

La respuesta llegó al cabo de un mes. Geller le contaba que había escapado de Vilna a Siberia y había regresado a Varsovia al acabar la guerra. Su mujer había muerto de una enfermedad grave y sus hijos seguían viviendo con él. Al parecer, bajo el régimen comunista polaco estaba pasando por dificultades económicas y se veía obligado a deshacerse en breve de su casa y mudarse a un piso más modesto. Al final le decía:

> Trataré de localizar la fortuna de la familia Stolowitzky y la tendré al corriente.

Gertruda esperó con impaciencia el informe actualizado de Geller y al cabo de una buena temporada recibió otra carta:

> Por desgracia, no tengo muy buenas noticias. Al parecer, la casa de la familia Stolowitzky en la avenida Ujazdowska fue confiscada por el Gobierno polaco para instalar allí sus oficinas. El Gobierno confiscó los bienes y las cuentas bancarias de todos los judíos ausentes.

Tal como están las cosas, no creo que Michael pueda sacar en limpio un solo *zloty*.

Gertruda se quedó de piedra. Leyó la carta una y otra vez y decidió esconderle su contenido a Michael para ahorrarle nuevos sufrimientos.

12. El rastro del dinero

1.

Al terminar su servicio militar en el ejército israelí, Michael se desempeñó en un sinfín de trabajos con el fin de ahorrar algo de dinero y localizar la fortuna de su padre. A mediados de junio de 1958 aterrizó finalmente en Zúrich y se fue directo a las elegantes oficinas del Credit Bank, donde fue recibido por un empleado de edad avanzada que le rogó que tomara asiento con una sonrisa de oreja a oreja.

–¿En qué puedo ayudarlo?

–Mi padre tenía una cuenta en este banco –le dijo Michael.

–Cuánto me alegro.

–Mi padre murió en la guerra y soy su único heredero.

Michael sacó un certificado sucesorio expedido por la corte israelí después de encontrar el nombre de Jacob Stolowitzky en una lista con el nombre de las víctimas de Auschwitz y recibir de manos de Gertruda el certificado de defunción de Lydia. El funcionario leyó el certificado detenidamente y miró al visitante.

–¿Y dice que su padre, Jacob Stolowitzky, tiene una cuenta en nuestro banco? ¿Posee algún documento para confirmarlo?

–No –dijo Michael–. Sólo sé que mi madre me dijo que mi padre tenía aquí una cuenta.

–Permítame que lo verifique.

El empleado salió del despacho y volvió al cabo de un rato.

–Lo siento –dijo–. He buscado por todas partes y no encuentro ninguna cuenta a nombre de su padre. Puede que depositara su dinero en otro banco.

Michael lo miró sorprendido.

–También tenía dinero en otros bancos –dijo–, pero mi madre sólo recordaba el nombre del suyo. Me dijo que mi padre había ingresado en su banco grandes sumas de dinero antes de la guerra... Murió en un campo de concentración.

El empleado permaneció impasible. El joven que tenía delante no era el primero que venía buscando la herencia de familiares asesinados en la guerra. A las puertas del banco llegaban a menudo viudas y huérfanos de guerra convencidos de que saldrían por esas mismas puertas convertidos en millonarios. Y, aunque solían contar con el respaldo de legiones de abogados, eran muy pocos los que conseguían localizar las cuentas abiertas por sus familiares antes de la guerra.

–Por supuesto, no podemos descartar la posibilidad de que antes de morir su padre cancelara la cuenta y se llevara el dinero –dijo el empleado.

Michael no se movió de su asiento. «No es posible –pensaba–, tiene que haber algún error.» Su madre le había dicho explícitamente a Gertruda que el dinero estaba en aquel banco. Se lo había dicho con plena conciencia y sabía exactamente de lo que hablaba. Si su padre se había llevado el dinero de allí, debía tener una buena razón. ¿Cómo podía ser que su madre no supiera que la cuenta había sido cancelada? Y, si había sacado el dinero sin que ella se enterara, ¿a quién se lo había dado? ¿A quién había legado su fortuna y por qué?

El empleado lo miró con ojos comprensivos.

–Señor Stolowitzky –le dijo–, como le he dicho, no tenemos constancia de que exista una cuenta a nombre de su padre. Aun así, quiero creerle. Supongamos que el dinero fue efectivamente depositado en nuestro banco. Si su padre no sacó el dinero ni canceló la cuenta, la única posibilidad que queda es que tuviera una cuenta numerada.

–¿Y eso qué significa?

–Mucha gente depositó su dinero en cuentas anónimas identificables a través de algún número o sucesión de letras que sólo tuvieran algún significado para el titular. El dinero puede ser retirado de la cuenta únicamente por quien conozca el número secreto. ¿Conoce el código numérico de su padre?

Por supuesto que no lo conocía. Seguramente su madre tampoco sabía cuál era cuando le habló de aquel banco a Gertruda en su lecho de muerte.

–¿Qué debo hacer? –le preguntó Michael, cada vez más desmoralizado.

–Al parecer, su padre era un hombre rico. Mucha gente rica que depositó aquí su dinero contrató a un abogado o contable local para que gestionara sus asuntos. Es posible que su padre hubiera contratado a alguien. Trate de encontrar a ese alguien y pídale los datos de la cuenta.

Una chispa de esperanza relució en los ojos de Michael.

–¿Cómo puedo encontrar a ese hombre? –preguntó.

–Lamento no poder ayudarlo en este punto.

–¿Y qué debo hacer?

–Trate de encontrar pruebas –le aconsejó el empleado–. Es lo único que puede hacer. Si no aporta pruebas de la existencia de esa cuenta no podremos ayudarle.

2.

Michael salió de la entidad bancaria mareado. Se sentó en un banco de la calle y se sintió como un chiquillo perdido en un bosque, tratando de encontrar la senda entre una espesa vegetación. De tener dinero, podría haber contratado a un abogado para despejarle el camino, pero en su situación, con el poco dinero que le quedaba, sólo podía confiar en sí mismo.

La tarea parecía ardua, casi inviable. ¿Dónde iba a encontrar pruebas de la existencia de una cuenta secreta? ¿Quién podía saber de esa cuenta salvo su padre y su madre, que estaban muertos? Aun así, estaba decidido a hacer lo que pudiera para conseguir el dinero. No podía volver a Israel con las manos vacías.

Después de mucho pensar sólo se le ocurrió una idea. No era muy prometedora, pero era la única que tenía. Fue al consulado polaco en Zúrich, presentó su partida de nacimiento y solicitó un visado de entrada en Polonia.

El funcionario que expedía los visados le preguntó por el objeto de su viaje.

–Estoy recabando datos para recuperar la herencia de mi padre –dijo.

–¿Tiene algún conocido en Polonia? –le preguntó el funcionario.

–Mi padre tenía muchos amigos: hombres de negocios con los que trabajaba, gente que trabajaba para él. A lo mejor alguno me echa una mano.

–Las posibilidades son prácticamente nulas –le dijo el hombre–. La mayoría de ellos deben de estar muertos.

Le expidió un visado de una semana y le deseó suerte.

Michael llegó a la estación de Varsovia tras un viaje agotador y contempló la ciudad estupefacto. La ciudad ajetreada que él recordaba, rebosante de vida, tiendas y cafés, se había convertido en una aglomeración de horrendos edificios grises, escaparates miserables y tiendas sombrías, con pocos vehículos en la calzada y enormes retratos de Lenin colgando en cada esquina. Varsovia le pareció una ciudad deprimente y fría.

Después de lavarse la cara y afeitarse en los lavabos de la estación, preguntó cómo llegar a la sinagoga, donde esperaba encontrar a algún judío que le alquilara una habitación.

Unos pocos ancianos rezaban en la sinagoga de la calle Tlomackie. Michael esperó pacientemente a que terminaran sus plegarias y les preguntó si alguno podía alquilarle una habitación. Uno de ellos le preguntó a qué había venido. La respuesta despertó en ellos mucho interés. Muy rara vez se le concedía a un israelí el permiso para entrar en Polonia y los fieles de la sinagoga aprovecharon la ocasión para bombardearle a preguntas sobre Israel. Michael les preguntó si les sonaba el nombre de su padre.

–Por supuesto –dijo el tesorero de la sinagoga–. Jacob Stolowitzky pagó de su bolsillo todas las reparaciones de la sinagoga en 1938.

Michael le preguntó si conocía a alguna persona que hubiera trabajado con su padre y el tesorero le prometió encontrarla. También le ofreció una habitación en su casa sin costo ninguno.

El hombre tenía un piso modesto cerca de la sinagoga. Su mujer le cedió al invitado su dormitorio y se instaló con su marido en el salón, que hacía las veces de comedor. Mientras comían su magra cena, Michael les dijo que quería tantear sus derechos hereditarios sobre la mansión familiar.

–No te hagas muchas ilusiones –le dijo el tesorero, melancólico–. Lo más probable es que la casa fuera confiscada por el Gobierno, como las demás viviendas judías abandonadas. Dicen que los registros de la propiedad fueron destruidos durante la guerra y se perdieron la mayoría de las escrituras. Si no tienes ningún documento para probar que la casa es tuya, no tienes casi ninguna posibilidad de recuperarla o recibir a cambio el valor catastral.

Michael acababa de encontrar un nuevo escollo en la búsqueda del legado de su padre, otro motivo para tirar la toalla. Muy a su pesar, sentía que la fortuna de su padre se le iba escapando.

A la mañana siguiente tomó el tranvía hasta la avenida Ujazdowska 9. La mansión, rodeada por el río, no había cambiado mucho, salvo por la bandera polaca que ondeaba a la entrada y los dos guardias armados que la flanqueaban. Por las ventanas se veía a gente trabajando. Michael le preguntó a uno de los guardias qué oficinas alojaba el edificio.

–Es el Ministerio de Agricultura –repuso el guardia con indiferencia.

No valía la pena entrar. Michael dio una vuelta alrededor del edificio, echó un vistazo al parque Chopin y vagó por las calles hasta que decidió volver a la casa del tesorero.

Su mujer trató de consolarlo:

–Mi marido ha salido a buscar personas que conocieran a tu padre. Volverá por la noche.

Al cabo de unas horas el tesorero regresó en compañía de un anciano. Cuando se lo presentó a Michael, el hombre lo abrazó emocionado.

–Te recuerdo de cuando eras pequeño –le dijo.

Le contó que era un superviviente de Auschwitz y había vuelto a Varsovia solo después de que toda su familia pereciera en el campo. Lo entristeció profundamente conocer la suerte que habían corrido Jacob Stolowitzky y su mujer.

–Yo trabajaba para el contable de tu padre –le dijo.

–Mi padre depositó enormes sumas de dinero en bancos suizos. He ido a uno de ellos y me han dicho que no tienen ninguna cuenta a nombre de Jacob Stolowitzky.

–El dinero tiene que seguir allí –dijo el hombre–. Recuerdo que cada mes se hacían transferencias al apoderado de tu padre en Zúrich, que debía depositar el dinero en el banco.

–¿Recuerda quién era su apoderado? –preguntó Michael con una chispa de esperanza.

Al hombre se le iluminaron los ojos.

–Por supuesto –dijo–. Se llamaba Turner. Wolfgang Joachim Turner.

–¿No tendrá su dirección?

–No, lo siento –repuso el hombre.

Al día siguiente Michael tomó el tren de regreso a Zúrich.

3.

Encontrar al apoderado suizo de su padre fue más sencillo de lo que imaginaba. En el listín telefónico de Zúrich sólo había un Wolfgang Joachim Turner, y al lado del nombre constaba su profesión: abogado. Michael copió la dirección, en el centro del distrito financiero.

No le costó encontrar sus oficinas. En el vestíbulo del edificio una placa anunciaba que el despacho de Turner se encontraba en el tercer piso. Michael subió en ascensor y llamó a la puerta. No hubo respuesta. Durante un buen rato se paseó por el pasillo desierto, suponiendo que el abogado habría salido para asistir a una reunión o a algún juicio. No tenía nada mejor que hacer, así que siguió esperando.

El día transcurría y el abogado seguía sin aparecer. Michael vagó sin rumbo por la ciudad, se fue a la cama temprano y al día siguiente regresó a las oficinas del abogado que había sido el apoderado de su padre.

Volvió a encontrar la puerta cerrada y, armado de paciencia, se puso a esperar.

Por la tarde alguien salió de la puerta contigua y lo miró con curiosidad.

–¿Puedo ayudarlo? –dijo.

–Estoy buscando a Turner, el abogado.

–Lo siento. El señor Turner falleció la semana pasada.

Michael palideció. Ni siquiera se había planteado la posibilidad de que hubiera muerto.

–En la cuarta planta trabaja un abogado que se ha hecho cargo de los casos del señor Turner –le dijo–. Vaya a verlo, si quiere.

Michael llamó a la puerta del abogado, le contó sucintamente lo que había venido a hacer a Zúrich y le preguntó si Turner le había dado el archivo de su padre.

–No me suena de nada –repuso el abogado–. Le recomiendo que vaya a ver a su viuda. A lo mejor ella puede ayudarlo.

4.

La gran mansión de tejados de pizarra estaba en lo alto de una colina sobre el pueblo de Thalwil, en la ribera occidental del lago Zúrich. Los rayos de sol bañaban las hojas de los manzanos del jardín, los parterres de flores bien cuidados y el sendero empedrado que llegaba hasta la puerta. Michael llamó al timbre y abrió la puerta una anciana muy tiesa, vestida de luto y con el pelo recogido en la nuca, que lo miró maravillada.

–¿Señora Turner? –preguntó.

–Sí –dijo–. ¿Quién eres?

Michael se presentó y la anciana se quedó en el umbral un minuto largo, muda de asombro.

–Disculpa –dijo al recobrar el aliento–. Pensaba que estabas...

–No, no estoy muerto –dijo Michael, leyéndole el pensamiento.

–Gracias a Dios –dijo ella sonriendo–. Pasa, pasa.

La anciana le condujo hasta un salón muy elegante, donde lo invitó a sentarse en un sillón mullido. Ella se sentó a su lado.

–Nos enteramos de que a tu padre lo habían enviado a Auschwitz y había muerto en el campo –dijo–. Pensamos que tú también habrías muerto en la guerra.

Michael le explicó por encima su vida desde que había huido de Varsovia. Ella escuchó asintiendo, conmovida.

–Conocía bien a tus padres –le dijo–. Vinieron a vernos más de una vez, eran dos personas encantadoras, maravillosas. Tu padre no hablaba nunca de su dinero, y eso que era inmensamente rico. Mi marido no era sólo el apoderado de tu padre, era uno de sus mejores amigos.

Michael le explicó las dificultades que había encontrado para hallar su herencia.

–Sé que mi marido gestionaba el dinero de tu padre y le hacía ingresos o transferencias siempre que se lo pedía –dijo–. Pero sólo tu padre y mi marido conocían los números secretos de sus cuentas. Miraré a ver si los apuntó en alguna parte.

La anciana se marchó y volvió al momento con una carpeta rebosante de documentos, etiquetada STOLOWITZKY.

–Aquí debería estar todo –dijo.

La mujer hojeó los documentos con calma, cuidadosamente. No tardó mucho en encontrar un cuaderno de notas y mostrárselo a su huésped.

–Aquí están anotadas, del puño y letra de mi marido, las cantidades que tu padre depositó y el dinero que padre fue sacando para él.

Michael estudió el cuaderno. Los números de cuenta no se indicaban, pero había una lista precisa del saldo total en efectivo y en lingotes de oro de su padre, que ascendía a veinticuatro millones de dólares. En los años treinta aquella suma era una fortuna importante. En los valores de cambio actuales y con la subida del precio del oro, la suma era mucho mayor.

–¿No tendrá algún documento oficial del banco que pueda confirmar la existencia de la cuenta? –preguntó.

La anciana buscó pero no encontró nada.

–Tengo que encontrar el número secreto –le dijo, optimista.

La mujer hojeó el archivo otra vez.

–Lo siento, pero aquí no hay ni rastro de los números que andas buscando –dijo–. Mi marido era un hombre muy discreto. Probablemente los había memorizado.

–¿No dejó su marido algún otro documento relacionado con el dinero de mi padre?

–Es la única carpeta, lo siento. En su despacho no dejó ningún otro archivo. Se lo trajo todo a casa.

Michael se retorció las manos, nervioso.

–¿Mencionó su marido los nombres de los empleados bancarios que gestionaban la cuenta?

–Nunca.

–¿Y qué voy a hacer? –se preguntó Michael.

Ella le acarició la cabeza, apenada.

–No creo que puedas hacer nada. Tal vez sea mejor que te olvides de ese dinero.

5.

Presa de la inquietud, Michael deambuló sin rumbo todo el día y de noche se revolvió en la cama sin poder dormir. Esperaba que sus temores no se confirmaran y que al volver al banco el empleado tuviera buenas noticias para él. Quizá, por algún milagro, encontraría el modo de heredar el dinero de su padre.

Tras mucho deliberar, Michael regresó al Credit Bank. Seguía sin tener pruebas de la existencia de la cuenta de su padre. La única información que tenía eran las palabras de su madre moribunda y el testimonio de la viuda del apoderado de su padre en Suiza, y suponía que ninguna de las dos cosas conseguiría cambiar la postura del banco.

Y así fue.

El empleado del banco parecía incómodo de volverlo a ver.

–Tiene que entender que en las presentes circunstancias no puedo hacer nada por usted –le dijo.

–Lo comprendo. Supongo que tendré que acudir a un abogado para que se haga cargo del caso.

Se puso en pie y le estrechó la mano al empleado.

–Gracias, de todas formas –dijo.

El empleado le lanzó una mirada compasiva.

–No debería hacerlo –susurró–, pero voy a decirle algo que puede ayudarlo.

Michael volvió a sentarse.

–Dice usted que es el único heredero del señor Stolowitzky –dijo el empleado.

–Exacto.

–¿Es posible que su padre tuviera otros herederos?

–Por lo que yo sé, todos mis familiares han muerto.

–Pues algo raro está pasando –dijo el empleado–, porque hemos recibido otra solicitud para acceder al legado de su padre.

–No lo entiendo –murmuró Michael, anonadado.

–Hace poco un abogado suizo nos envió una solicitud para encontrar los datos bancarios de su padre a petición de un cliente suyo. Desde entonces me he reunido con esa persona dos veces.

–¿Quién es su cliente?

–Su clienta: es una mujer que reclama derecho de herencia sobre los bienes de su padre.

–No puede ser…

–Señor Stolowitzky –dijo el empleado pacientemente–, lo único que puedo hacer es darle la dirección del abogado que representa a esa mujer. Si él quiere darle los datos de su clienta, podrá saber de quién se trata.

6.

Michael se pasó la noche en un tren abarrotado con destino a París, estrujándose el cerebro en vano para imaginar quién podía ser aquella mujer. Su abogado le había dado su dirección después de obtener el permiso de su clienta, pero no le había dado ningún otro dato sobre ella. Michael repasó la lista de parientes que recordaba y trató de deducir quién había reclamado el dinero. No había sabido nada de sus familiares desde el comienzo de la guerra y tenía muchos motivos para pensar que estaban todos muertos. Y sin embargo, una mujer reclamaba ahora el dinero de su padre. Estaba impaciente por conocerla. Albergaba el vago temor de que aquella mujer se le adelantaría y se quedaría con toda la herencia.

Caminó desde la estación hasta una dirección del distrito sexto de París, un barrio elegante sembrado de parques públicos. Al llegar admiró las fastuosas casas del barrio, los chóferes con librea esperando a la entrada de los edificios de empresarios pudientes, las hermosas mujeres con vestidos de seda tras los grandes ventanales y los balcones, comiendo el desayuno que les servían criadas con delantales blancos. Se imaginó que al llamar a la puerta de la mujer a la que buscaba le abriría un sirviente de uniforme y le pediría que esperara mientras avisaba a la señora de que tenía visita.

La casa a la que llegó era una de las más lujosas del barrio, pero en la puerta lucía otro nombre. Miró la nota que el abogado le había dado, con la dirección de la mujer a la que buscaba. No, no era una equivocación. Aquella era su casa.

Llamó al timbre y abrió la puerta un criado vestido de negro.

–Estoy buscando a madame Massini.

–¿Quién es usted?

–Me envía su abogado.

–Sígame –dijo el criado y lo condujo a un pequeño cobertizo del jardín.

–Si es tan amable de esperar –le dijo–. Iré a buscarla.

Michael se quedó allí sentado y no tardó en ver venir al criado junto a una mujer de unos cuarenta y tantos años ataviada con un delantal blanco.

–Soy Anna Massini –dijo–. ¿En qué puedo servirle?

–Soy el hijo de Jacob Stolowitzky –se presentó.

La mujer lo miró un buen rato antes de hablar.

–Mi abogado me avisó de que vendrías, pero no podía creérmelo. Tu padre estaba convencido de que habías muerto durante la guerra.

Michael le resumió lo que le había sucedido.

–Pasa adentro y hablaremos. Vivo aquí –dijo abriendo la puerta del cobertizo e invitándolo a pasar.

–Debes de estar hambriento –agregó–. Te prepararé algo de comer.

Se fue a la cocina y volvió con dos bocadillos de queso. Michael los devoró mientras ella hurgaba en el armario ropero, del que sacó un sobre raído en cuyo interior había un folio.

–Es el testamento de tu padre –dijo.

Michael leyó el escrito, en el que su padre decía explícitamente que si su hijo seguía con vida heredaría todo su dinero y Anna Massini, por su parte, obtendría una pensión vitalicia.

La mujer sonrió con tristeza.

–Tu padre hablaba mucho de ti –dijo–. Le encantaba contarme vuestra vida en Varsovia. Cuando dedujo que estabais los dos muertos pasó mucho tiempo llorándoos. Al ver que los alemanes iban a ocupar Francia decidimos casarnos y mudarnos a casa de mi madre, en Italia. Pensé que allí estaría a salvo, pero no fue así. Al final los alemanes lo arrestaron y no volví a saber de él.

–Nos separamos cuando yo era niño y no he dejado de añorarle ni un día.

Ella asintió.

–Después de la guerra traté de encontrarlo –continuó–, y tardé unos meses en averiguar cuál había sido su destino. Como no había trabajo en Italia regresé a París. Tuve la suerte de encontrar trabajo de cocinera en la casa de un rico empresario, y aquí me tienes.

–Pues yo llevo semanas tratando de recuperar la herencia de mi padre y no he podido –dijo Michael, levantándose para marcharse.

–Espera un momento, no hemos terminado –dijo ella, tirándole del brazo para que volviera a sentarse–. A ti te corresponde heredar el dinero de tu padre. No sería digno por mi parte reclamar la herencia.

Le recomendó que contratara los servicios de su abogado para que pasara a representar sus intereses.

–Ya ha hecho muchos progresos –dijo–. Espero que pueda ayudarte.

Michael oyó la noticia tan excitado como sorprendido por su generosidad.

–No puedo aceptarlo –dijo–. Usted pasó mucho tiempo con mi padre y lo ayudó en sus horas más negras. Estoy seguro de que la quería y creo que debería obtener parte de la herencia.

–Eres un chico muy tozudo –dijo ella riendo–. Anda a buscar el dinero. Si lo encuentras ya decidirás si merezco una parte o no.

7.

No fue hasta agosto de 1964, seis años después de comenzar sus gestiones, que el abogado de Michael Stolowitzky logró un primer desembolso. No consiguió sacar más que 148.000 dólares por las fábricas de Polonia y una fábrica confiscada por los nazis. La mansión de la avenida Ujazdowska seguía siendo propiedad del Gobierno polaco, ya que todas las escrituras se habían quemado cuando la Unión Soviética bombardeó Varsovia. Sus posteriores intentos de conseguir la parte más sustanciosa de la herencia depositada en las cuentas de varios bancos suizos se saldaron en fracaso.

El dinero fue transferido a la cuenta bancaria de Michael, que consultó con Gertruda cómo debía emplearlo.

–Es tu dinero –le dijo ella–. Haz con él lo que quieras.

Michael le transfirió la mitad de la suma a Anna Massini y al día siguiente Gertruda encontró el resto del dinero en un sobre encima de su cama.

–¿Y esto qué se supone que es? –preguntó sorprendida.

–Me dijiste que hiciera con el dinero lo que quisiera –respondió–. Y lo que quiero es que puedas darte algún pequeño lujo, que te compres algo que te guste, algo que no habías podido comprarte, que viajes, que trabajes menos.

Gertruda lloró de emoción y aquel mismo día le anunció a Michael que había decidido darles el dinero a sus padres. Michael fue con ella a su casa de Starogard. Encontraron al viejo matrimonio viviendo en la miseria, más pobres de lo que recordaban. Ambos seguían tirando con muchas dificultades. Su madre iba en silla de ruedas y su padre se apoyaba en un bastón. Su salud empeoraba de día en día y la casa necesitaba un sinfín de reparaciones urgentes: tenía goteras, las paredes estaban desconchadas y las cañerías estaban podridas. Cuando Gertruda les dio el dinero se quedaron de una pieza.

–Yo soy feliz y estoy satisfecha con mi vida –les dijo–. No lo necesito.

Al cabo de dos días regresó a Israel junto a Michael.

–Tengo la impresión de que no volveré a ver a mis padres en esta vida –le dijo.

De hecho, Gertruda no volvería a salir nunca más de Israel.

8.

A su regreso Michael encontró en el buzón una carta de París:

Querido Michael:

Me he quedado de una pieza al recibir tu dinero. Gracias de todo corazón por este bonito gesto. Siento que no hayas podido conseguir toda la herencia, pero yo sé mejor que nadie que no podemos esperar justicia en este mundo. A fin de mes me veré obligada a renunciar a mi trabajo por razones de salud y el dinero me ayudará a sobrevivir de forma digna. Tu difunto padre siempre me trató con respeto y amor, siempre me dio ánimos. Ahora tengo la impresión de que Dios te ha enviado para demostrarme que de casta le viene al galgo.

Para siempre, tu amiga,
Anna

La vida volvió a la normalidad. Michael encontró trabajo en una gran agencia de viajes de Tel Aviv y alquiló un piso más grande y más bonito para vivir con Gertruda. Ella lo amueblό con sencillez y asistió desde allí al florecimiento de su carrera profesional.

9.

En 1963 Yad Vashem le concedió a Gertruda el título de Justa entre las Naciones y tras la boda de Michael se mudó a Beit Lokner, un hogar creado en Nahariya para los Justos entre las Naciones.

–Yo soy israelí –decía siempre, orgullosa–. Esta es mi casa, no me dejé nada fuera de Israel.

Como experto en turismo de peregrinaje, Michael Stolowitzky tuvo que mudarse a Estados Unidos, pero volvía cada mes a ver a Gertruda. En sus visitas era él quien le traía a ella su chocolate preferido.

El 1 de marzo de 1995, a los noventa y tres años, Gertruda enfermó y le dijo a Michael que sentía que la muerte venía a buscarla. Michael la veló en su cama del hospital de

Nahariya día y noche. Sus últimas palabras fueron: «Cuídate, hijo mío. Nos veremos allá arriba, en el cielo». Murió llevando en el dedo anular la alianza de Lydia Stolowitzky.

El martes 5 de marzo se organizó un funeral por todo lo alto en su parcela del cementerio de los Justos entre las Naciones, en Kiryat Shaul. Varios representantes de Yad Vashem prepararon sus discursos y le pidieron a Michael que dijera unas palabras ante la sepultura de su madre adoptiva.

Pero el cuerpo se retrasaba. Avergonzado y tenso, Michael llamó al conductor de la ambulancia que debía traerlo del hospital y le preguntó, sin poder contener los nervios:

–¿Dónde está el cuerpo?

El conductor pareció sorprendido:

–Por lo que yo sé, ya la han enterrado –le dijo.

Atónito, Michael llamó al hospital y tras una breve conversación descubrió que una familia de Carmiel había llegado la víspera al hospital y había identificado a Gertruda como familiar suya. El cuerpo había sido trasladado al cementerio de Carmiel, donde lo habían enterrado aquella misma noche.

El rabino a cargo del cementerio de Carmiel se negó a desenterrar el cuerpo, pero cuando la familia regresó al hospital e identificó el cuerpo correcto de su pariente, Michael obtuvo su permiso. El cuerpo de Gertruda fue desenterrado y transportado en helicóptero al cementerio de Kiryat Shaul. El panegírico corrió a cargo del padre Daniel Rufesein, nacido y criado como judío en Polonia, que durante la guerra se escondió en un monasterio, se convirtió al cristianismo y se instaló más tarde en Israel.

–Por voluntad de Dios, Gertruda Babilinska fue enterrada dos veces –dijo–: primero en una tumba judía y luego en una cristiana. Para ella no hay mejor símbolo que este, pues fue una católica devota y vivió como judía. Bendita sea su memoria.

Gertruda fue enterrada minutos antes de la puesta de sol del sabbat.

10.

En el Día de Conmemoración de las Víctimas del Holocausto del año 2004, una de las personas que subió al escenario fue Etti Bernson, nuera de Elisheva Rink. Su suegra se sentó en primera fila con su silla de ruedas y escuchó emocionada el fragmento que Etti escogió del libro *En el corazón de las tinieblas*, publicado recientemente por Yad Vashem, en el que Aryeh Segelson, un juez retirado, relata la vida de su tío Moshe:

> El oficial alemán quería hablar en el piso que tenía en Kovno. Algo le angustiaba, era evidente. «Señor Segelson –le dijo–, los alemanes vamos a perder la guerra. Pero no podemos rendirnos y vamos a luchar hasta el final. Usted, Segelson, aún tiene alguna posibilidad de sobrevivir. Al contrario que usted, yo no tengo manera de

escapar de esta guerra. No pienso darme por vencido y me quedaré en el campo de batalla hasta la muerte. Si logra salir con vida, debe ir usted a Palestina. Allí está mi hija. Cuéntele todo lo que sabe de mí, dígale que los traté con dignidad a usted y al resto de judíos de Kovno. Nunca le he hecho ningún daño a un judío, ni aquí ni en ninguna otra parte. He salvado a muchos judíos ocultos, como usted bien sabe. Por supuesto, como integrante de las SS, también he tenido que cumplir las órdenes y ejecutar las políticas antisemitas nazis. Pero yo, personalmente, nunca le he hecho daño a un judío. Mi opinión acerca del pueblo judío es diametralmente opuesta a la del partido nazi. Nunca he creído que los judíos fueran los enemigos de mi patria. Dígaselo a mi hija. Quiero que sepa que su padre no fue un asesino y que lo recuerde como un hombre digno de respeto, aunque sirviera en las SS.»

Un murmullo se propagó por el auditorio. El público no acababa de entender que hubiera escogido aquel pasaje para conmemorar a las víctimas del Holocausto. Elisheva miraba a su nuera con lágrimas en los ojos.

–Se preguntarán por qué he querido leerles este pasaje –dijo Etti–. Lo he escogido porque tiene un significado muy especial para Elisheva, una gran mujer que hoy se sienta entre nosotros. Hoy, con su permiso, voy a revelar que el oficial de las SS al que alude el pasaje era Karl Rink, su padre.

Epílogo

Michael (Mike) Stolowitzky, hombre enérgico y *bon vivant*, reside en Nueva York, aunque conserva muchas amistades en Israel. Está casado con Beatrice y tiene un hijo. Mike se dedica al turismo internacional y en 2007 fue galardonado en Londres con el prestigioso Premio de Turismo Mundial. En la parcela reservada a los Justos entre las Naciones del cementerio de Kiryat Shaul levantó en honor de Gertruda un monumento impresionante diseñado por un arquitecto y visita su tumba varias veces al año. En sus visitas suele sentarse junto a la sepultura de su madre adoptiva para contarle cómo le va la vida.

Elisheva (Helga) Rink vivió en Kfar Giladi hasta el día de su muerte y tuvo allí dos hijos y dos hijas gemelas. Moshe Segelson se mudó a Israel en 1946 y al poco tiempo fue a verla. Al oír las historias sobre su padre no pudo reprimir las lágrimas. Elisheva murió en septiembre de 2006 y legó su cuerpo a la ciencia.

El reverendo **John Grauel** regresó a Estados Unidos y se instaló en una pequeña ciudad de Nueva Jersey, desde donde realizó frecuentes visitas a Israel. Murió en 2003 y fue enterrado en Jerusalén.

El capitán **Isaac (Ike) Aaronovitch** fundó una naviera y vivió en Zikhron Ya'akov hasta su muerte, acaecida en 2009.

Yossi Hamburger (Harel), comandante del *Exodus*, se pasó a la empresa privada internacional en 1950. Vivió en Tel Aviv y murió en 2008, a los noventa años.

El ***Exodus*** fue remolcado por los ingleses a un muelle abandonado de Haifa. Tras la fundación del Estado israelí se emprendieron los preparativos para convertirlo en un museo, pero un cortocircuito provocó un incendio en el barco, que en pocas horas fue consumido por las llamas.

Bibliografía

ARAD, YITZHAK, *Vilna HaYehudit BeMa'abak Vebehilion* (*Lucha y exterminio de los judíos de Vilna*), Tel Aviv, Yad Vashem, Universidad de Tel Aviv, 1976.

DRUJIE, JACK, *Parashat Exodus Be'Or Hadash* (*El Éxodo desde una nueva óptica*), Tel Aviv, Am Oved, 1971.

GRAUEL, JOHN STANLEY, *Grauel*, Nueva Jersey, Ivory House, 1983.

HALAMISH, AVIVA, *Exodus* (*Éxodo*), Tel Aviv, Am Oved, 1990.

KALMANOVITCH, ZALMAN, *Yoman BeGhetto Vilna* (*Diario del gueto de Vilna*), Tel Aviv, Sifriyat Hapoalim, 1977.

KANIUK, YORAM, *Exodus: Odesia Shel Mefaked* (*Éxodo: la odisea de un capitán*), Tel Aviv, publicación del kibutz Hameuchad y Daniella Dee-Nur, 1999.

KEREN, NILI (ed.), *Lehapes Ben Adam* (*Buscando a un hombre*), Ediciones Masuot, 2004.

LEZER, CHAYIM, *Hurban VeMered* (*Destrucción y alzamiento*), Ediciones Masuot, 1950.

LONSKI, CHAYKEL, *Mehaghetto Havilnai – Tiupsim VeTslilim* (*En el gueto de Vilna – Personajes e imágenes*), publicación de la Sociedad de Escritores y Periodistas Judíos de Vilna, 1921.

Reindjenski, Alexander, *Hurban Vilna* (*La destrucción de Vilna*), Tel Aviv, publicación de Beyt Lohamei Hagetaot y el kibutz Hameuchad, 1987.

Rudashevski, Yitzhak, *Yomano Shel Na'ar MeVilna* (*Diario de un joven de Vilna*), Tel Aviv, publicación de Beyt Lohamei Hagetaot y el kibutz Hameuchad, 1969.

Segelson, Aryeh, *BeLev HaOphel* (*En el corazón de las tinieblas*), Jerusalén, Ediciones Yad Vashem, 2002.

Tayler, Alan, *Cheerful and Contented* (*Alegres y satisfechos*), Sussex, The Book Guild, 2000.

Trubovitch, Yitzhak, *Toldot Hayai* (*La historia de mi vida*), edición privada, 1987.

Guía de lectura

1. Durante la guerra Gertruda arriesgó su vida a diario para poner a Michael a salvo. ¿A qué crees que pudo deberse su dedicación? ¿Has sentido alguna vez alguna conexión de esta clase? ¿Compartes de algún modo sus sentimientos?

2. Cuando Karl Rink se incorporó a las SS adujo que lo hacía porque el sueldo era bueno y creía que Hitler cambiaría Alemania a mejor. ¿Te parecen motivos justificables? Teniendo en cuenta sus principios y creencias, ¿cómo fue capaz de mantenerse fiel a su familia judía y al partido nazi?

3. Helga pierde a su madre y tiene que mudarse a un kibutz para salvarse. Durante muchos años no le contó a nadie acerca del trabajo de su padre. Trata de ponerte en su lugar: ¿cómo reaccionarías si tu padre se alistara en las SS? ¿Te habrías ido por tu cuenta a Israel, como ella?

4. Emil tenía en casa de los Stolowitzky un trabajo magnífico que satisfacía todas sus necesidades: comida, alojamiento, un buen salario y el respeto de su patrón, que lo

trataba como si fuera de la familia. ¿Por qué crees que traicionó a los Stolowitzky al huir de Polonia? ¿Crees que fue por la guerra o porque siempre había ansiado sus riquezas?

5. ¿Por qué crees que Jacob se casó con Anna? ¿Estaba enamorado de ella? ¿Lo hizo únicamente para librarse de los horrores de la guerra? ¿Por qué te parece que abandonó tan pronto a su mujer y a su hijo?

6. El doctor Berman auxilió a Gertruda y a Michael en más de una ocasión. ¿Cuál habría sido el destino de los dos sin su intercesión? ¿Crees que hubieran sobrevivido? ¿De qué modo le retribuyeron su ayuda?

7. Después de albergar sentimientos encontrados durante mucho tiempo, Karl Rink se arma de valor para salvar de la muerte a tantos judíos como puede mientras ejecuta las órdenes del partido nazi. Sin su mediación, Gertruda y Michael no habrían sobrevivido. Comenta el momento en que sus vidas se cruzan en Vilna. ¿Qué parecidos ves entre Karl Rink y Oskar Schindler?

8. Después de ser abandonada en el altar, Gertruda decide consagrarse a la educación de Michael y renuncia al matrimonio hasta que conoce a John Grauel. ¿Qué pudo ver en él para cambiar de opinión después de tantos años? ¿Qué sentiste cuando Grauel le explica que no está interesado en tener con ella una relación sentimental?

9. Comenta tus impresiones al leer las páginas dedicadas a la travesía del *Exodus*. ¿Cómo crees que los pasajeros soportaron las duras condiciones del viaje y la negativa del Gobierno británico a dejar que atracara en Haifa? Con todo lo que habían padecido, ¿cómo fueron capaces de conservar la fuerza y la esperanza y llegar al extremo de cantar el himno nacional «Ha-Tikvah» cuando se veían al borde del fracaso?

10. Fueron muchos los que perdieron su fortuna durante la guerra. Cuando Michael no consigue sacar de los bancos suizos la mayor parte de su herencia, con la que contaba para devolverle a Gertruda una vida confortable, ¿por qué crees que decide darle parte del dinero a Anna? ¿Habrías hecho tú lo mismo?

11. La Segunda Guerra Mundial puede servir para ilustrar lo peor del ser humano, pero la historia de Gertruda y Michael nos muestra también la belleza de un vínculo eterno entre una mujer y un niño. Comenta la paradoja de ambas realidades. ¿Cómo es posible que la gente saque lo mejor que lleva dentro cuando el mal campa por sus fueros? Aunque los horrores de la guerra resulten abrumadores, la historia de Gertruda y Michael consigue elevar el espíritu. ¿Qué partes del libro te han parecido más inspiradoras?

12. Todos hemos oído historias de gente como Gertruda, que arriesgó su propia vida para proteger a los judíos durante la guerra. De haber habido más gente como ella, ¿crees

que habría cambiado el curso de la guerra? ¿Por qué motivo reaccionan los héroes como lo hacen y otras personas no?

13. ¿Cuál crees que es el verdadero sentido de la palabra «héroe»? ¿Pueden inscribirse en esta categoría Michael, Gertruda, Karl Rink o el doctor Berman? ¿En qué sentido? ¿Quién te parece que es el auténtico héroe o la auténtica heroína del libro?

Su opinión es importante.
En futuras ediciones, estaremos encantados
de recoger sus comentarios sobre este libro.

Por favor, háganoslos llegar a través de nuestra web:

www.plataformaeditorial.com

Plataforma Editorial planta un árbol
por cada título publicado.